**Ah shit,
j'ai pogné le cancer**

Catalogage avant publication de Bibliothèque et Archives nationales du Québec et Bibliothèque et Archives Canada

Schiltz, Maude

    Ah shit, j'ai pogné le cancer

    ISBN 978-2-89662-328-0 (vol. 2)

    1. Schiltz, Maude. 2. Sein - Cancer - Patientes - Québec (Province) - Biographies. I. Titre.

RC280.B8S34 2013   362.19699'4490092   C2013-942267-6

Édition
Les Éditions de Mortagne
Case postale 116
Boucherville (Québec)
J4B 5E3

Tél. : 450 641-2387
Téléc. : 450 655-6092
Courriel : info@editionsdemortagne.com

Mise en page et conversions numériques
Studio C1C4

Conception de la couverture
Eric Robillard, Kinos

Tous droits réservés
© Les Éditions de Mortagne 2014

Dépôt légal
Bibliothèque et Archives Canada
Bibliothèque et Archives nationales du Québec
Bibliothèque Nationale de France
2e trimestre 2014

ISBN 978-289662-328-0
ISBN (epdf) 978-289662-329-7

1 2 3 4 5 — 14 — 18 17 16 15 14

Imprimé au Canada

Nous reconnaissons l'aide financière du gouvernement du Canada par l'entremise du Fonds du livre du Canada (FLC) et celle du gouvernement du Québec par l'entremise de la Société de développement des entreprises culturelles (SODEC) pour nos activités d'édition. Gouvernement du Québec — Programme de crédit d'impôt pour l'édition de livres — Gestion SODEC.

Membre de l'Association nationale des éditeurs de livres (ANEL)

ASSOCIATION NATIONALE DES ÉDITEURS DE LIVRES

MAUDE SCHILTZ

AH SHIT, J'AI POGNÉ LE CANCER

Tome 2

ÉDITIONS DE MORTAGNE

Table des matières

C'est vrai puisque c'est écrit ;)

Les informations médicales que vous lirez ici sont exactes, et ça, c'est grâce à mon médecin extraordinaire.

Il a pris la peine de lire tout ça pour corriger mes erreurs avant la publication du livre, comme il l'avait fait pour le tome 1 d'ailleurs, et pour ça je veux lui exprimer toute ma reconnaissance.

On dit qu'au Québec les médecins sont débordés, et c'est vrai ; mais je pense que plusieurs d'entre eux trouvent du temps pour les causes qu'ils ont à cœur.

Si vous et moi y mettions même juste la moitié des efforts que déploient mes médecins en Oncologie, je parie qu'un jour, on verrait la fin du cancer du sein.

Vous n'avez pas lu le tome 1 ? C'est pas grave ! Il y a une foire aux questions pour ça !

De quel cancer es-tu atteinte ?
D'un cancer du sein HER2+ bilatéral de stade 2 et de grade 3, avec 13 tumeurs canalaires et lobulaires ; 8 d'un côté, et 5 de l'autre.

Quel était le plan de traitement prévu pour toi ?
Deux chimiothérapies néoadjuvantes, c'est-à-dire avant la chirurgie (4 injections d'AC, et 12 de Taxol), suivies d'une biothérapie (injections d'Herceptin pendant 12 mois) ; double mastectomie totale ; traitement antihormonal (Tamoxifène pendant 5 ans).

Vas-tu mourir ?
Avec le cancer, rien n'est jamais sûr, mais moi je suis certaine que non. :)

Ça sert à quoi, les petits carrés noir et blanc dans les pages du livre ?
C'est un peu comme des paragraphes supplémentaires, dans le sens qu'ils complètent ma pensée. Si vous les scannez avec un téléphone intelligent et l'application qui va avec, ils vous mèneront à des liens qui valent la peine selon moi ; mais si vous ne les scannez pas, eh bien soyez sans crainte, rien de grave ne vous arrivera et vous ne mourrez pas du cancer pour autant, haha ! ;)

Est-ce que ton histoire est vraie ?

Oui. Malheureusement. J'ai le cancer pour vrai, et je suis suivie de près pour vrai par une excellente équipe médicale qui voit à ma santé et veille sur ma vie. Des éléments de mon histoire ont bien sûr été modifiés, question de protéger les gens qui en font partie ; c'est d'ailleurs la raison pour laquelle vous croiserez un tas de surnoms au fil des pages. Ça vous mélange ? Eh bien on a pensé à tout ! Allez voir en page 375 ; vous trouverez une liste des « personnages » du théâtre qu'est devenue ma vie avec le cancer.

N° 51. Les choses qui ne se disent pas

24 avril 2013

Bon, j'ai l'impression de ne pas vous avoir écrit depuis des années. J'ai bretté jusqu'à la toute dernière minute, c'est-à-dire jusqu'à la veille de mon opération (eh oui, c'est déjà demain qu'on m'enlève les seins et qu'on me les remplace par du silicone, *oh my God, OH MY GOOOOOD!* DEMAIN, OSTIE !).

J'ai commencé un courriel il y a longtemps — un mois ? deux mois ? — , et hier je rushais pour essayer de le terminer pour vous l'envoyer à temps malgré tout ce que j'ai à faire avant la chirurgie. Ce matin, je me rends bien compte que c'est ridicule. Alors au lieu de le botcher et de vous envoyer n'importe quoi, je vais juste vous envoyer plein de photos, vous dire que je vais bien (après avoir été pas mal *down* au cours des 5-6 dernières semaines, par contre), vous mettre, sans relire, ce que je vous avais écrit quand je filais pas (juste avant la FAQ), et vous rappeler que je suis contente que vous soyez là. :)

Aujourd'hui, à l'hôpital, on m'injectera le colorant radioactif qui permettra à mon chirurgien d'identifier mes ganglions (et possiblement un colorant bleu qui, accessoirement, risque de donner une teinte bleue à mon visage — je vous ferai des photos si ça se produit), et c'est demain que je passe sur le billard (j'ignore encore à quelle heure, mais ça sera vraisemblablement vers plus ou moins 7 h du matin et ça durera plusieurs heures). *Wish me luck… and a lot of drugs. ;)*

Maude (mon prochain courriel sera signé « Pamela » !)

Pour les Geneviève, le look de coton ouaté de cette semaine

Nina porte des lunettes maintenant
(pis la fée des dents a dépensé tout son
petit change!)

Rémi aussi porte des lunettes
maintenant

On fête ma dernière chimio au resto ! Les enfants ont pris une photo de nous :)

Down et au lit   Sans fard : cernes de chimio

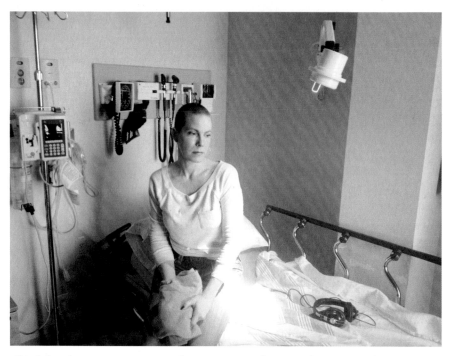

J'étais bouleversée au moment de recevoir ma dernière chimio ; à la fois soulagée
d'en voir la fin et craintive de vivre sans arme chimique contre mon cancer

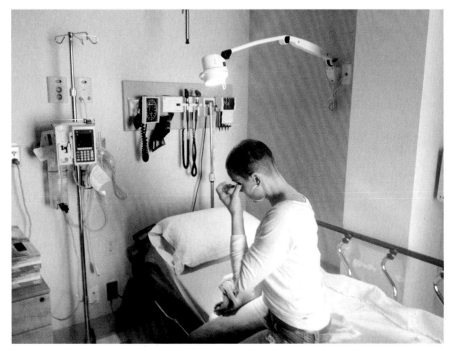

Finalement j'ai craqué… et j'ai fondu en larmes

Au resto en famille

Hey y'all, meet my Texan wig

Rémi est allé voir les Canadiens pour la première fois de sa vie

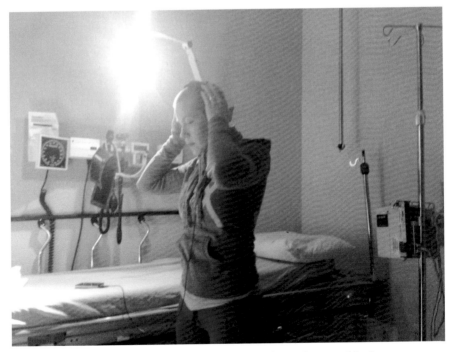

Look de coton ouaté : première biothérapie sans chimio

J'ai mis du bleu sur mon vernis noir, ça fait changement

Cheveux qui repoussent en plus pâle : serai-je blonde ?

Le cliché du cancer par excellence : le fameux foulard sur la tête

Honnêtement, je ne trouve pas que j'ai moins l'air d'avoir le cancer grâce au foulard…

On en aura passé, des heures, à attendre ma chimio dans cette salle d'attente-là…

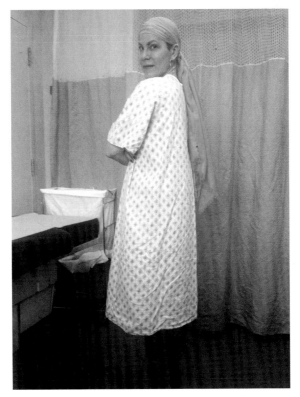

Le cliché *with a twist* : le foulard en jaquette d'hôpital !

Nina, *queen* de la pôle

Le tout premier V inversé de ma fille ! Je suis fière d'elle !

Photo : Prana Ovide-Étienne

Enfin ! Je réussis mon premier Superman depuis des mois !

Hahaha, Superman !

Pole is my salvation

La mastectomie s'en vient…

Je suis dans l'entre-deux, inconfortablement installée sur le point tournant. Je regarde en arrière : il y a la chimio — impitoyable, éreintante, mais terminée ; je tourne la tête vers l'avant : je vois la chirurgie — rapide et nécessitant beaucoup moins d'efforts de ma part, mais crissement épeurante; et si je me dresse sur la pointe des pieds pour regarder au-delà de la silhouette de mes chirurgiens... alors j'entrevois la ligne de départ d'un autre marathon, celui de la radiothérapie. Mais je fais tous les jours le pari d'y croire fort-fort-fort et d'éviter de regarder si loin devant. Parce que de la radiothérapie, j'en veux pas. J'en veux pas, faque j'en n'aurai pas, c'est aussi simple que ça. J'peux pas croire que l'Univers avec un grand U va pas m'accorder ce petit souhait-là après m'avoir *pitché* toute c'te marde-là en pleine face, ça s'peut juste pas.

J'ai été complètement vedge, déprimée même je dirais, *full* démotivée, fatiguée... *Down*, tout simplement. La maison à l'envers, la lessive qui s'accumule, les oublis des projets des enfants pour l'école, les retards de toutes sortes... Un boutte poche comme on en vit probablement tous de temps en temps, finalement.

Mais là c'est fini, je suis beaucoup mieux. En fait j'ai pas tellement le choix; puisque ma chirurgie s'en vient, il faut que je me réveille. Il y a cent mille choses à préparer d'avance parce que je serai au lit, cent mille rendez-vous à ne pas manquer, cent mille détails à considérer pour ma convalescence. Alors j'ai fini par me botter le cul et je me suis remise en marche. *Go* Maude, *go*; pas de temps à perdre, il faut courir pour aller te faire charcuter les seins, vite vite vite, ça presse.

Me voici donc en période de transition

D'abord, l'après-chimio est un moment particulier; premièrement, il y a la peur dont je vous ai déjà parlé, celle de perdre la béquille chimique; mais il y a en plus un genre de déprime qui accompagne la fin de ce traitement-là, je vous expliquerai ça dans quelques paragraphes. Ensuite, il y a l'appréhension de la chirurgie et toutes les réflexions saugrenues qui viennent avec, souvent en pleine nuit bien sûr, et tout le monde sait bien que tout est dix fois pire la nuit, parce que la nuit, tout est plus épeurant, tout est plus grave et tout fait plus mal.

Il y a aussi les cheveux qui repoussent... :) mais les cils qui retombent. :(Heureusement qu'Anne m'avait avertie, comme ça le choc est moins grand, mais ça reste décevant pareil, tsé. Je constate que ce sont exactement les mêmes cils et les mêmes sourcils qui tombent; ceux qui avaient tenu bon à l'époque du AC tiennent encore bon aujourd'hui. Je constate également qu'il y en a moins qui tombent que la première fois, en tout cas pour le moment. C'est toujours ben ça d'pris, calvaire! Fait qu'on continue le Latisse pis le crayon à sourcils… pis on essaie de ne pas trop se décourager, tsé, ça va être correct bientôt.

Et il y a (enfin!) un retour à des cycles d'injection aux trois semaines plutôt qu'aux semaines. Faut que je vous avoue que j'ai eu une mauvaise surprise à ce sujet-là. À ma dernière chimio-biothérapie, j'étais convaincue qu'ensuite j'aurais droit à un *break* de trois semaines avant l'injection suivante (première injection d'Herceptin seul, c'est-à-dire première injection d'immunothérapie sans chimiothérapie). Eh bien non… *soupir* Dès le lundi suivant, j'étais encore à l'hôpital pour me faire shooter dans le bras gauche. Mais là ça y est, je suis aux trois semaines. :) J'ai fait mes calculs : ma dernière injection sera le 9 décembre 2013, c'est pas si pire que ça! Je pensais que ça s'étirerait jusqu'en janvier 2014 étant donné que j'ai commencé l'Herceptin le 31 décembre 2012. Puisqu'on parle de ça, j'en profite pour rappeler des points-clés de la biothérapie :

- C'est un anticorps qui a été développé pour cibler le récepteur HER2 qui est parfois surexprimé dans certains types de cancers.
- Ça sert aussi à permettre aux cellules tueuses de mon système immunitaire de mieux reconnaître les cellules cancéreuses pour les cibler et les mettre K.-O.
- Seulement les patientes HER2+ peuvent recevoir ce traitement-là (donc plus ou moins 15 % des patientes atteintes d'un cancer du sein) ; ça n'est d'aucune utilité pour les autres malheureusement.

Henri est mort

Ah la la. Pas facile. J'ai appris que l'ancien voisin de ma mère était mort. Il s'appelait Henri et je le connaissais depuis 38 ans. Henri était ultra-ultra adorable et je le considérais presque comme mon papa. Je suis allée au salon funéraire pour lui dire que je l'aimais et qu'il allait me manquer. J'ai serré son bras froid bien fort et j'ai pleuré comme une Madeleine. Câlisse… On dirait que cette année, la vie s'acharne à me faire comprendre que le monde dans lequel j'ai évolué jusqu'ici n'existe plus et ne reviendra jamais non plus ;

mon cancer, le décès de Clara, celui d'Henri (du cancer également), le deuil de mes seins…

Er'garde, la grande… j'ai compris, OK? Le message est passé, c'est ben beau, c'est clair. T'as pas besoin de me faire autant de peine pour que je comprenne que je suis devenue adulte, *all right*?…

soupir

J'ai été forte, j'ai fait ma belle fille

Le 25 mars, j'avais rendez-vous avec mon médecin relax pour ma *toute dernière* injection de chimio. Quand il a su que les nerfs de mes pieds et de mes mains étaient endommagés, il n'a pas tripé, parce que c'est un effet secondaire sérieux, qui met souvent bien du temps à rentrer dans l'ordre et qui en fait ne disparaît pas toujours… Soupesant les désavantages d'une 16e dose de chimio en comparaison avec les bénéfices, il m'a finalement offert de ne pas recevoir mon dernier traitement. Il m'a dit : « À vous de choisir, c'est vraiment votre choix. »

J'ai pas réfléchi longtemps.

En fait, j'ai pas réfléchi du tout : « Non, je veux absolument le faire. *Go on* », que j'ai dit.

Premièrement, mes nerfs sont déjà pas mal maganés (ça faisait un bon bout que ça s'engourdissait puis que ça revenait à la normale, mais depuis la croisière, donc début mars, c'est capoute, je ne sens plus mes pieds), et je doute que de sauter cette injection-là m'aurait permis de retrouver l'usage normal de mes pieds et de mes mains plus rapidement. Mon médecin m'a dit que ça prendrait de 6 à 12 mois avant de revenir complètement à la normale ; si j'avais refusé ma dernière chimio, je ne pense pas que tout ça serait revenu en 3 semaines *anyway*, tsé. Faque *go*, shoote-moé.

Deuxièmement, mettons — METTONS ! — que je fais une récidive dans le futur ; comment pensez-vous que je vais me sentir d'avoir refusé ma dernière dose de chimio ?! Ah la la, c'est vraiment pas le genre de regret que j'ai envie d'avoir. J'ai beau être écœurée, pus capable d'avoir mal ; au fond c'est quoi, une dernière dose de chimio, quand t'en as déjà 15 en arrière d'la cravate ? Tsé, en faire une de plus tout de suite, ou en refaire 16 dans 2 ans; qu'est-ce que je préfère?! C'est certain que c'est juste une dose, ça ne m'immunise pas contre une récidive. Mais bon, on avait dit 16, faque j'vas en prendre 16. Pis de toute façon j'étais *mindée* ce matin-là, j'étais déjà *stoned* avec mes 2 grammes d'Ativan pis j'avais emmené mes mp3 d'hypnose, faque enwèye, *go, the show must go on*.

Troisièmement, même si j'avais refusé le Taxol ce matin-là, je ne me serais pas sauvée d'une injection de toute façon! J'avais aussi du Herceptin (biothérapie) à recevoir *anyway*.

Bref, je ne voyais qu'un seul avantage à refuser ma chimio: moins souffrir cette semaine-là. Et j'ai jugé que le nanane ne méritait pas que je lâche si près du but.

À propos de mes pieds, faut que j'ajoute que je sens de drôles de choses qui n'existent pas. Sur certains planchers, j'ai l'impression de marcher dans 1 cm d'eau froide, c'est vraiment comme si mes pieds étaient mouillés. Parfois, surtout quand je suis étendue, je sens plein-plein de grains de sable entre tous mes orteils. Des fois j'ai des centaines d'aiguilles qui percent ma peau, et d'autres fois c'est juste une seule, mais ouf, avec quelle violence! Porter de jolies chaussures me fait mal — y a que les bottes Sorel et les Converse trop grands qui soient confortables pour le moment. Ce qui ne veut pas dire que je ne porte plus de talons hauts, *you know me*, han; je les porte juste moins souvent et beaucoup moins longtemps! ;)

Parlant de souffrir…

J'ai attrapé une autre grippe dans la semaine qui a suivi ma dernière injection de chimio, tu parles d'un *timing*! Au début je pensais que c'était juste un rhume. Bah non, finalement. Une vraie grippe, une réplique de l'autre fois: faible fièvre de 37,8 degrés, courbatures, etc. Avec la peur en moins, par contre, puisque ma sécurité n'était pas menacée comme à l'hiver passé. Ç'a rendu ma semaine mille fois plus difficile, par exemple, en exacerbant les douleurs amenées par le Taxol et en faisant flancher mon moral aussi, qui *by the way* est chancelant pour presque tous les patients à la fin de la chimio, paraît-il.

Ouep, j'ai souffert en estie cette semaine-là. J'ai pleuré beaucoup. Mais c'était la dernière fois. :) C'est derrière moi maintenant. :)))

L'énergie de tenir jusqu'au bout

Je suis de celles qui croient que l'esprit programme (involontairement et jusqu'à un certain point) le corps. Je suis convaincue que quand on dit à une patiente «vous aurez 4 traitements de chimio», elle se crée des réserves d'énergie pour 4 traitements et que, rendue au 3ᵉ, elle est complètement à bout parce que la fin de son calvaire approche; elle n'en peut plus, elle est au bout de sa réserve. Et je suis convaincue que si on dit à la même patiente «vous aurez 16 traitements de chimio», eh bien c'est exactement le même processus qui s'installe, et cette fois la patiente se trouve programmée pour 16 injections; à la 3ᵉ, elle va très bien, elle a le moral, elle est en masse capable d'en prendre 10 de plus, mais rendue à la 14ᵉ ou à la 15ᵉ, c'est là qu'elle s'essouffle, parce que le fil d'arrivée est tout près.

Voilà pourquoi les patients s'écrasent à la fin de la chimio à mon avis: parce qu'ils sont rendus au bout de la réserve d'énergie pour laquelle ils se sont programmés au départ. Et je pense que ça vaut aussi pour l'entourage immédiat du patient, en tout cas pour ses aidants naturels; Chrystian l'a bien senti lui aussi. Il a été aussi *down* que moi, aussi épuisé et démotivé que moi. Complètement *blah* tous les deux.

La déprime d'après-chimio est un sujet somme toute assez peu abordé quoique répertorié, et malheureusement on voit parfois la déprime s'installer pour de bon et se transformer en dépression. Il faut être prêt à ça, il faut savoir que ça s'en vient et ne pas se laisser berner par la «fatigue»; il faut au contraire sortir de chez soi pendant cette période-là, bouger, voir du monde. Même si on est fatigué. Parce que oui, ce qu'on ressent est en partie une fatigue imputable aux traitements, mais c'est aussi un genre de lassitude attribuable à la déprime. Mon avis est donc qu'il faut se divertir et résister à la tentation de rester toute la journée affalé, *remote control* en main, dans le canapé du salon. Mais c'est pas facile! C'est comme si on avait dépensé toute notre volonté en petit change juste pour tenir bon pendant le traitement chimique, et que là, ben il ne nous reste plus un rond pour se payer un peu de sport ou de socialisation à l'extérieur de la maison. C'est un piège, attention. Perso j'ai repris la pôle et ça m'a fait le plus grand bien; par paresse, j'avais slacké là-dessus et je vois bien que c'était une erreur... surtout qu'après mon opération, je ne pourrai plus en faire du tout pendant un bon bout, alors autant en faire le plus possible pendant que j'en suis capable.

ÇA SE DIT PAS!
… alors justement, parlons-en.
J'ai déjà abordé, il y a plusieurs mois, le sujet des choses qui ne se disent pas dans le contexte du cancer[1]. Parce qu'on a beau savoir qu'il faut faire attention, personne ne sait ce qui se dit et ce qui ne se dit pas, *right*? Aujourd'hui, j'ai envie de revenir là-dessus.

Ça se dit pas: «Tes pantalons sont trop serrés»
J'ai pris beaucoup de poids, je vous l'ai dit plein de fois. Là je suis à + 23 livres. Évidemment, mes vêtements ne me font plus. Même mes *sweatpants*. Ça me met bien à l'envers d'être obligée de les remplacer, alors je suis assez sensible sur la question. Sauf que cette fois, la chose qui ne se dit pas est sortie de la bouche de ma propre fille. o.0

Nina était avec moi dans une cabine d'essayage. En jetant un coup d'œil à la bande de taille de mes jeans, elle m'a dit: «Maman, tes pantalons sont trop serrés. Ils sont trop petits, je pense.» Je lui ai expliqué que même si elle avait raison, ça me faisait de la peine de l'entendre et que c'était une remarque qu'il valait mieux garder pour soi. Le lendemain, je suis partie seule faire une razzia au Garage et au Village des valeurs: quatre *sweatpants* et quatre jeans. :(

Ça se dit pas: «T'es sûre? Pourtant, la chimio, c'est censé faire maigrir»
Avant, je croyais comme tout le monde que la chimio faisait perdre du poids et vomir jour et nuit. J'ignorais qu'on donnait maintenant des corticostéroïdes pour soulager certains effets secondaires. J'avais très peur de me retrouver rachitique en fin de traitement. Aujourd'hui, quand la question de la prise de poids vient sur le sujet, je trouve toujours très difficile de dealer avec la réaction des sceptiques. Devant ceux qui me disent «Tiens, c'est bizarre, j'ai jamais entendu ça, pourtant ma grand-mère avait beaucoup maigri, t'es sûre que c'est le traitement qui t'a fait prendre du poids, c'est pas autre chose?», je sens toujours

---

1. NdA: dans le tome 1.

le besoin de me justifier. Oui, je suis sûre que ce sont les médicaments. Non, c'est pas parce que je me suis laissée aller. C'est vrai que j'ai beaucoup mangé au début, mais j'ai vite réalisé d'où ça venait et j'ai pris des mesures en conséquence. J'ai commencé à surveiller mon alimentation il y a déjà un bon bout, et malgré que j'aie continué à faire du sport, les kilos n'ont pas cessé de s'accumuler. Ça me rend déjà assez triste comme ça, je ne veux pas en plus avoir à me justifier !

Dans le même genre, il y en a une autre que je déteste entendre, et pourtant elle n'est jamais dite méchamment, bien au contraire : « Ben voyons donc, t'étais tellement pas grosse au départ, tu peux bien en prendre un peu ! Tu vas perdre ça dans le temps de le dire maintenant que la chimio est finie ! » :(Non, je vais pas perdre ça dans le temps de le dire parce qu'après mon opération, mon oncologue va me donner un traitement antihormonal (Tamoxifène) qui va rendre la perte de poids à peu près impossible, et la prise de poids difficilement évitable. Pis non, je ne deale pas bien avec ça du tout, même si je n'étais pas grosse au départ, pis même si « ça me fait du bien de prendre des rondeurs ».

Je sais que j'ai de la chance que ça m'aille bien, mais bon sang, je vous mets au défi de trouver une femme occidentale — une seule ! — qui soit ravie d'engraisser de presque 25 livres en si peu de temps ; bonne chance ! Soyons réalistes : peu importe notre *shape* au départ, on n'est JAMAIS heureuse de prendre du poids. Pas moi plus qu'une autre. Et surtout pas à mon âge, et surtout pas maintenant que je serai chimiquement ménopausée ; il me sera dorénavant extrêmement ardu de perdre du poids. Faque on ne me dit pas ça, svp.

Ça se dit pas : « Ben non, c'est sûrement rien de grave »

Ici, attention de ne pas vous sentir pointé du doigt. Le but n'est pas de faire des reproches à ceux qui ont déjà dit ça ; le but est de savoir comment parler à quelqu'un qui passe actuellement des tests pour savoir si oui ou non il a le cancer, quelqu'un pour qui chaque seconde qui passe est une petite mort.

D'abord, il faut réaliser que vous ne pouvez rien dire pour que cette personne-là se sente mieux. Juste de savoir qu'il vous est impossible de soulager son angoisse, déjà, ça devrait vous enlever de la pression. Cette personne-là est juste incroyablement mal dans sa peau, pis si vous n'êtes pas en mesure de lui donner ses résultats d'IRM ou de *PET scan* tout de suite, ben je vous le dis carré : y a rien que vous allez dire qui va la faire sentir mieux. A-rien.

En disant « Ben non, c'est sûrement pas cancéreux, ton affaire », on ne fait que minimiser l'importance de ce qu'elle vit et, ce faisant, on lui passe le message que sa peur est injustifiée. Pas cool.

Quoi faire alors ?

En paroles : lui souhaiter le courage d'attendre les réponses et lui faire comprendre que oui, c'est vrai que c'est difficile de vivre ça, que c'est correct d'être effrayée dans une situation pareille.

En gestes : 1— offrir de l'aide concrète, parce que souvent la personne ne sait même pas de quoi elle aurait besoin vu qu'elle est complètement perdue, complètement dans les vapes (dites pas juste « t'as qu'à demander, je suis là », mais proposez des choses que vous êtes en mesure de faire *pour vrai* — cette précision est importante) : je peux aller chercher tes enfants à l'école pour pas que tu rushes trop en revenant de l'hôpital / je peux te donner une sauce à spag' congelée / je peux te mettre en contact avec quelqu'un qui est passé par là / je peux te trouver des coordonnées de médecins si tu veux obtenir un deuxième avis / etc. 2— lui changer les idées ou lui donner les moyens de se changer les idées ; ça peut être de l'amener voir un film, ou alors de garder ses enfants pour qu'elle puisse aller voir le film, sortir au resto, etc.

Enfin, je reviens sur l'importance de ne pas s'avancer sur quelque diagnostic que ce soit, bon ou mauvais, optimiste ou pas, et ce peu importe ce qu'on sait ou croit savoir sur le cancer[2], je n'insisterai jamais assez sur ce point-là. Si vous ne retenez qu'un seul « *no-no* », eh bien il faut que ce soit celui-là, vous pouvez me faire confiance là-dessus.

Ça se dit pas, mais je vais vous le dire en cachette : je suis jalouse des « petits » cancers

Sérieux, là. C'est vrai. Je suis jalouse pour vrai, même si c'est pas beau, même si ça se dit pas. Je n'en peux plus d'avoir tout le temps « deux fois plus » que tout le monde. Chaque fois que je rencontre une femme atteinte d'un cancer du sein, chaque fois que je lis là-dessus, chaque

---

2. NdA : voir le courriel N° 22 dans le tome 1.

fois qu'on me raconte que « y a une femme que je connais qui a eu le cancer du sein », c'est toujours la même affaire :

La patiente a juste un sein d'atteint. Moi, c'est les deux.

La patiente a 6 traitements de chimio. Des fois c'est même juste 4, des fois ça peut aller jusqu'à 8, mais en tout cas c'est jamais 16 comme moi.

La patiente n'a pas 9 mois d'injections supplémentaires après sa minichimio de 4 traitements.

La patiente se fait opérer, mais juste pour retirer sa tumeur. Elle garde ses seins. Pis ses mamelons. Ou des fois elle a une mastectomie, mais tsé, encore là : elle va finir avec une prothèse en dessous de son VRAI mamelon, pis son autre sein va rester intact. Ou des fois elle va perdre un mamelon, mais en tout cas c'est jamais comme moi, on me parle jamais d'une patiente qui a perdu ses deux seins et ses deux mamelons. À seulement 40 ans, dois-je le rappeler.

:(

Ça me fait chier. Ça me fait carrément chier.

Mais bon, tsé, quessé que ça change pour moi, dans le fond ? *Sweet fuck all*, c'est ça le pire ! Ça ne m'aiderait pas pantoute que toutes les patientes vivent un traitement aussi radical que le mien, en fait ça ne changerait strictement rien à ma situation ! Ça ne m'aurait pas enlevé la moitié ou les deux tiers des 16 injections que j'ai reçues jusqu'à maintenant, ça ne protégerait pas mes mamelons de l'ablation, ça ne m'exonérerait pas de 9 mois d'immunothérapie. Pis en plus, ça ne me garderait même pas vivante, parce que tsé *let's face it*, si je fais tout ça c'est quand même dans l'unique but de rester en vie, faque « pire que tout le monde » ou « mieux que tout le monde », on s'en sacre-tu, ça change absolument rien : faut quand même que je suive le plan de traitement qui m'est prescrit si je veux m'en sortir vivante.

Mais tsé, pareil… Y a des jours où je pense aux autres patientes avec amertume, surtout quand j'entends ou que je lis qu'elles trouvent ça abominable d'avoir à endurer 4 *shots* de chimio avec une cicatrice de 1,5 cm sur le côté d'un (seul) sein. C'est plus fort que moi, ça m'insulte, j'y vois un genre d'indécence, comme une pub de Laura Secord qu'on installerait sur un *billboard* en Érythrée.

Soyons honnête, par contre : malgré tout ce que je dois endurer de plus que ces femmes-là, je suis bien plus chanceuse qu'elles. Parce que si mon traitement est plus agressif que le leur, il est aussi bien plus efficace et mieux ciblé (grâce à l'Herceptin). J'ai donc moins de risques de récidive qu'elles. Alors quand je sens monter ma jalousie, je m'accroche à ça : OK j'ai mal, OK c'est long, OK c'est *tough*, mais sacrament je vais guérir, faque han Maude, laisse faire le niaisage de cour d'école pis concentre-toi donc sur ce que *toi* t'as à faire pis continue à avancer si tu veux finir par en voir le boutte.

Je m'accroche également à quelque chose de bien plus *heavy* : y a des patientes qui ont toutes les raisons de jalouser les femmes comme moi. Celles-là se sont fait dire « vous avez des métastases au foie / aux os / aux poumons ». Quand je pense à ça, je prends mon trou pas à peu près. Les métastases aux organes ou au squelette, psychologiquement, c'est la différence entre « je vais vivre ! » et « je vais fort probablement mourir de mon cancer, je sais juste pas quand… ».

 À ce sujet, voici un lien qui vaut le clic. C'est devenu viral, alors vous connaissez sûrement le projet. Mais si vous n'avez pas encore entendu parler de « My Wife's Fight with Breast Cancer », eh bien allez faire un tour, c'est magnifique. Mais tenez la boîte de mouchoirs tout près, hein. Et en format Costco s'il vous plaît.

Ça ne se fait pas : laisser tomber un ami qui a le cancer

Quel sujet plate et lourd. :/ Et pourtant, il faut bien en parler, parce que c'est l'une des premières surprises que le cancer apporte. Alors voilà, qu'on le veuille ou non, des gens qu'on croyait nos amis s'enfuient dès l'annonce du diagnostic. Pouf, disparus dans le temps de le dire, sans laisser d'adresse.

Ça fait beaucoup de peine.

D'autres finissent tout simplement par se tanner, ou par oublier qu'ils ont un ami malade. Ils nous aimaient, oui ; mais juste pas assez pour rester là jusqu'à la fin du traitement. C'est vrai que ça prend de l'endurance pour rester présent jusqu'au bout. C'est vrai, c'est vrai. Mais ça en prend tellement plus pour subir le traitement… Et malheureusement, c'est celui qui doit subir le traitement qui a le plus besoin de soutien, pas l'inverse. Même si la chimio c'est déprimant, même si le cancer c'est épeurant, même si c'était une grosse nouvelle au début mais que là, finalement, ça commence à être pas mal plate parce que premièrement *the thrill is gone* pis que deuxièmement, une fois qu'on s'est habitué à avoir du cancer dans l'entourage, bof, les conversations reviennent toujours à la même chose ; si un jour l'un de vos amis souffre d'un cancer, restez là jusqu'à la fin. Parce que tsé, quand on y pense, l'année d'après ou la suivante, ou dans 10 ou 15 ans, y a une chance sur deux que ce soit vous qui annonciez votre propre cancer…

J'ai vécu les deux types de deuils, mais c'est seulement le premier cas de figure qui m'a fait mal, parce que le deuxième, je m'y attendais. Je sais bien qu'au jour le jour, chacun est pris dans sa routine et a d'autres priorités que le cancer des autres, et je sais aussi que « loin des yeux, loin du cœur », c'est pas juste un cliché ; alors je m'étais *mindée* à l'avance, je m'étais dit que le soutien allait diminuer lentement au fil des semaines et des mois, jusqu'à disparaître. Ce dont j'étais loin de me douter, par contre, c'est que vous et moi on garderait étroitement contact par courriel. :) Ça m'a épargné bien des peines d'amitié et le drame de la perte de soutien.

Ce qui m'amène à vous témoigner toute ma gratitude. J'ai découvert et redécouvert, grâce au cancer et à la magie du courriel, des gens avec un cœur gros comme ça. Des gens que j'avais perdus de vue ; des gens que je ne connaissais que très peu ou même pas du tout ; des gens qui m'ont fait la surprise merveilleuse d'être là aux moments où ça comptait le plus, de surgir du noir de temps en temps, ou alors d'être carrément présents tout le temps, sans jamais me lâcher la main (virtuelle). À vous autres, à vous tous, je dis merci. Je n'ose nommer personne — c'est délicat ces affaires-là —, mais je compte sur le fait que ceux qui doivent se reconnaître se reconnaîtront. ;)

Un dernier mot au sujet de l'amitié avec un cancéreux : on n'est pas toujours *full* sociables, mais on a quand même besoin que vous soyez là tout le temps. Ça, ça veut dire que c'est pas toujours facile pour nous de répondre au téléphone, de retourner vos appels, de répondre à vos courriels, de vous voir en personne… Mais *ne vous découragez surtout pas*, il faut continuer à offrir du soutien même quand l'ami malade reste silencieux ; ça l'aide, ça le touche en plein cœur, ça lui donne confiance aussi, et en bout de ligne il se sent moins seul (lui et la personne qui partage sa vie ; on oublie souvent que le conjoint a également besoin de soutien, puisque c'est lui, en première ligne, qui aide constamment la personne atteinte — 24 heures sur 24, 7 jours sur 7, le tout en continuant de travailler et en s'occupant seul des enfants, de la maison, etc.).

Bref, ne vous sentez jamais rejeté par un ami cancéreux qui ne vous rappelle pas ou qui semble distant. Des fois il est malade, et d'autres fois il n'a juste pas l'énergie de donner signe de vie ou de parler à quelqu'un. Il est en train d'essayer de sauver sa peau, et chacun de vos messages l'aide à le faire. **On dit toujours aux malades de ne pas capituler devant la maladie ; eh bien vous non plus, ne capitulez pas si vous êtes l'ami d'un malade ;** croyez-moi, vous allez faire toute la différence dans sa vie, et n'oubliez pas qu'il vous reste peut-être moins de moments ensemble que vous ne le croyez. C'est plate à dire, en fait c'est pas mal « *in your face* », mais c'est ça pareil : cet ami-là

 pourrait disparaître de votre vie plus tôt que prévu, ça fait qu'organisez-vous donc pour ne pas regretter le bon vieux temps, hmm ? Pis en passant, vous pouvez laisser la culpabilité de côté : il n'est à mon avis jamais trop tard pour refaire surface dans la vie d'un ami malade.

Ça ne se fait pas : glorifier les vivants par rapport aux défunts

 Récemment, j'ai lu un article qui m'a fait réfléchir beaucoup. [NdA : pour le lire, scannez le code QR ou cherchez « mary + tyler + angels + warriors » dans Google]

Je me trouve du bon côté de la barrière (pour cette fois du moins), alors je n'avais pas pensé à tout ça, mais là, maintenant qu'on m'a ouvert les yeux, c'est devenu une évidence : on a tendance à parler des survivants du cancer comme des héros, et de ceux qui en sont morts comme des anges ; ceux qui sont en traitement, eux, on les appelle des guerriers, des battants. Et le problème avec tout ça, c'est que ça donne une image très passive de ceux qui sont décédés du cancer, un peu comme s'ils ne s'étaient pas battus assez fort, ou même pas du tout — comme s'ils s'étaient juste laissés mourir.

Par ailleurs, si je crois qu'on a effectivement un certain pouvoir sur sa santé, je crois aussi qu'une fois le processus du cancer enclenché, on en a de moins en moins à mesure que le temps avance. Oui c'est capital de conserver une certaine énergie, de rester positif et de s'accrocher à la vie ; oui ça peut juste contribuer à une évolution favorable des traitements et de l'état général du patient, mais de là à dire que tout ça peut faire la différence entre un patient qui va survivre au cancer et un autre qui, lui, va y succomber, j'ai de gros doutes. *Anyway,* l'important est de ne pas culpabiliser le patient dont la santé périclite, ni de chagriner davantage l'entourage d'un patient décédé. Tsé, la marge est mince, alors je crois qu'il faut éviter de glorifier l'attitude positive de tel ou tel patient quand on parle à un cancéreux plus passif/déprimé ou à l'un de ses proches.

Attention, donc, quand on parle à un patient ou à un endeuillé... Mieux vaut choisir ses mots avec soin en évitant à la fois un extrême et l'autre pour ne pas polariser l'univers du cancer en deux groupes : les *winners* versus les *losers.*

Ça ne se fait pas : dire à quelqu'un que c'est sa faute s'il a le cancer

À l'annonce de mon cancer, quelqu'un m'a dit quelque chose d'horrible. À l'époque, j'avais choisi de ne pas vous le répéter, et honnêtement, encore aujourd'hui, je préfère me taire. Mais je vais au moins vous livrer l'essentiel du message : en gros, cette femme-là m'a dit que c'était ma faute si j'avais le cancer.

Prenons une pause : réalisez bien qu'on connaît encore vraiment très peu et très mal les causes du cancer. Il y a des tas d'hypothèses, et à mesure qu'on établit des liens entre le cancer et des causes probables (sédentarité, tabac, alimentation, alcool, génétique, pollution, OGM, *whatever*), on les invalide souvent ; c'est dire à quel point on avance encore les yeux bandés.

Bon, admettons que ça serait vraiment ma faute si j'ai le cancer. Est-ce que de me le dire à ce moment précis, celui où je viens d'apprendre que mon corps abrite le cancer, va m'aider à accepter tout ça sereinement ? m'aider à traverser toute une année de traitements agressifs ? m'aider à survivre ?

Peut-être que de me dire « C'est de ta faute » réconfortait la personne qui me pointait du doigt ? Dans le sens de « Moi je ne vis pas comme toi, moi je pognerai pas le cancer, mais toi, pauvre fille, t'as couru après » ? J'ignore pourquoi elle m'a pitché ça dans les dents après que je lui ai dit, avec beaucoup d'émotion, qu'on venait d'annoncer la nouvelle aux enfants le matin même, mais je sais très bien pourquoi je n'ai pas répliqué à l'époque : j'étais complètement soufflée devant autant de *guts* et de condescendance, en fait j'étais carrément dévastée (faut dire que t'es déjà à terre quand tu viens d'apprendre que t'as le cancer ; ça prend pas grand-chose pour te bouleverser).

Alors aujourd'hui je vais me reprendre, même si elle ne m'entend pas : va chier, Madame. Tu le sais même pas pourquoi j'ai le cancer. Pis moi non plus je le sais pas, pis mon médecin non plus, pis la Science non plus. Faque va donc chier, Madame *Know-it-all*. *Now get the fuck outta my way.*

Ça ne se dit pas, mais je vais le dire pareil : la chimio (le «AC»), ça fait péter

Bon, on va se dire les vraies affaires. C'est *full* poche, c'est *full* gênant et c'est zéro sexy — un vrai de vrai tue-l'amour —, mais comme je m'étais promis de vous en dire un maximum, je le dis. Ça commence quelques heures après l'injection, puis ça dure entre 24 et 48 heures. Tu pètes, tu pètes et tu pètes encore, comme un vieux pépé. Comme si tu te trouvais pas déjà assez moche de même ! Que tu sois à un cours de pôle ou dans ton lit avec ton chum, on s'entend-tu que c'est poche ?! Moi qui suis connue à la maison comme «celle-qui-ne-pète-jamais», j'ai trouvé ça horriblement gênant. Et complètement incontrôlable (surtout considérant l'état général dans lequel tu te trouves à ce moment-là, mettons que t'es pus capable de retenir grand-chose).

Eeeeesh, est-ce que je viens vraiment de vous dire ça, moi là ?! :s

FAQ

Comment tu te sens à la veille de ton opération ?

Pas si pire, honnêtement. Mieux que je ne l'aurais cru en tout cas ! Je me surprends moi-même ! C'est sûr que j'ai peur — peur du soluté dans le bras, peur de me faire couper la peau et les muscles pectoraux, peur de me faire taillader les mamelons ; peur aussi de me réveiller avec des seins énormes, peur d'avoir mal, peur de me réveiller sans ganglions dans les aisselles (s'ils me les enlèvent tous, il est possible que je ne puisse plus jamais faire de pôle **de toute ma vie**, si mes bras enflent pour devenir aussi gros que mes cuisses et ne désenflent jamais — on appelle ça un lymphœdème, et ce risque-là demeure à vie ; c'est parce que le système lymphatique ne peut plus faire son travail de drainage parce qu'il lui manque des ganglions), peur que mon corps soit trop à boutte après mes 16 traitements de chimiothérapie pour reprendre le dessus comme du monde, peur que mes seins soient laids, peur de regarder mes plaies, peur de voir mes faux seins sans faux mamelons, peur de ne plus reconnaître mon corps —, mais j'ai aussi confiance, curieusement. Je pense que mes chirurgiens feront au mieux, je pense que j'ai crissement bien fait de choisir cet hôpital-là et je pense que je suis en train de faire tout ce qu'il faut pour éventuellement guérir. De là à dire que je suis sereine, ça non par exemple ; je suis très tendue, très énervée par tout ce que j'ai à faire dans les quelques jours qui me séparent du moment où je vais perdre mes seins. Mais je fais tout de façon automatique, et ça m'aide ; c'est comme si j'étais montée sur un convoyeur et que ça avançait tout seul. C'est assez surréaliste, j'ai pas l'impression que je vis ça pour vrai.

Comment Chrystian se sent à la veille de ton opération ?
Pas bien. Pas bien pantoute. Il est inquiet, il est *down*. C'est un peu comme si le cancer était venu lui en crisser une deuxième en pleine face… pis il ne l'avait pas vue venir, celle-là. Malheureusement, je ne sais pas quoi faire pour l'aider, d'autant plus que je suis moi-même survoltée, stressée ; alors j'ai l'impression de ne pas être d'une grande aide. :s C'est assez rare qu'on soit tous les deux fuckés en même temps, mais cette fois je crois que ça y est : on fait dur.

Comment les enfants se sentent à la veille de ton opération ?
Rémi : le côté organique de l'affaire lui donne la chair de poule. Il n'en revient pas du tout de ce qu'on va me faire. Et il est triste de savoir que je ne serai pas ici pendant quelques jours.

Nina : elle est intéressée par les détails, elle a un grand intérêt pour la biologie. Alors un soir, je lui ai tout expliqué ça comme il faut, et quand j'ai précisé que je ne pourrais ni la prendre dans mes bras ni partager de câlins dans les semaines après l'opération, ouh la la, ç'a fessé fort. Elle a d'un seul coup saisi l'enjeu émotif de tout ça et… elle s'est mise à pleurer.

Comment ça va se passer avant l'opération ? Seras-tu à jeun, etc. ?
Aujourd'hui, veille de la chirurgie, je dois d'abord aller me faire injecter un colorant radioactif en début d'après-midi pour que mon médecin

extraordinaire puisse rapidement repérer le premier ganglion de mes chaînes ganglionnaires des aisselles droite et gauche au moment de faire mes mastectomies demain. Avant de me coucher ce soir, je devrai me laver avec une éponge antiseptique imbibée de gluconate de chlorexidine sous la douche, puis changer mes draps pour ne pas me « contaminer » après la douche spéciale. Je devrai être à jeun à compter de minuit. Demain matin, pas d'eau ni rien, mais je peux prendre de l'Ativan. Puis, re-douche avec une autre éponge de gluconate de chlorexidine. Évidemment pas de crème ni d'huile sur le corps, et pas non plus d'antisudorifique — mon médecin pourrait devoir pratiquer une incision dans mes aisselles pour procéder à un « curetage ganglionnaire » si mes ganglions sont infectés. Kim et son homme garderont Rémi et Nina pour la nuit de mercredi à jeudi étant donné qu'on devra se présenter à l'hôpital très tôt, avant même l'heure d'ouverture du service de garde des deux écoles. À vous deux, MERCI, c'est un service qui change tout pour nous. :)

Aimerais-tu ça qu'on aille te voir à l'hôpital ?
Peut-être, je sais pas. Je me sens moins sauvage que d'habitude. :) D'un autre côté, j'imagine que ça va dépendre de comment je me sentirai à ce moment-là. Mais s'ils me laissent un soluté plogué dans le bras après la chirurgie, je sais que je filerai pas fort-fort. :s Et si tout se passe bien, je ne resterai à l'hôpital que deux nuits de toute façon, pas de quoi écrire à sa mère !

Aimerais-tu ça qu'on t'envoie des fleurs à l'hôpital ?
De grâce, non ! Gardez votre argent pour autre chose ! Ou alors, envoyez-moi des magazines (mais surtout, pas de chocolats ! J'ai suffisamment engraissé comme ça !) ! J'ai jamais tripé sur les fleurs, et puis même un petit bouquet coûte *full* cher, alors il vaut mieux garder votre fric pour l'investir ailleurs — de toute façon j'en profiterai même pas. Donc allez plutôt au cinéma ou à la Tohu, payez-vous un cours de pôle en pensant à moi, prenez un verre à ma « santé » (comme si j'en avais de t'ça, moi, d'la « santé » !), mangez au restaurant ou achetez-vous un billet d'entrée au nouveau Planétarium — c'est tripant, le Planétarium !

As-tu recommencé à fumer ?
Non, sacrament. Et je déteste ça.

Il paraît que la chimio affecte beaucoup la peau ?

Oui, c'est vrai. Ma peau s'est asséchée au point de peler quand je sors de la douche (même si ma chimio est terminée). Dès que je mets mon huile sur ma peau humide, ça roule, exactement comme si je passais un gant de crin. TOUTE ma peau lève : en plein milieu de la paume des mains, sur le ventre, sous les pieds… pis sur la tête, grrrr. Lire : j'ai encore des pellicules, calvaire, depuis ma toute première chimio. J'ai hâte que ça s'en aille. La chimio donne aussi des sensations de brûlure sur la peau pendant le traitement. La peau ne brûle pas tous les jours, ni tout le temps, mais souvent. Les yeux, le visage, le dos, peu importe ; ça chauffe. Pendant la chimio, j'avais pas souvent envie d'un gros *hug* ou de caresses dans le dos parce que ça faisait mal. Mais des fois c'était correct aussi.

Comment ça, déjà, que t'as si mal aux pieds et aux mains ?

L'autre fois je vous ai dit que c'était causé par les stéroïdes (Decadron, aussi donné aux animaux pour les faire grossir rapidement), mais en fait une grosse partie du malaise est imputable à ma deuxième sorte de chimio (Taxol, issu d'une variété de conifères). En gros : Decadron fait enfler énormément, ce qui est responsable d'une partie du problème parce que tes chaussures te font mal, etc. ; Taxol, lui, cause des douleurs aux os et aux articulations, en même temps qu'il bouffe les terminaisons nerveuses, ce qui engendre aussi des douleurs. Voilà. Il faut juste attendre que les nerfs se régénèrent, un peu comme des branches d'arbustes qui repoussent après qu'on les ait coupées.

Quand je parle d'enflure, c'est pas ce que vous croyez. Si vous enlevez vos chaussettes, vous verrez plein de plis sur votre jambe, *right* ? Ben pas moi. Si j'enlève ma chaussette, toute la portion de ma jambe qui était couverte par la chaussette sera beaucoup plus mince que le reste, un peu comme dans les *cartoons*, quand on voit un pirate avec une jambe de bois ; la partie qui était couverte par ma chaussette est mince comme la jambe de bois, pis là ça coupe carré où la chaussette s'arrêtait, et le reste de la jambe est *full* gros. Vous vous demandez si c'est laid ? En sale, oui ! Mettons que si t'as quelque chose de prévu en soirée et que tu veux porter une robe, t'as intérêt à ne pas porter de chaussettes pendant la journée, sinon t'es faite !

Comment sont tes cheveux?

Pas comme avant! Finalement je ne crois pas qu'ils friseront, mais leur texture a changé, ça oui! Et leur couleur aussi! Ils sont bien plus pâles, et d'ailleurs j'ai beaucoup plus de cheveux blancs. J'ai vu mon dermato la semaine dernière, et il me disait que la mélanine (ce qui donne la couleur aux cheveux) était très affectée par la chimio mais que ça rentrait dans l'ordre après le traitement. La majorité de mes cheveux blancs devraient donc virer au brun éventuellement. Ceux-là sont différents des autres, plus grichous on dirait, et je pense que c'est peut-être ce qui donnait l'impression qu'ils allaient friser.

Pourquoi tu n'as pas eu des cheveux de poussin? Une fille que je connais avait eu ça après sa chimio, pis c'était vraiment pas beau!

J'ai eu ça moi aussi, inquiétez-vous pas! J'ai rasé mes cheveux de poussin jusqu'à ce qu'ils soient forts comme avant. Après ma dernière injection d'AC, le protocole de chimio qui m'a rendue chauve, je me suis rasée pendant deux bons mois avant de laisser pousser mes cheveux. Pendant ce temps-là, je continuais à recevoir de la chimio, mais c'était du Taxol aux trois semaines, alors mes cheveux pouvaient pousser.

Comment sont tes ongles?

Ah, mon dermato m'a bien rassurée là-dessus. :) Il n'a pas vu mes ongles parce qu'il y avait du vernis noir dessus (le choix de couleur vous surprend-tu?!), mais je lui ai décrit leur couleur blanche. Il m'a dit qu'un ongle en train de tomber devient généralement transparent, pas blanc. Selon lui, donc, il ne s'agit que d'une décoloration. Yéééé!

Portes-tu encore ton vernis noir pour prévenir la chute de tes ongles?

Oui, mais trois semaines après ma dernière injection de Taxol, je pourrais l'enlever si je voulais. Ou plutôt changer de couleur, parce que sans vernis, on voit mes ongles blancs, ça fait un peu *sci-fi*. J'ai décidé que j'allais garder du noir une semaine de plus, juste pour jouer *safe*. Tsé, une semaine de plus ou de moins, c'est quoi en comparaison avec un ou des ongles tombés ou à moitié décollés…? Allez Maude, un p'tit effort, fais ta manucure!

Comment ça se passe côté poids ?

Mal ! Je suis à + 23 livres par rapport à avant la chimio *(and counting…)*, et pourtant je ne fais pas d'excès et je continue à m'entraîner. À ce propos : je n'ai droit à *aucune* activité physique pendant les quatre semaines qui suivent la chirurgie, rien pantoute, même si c'est genre du vélo stationnaire et que je n'utilise pas mes pectoraux ou mes bras ; l'idée est de limiter au minimum la contraction musculaire pour laisser les plaies se refermer bien comme il faut, et on contracte même sur un vélo stationnaire (à cause de l'effort, mais aussi à cause de la position). Donc ça nuirait à la guérison de mes seins.

Quand pourras-tu refaire de la pôle ?

On dit qu'après l'opération, on ne peut pas retourner au gym avant deux mois. Mais la pôle, c'est pas le gym, hein… Quand j'en avais parlé avec mon médecin extraordinaire, il m'avait dit qu'il allait falloir évaluer ça à ce moment-là, mais je me souviens qu'il avait mentionné trois ou quatre mois quand j'avais précisé « *pole fitness* ».

Comment tu vas faire pour continuer à contrôler ton poids si tu ne peux plus t'entraîner à la pôle, d'abord ?

Eh bien je vais faire travailler MES JAMBES, mouahaha ! Checkez ça :

N° 52. *This Can't Be Real, Right?!*

24 avril 2013

Fucking fournisseur Internet !

Ils sont revenus me hanter ! **La veille de mon opération, calvaire !** J'en reviens pas, ça s'peut juste pas un *timing* de même !

J'ai aucune idée de ce qu'ils viennent faire chez nous, mais je peux vous dire que si Internet me laisse encore *fucking* tomber à cause d'une *fucking* panne en plein pendant que je suis *fucking* pognée à rien faire sur le dos parce que je peux *fucking* pas bouger de mon *fucking* lit, c'te coup-là j'vas pitcher des prothèses mammaires sur leur camion, pouahaha ! ;)

Eille, sérieux… C'étaient quoi, les chances que ça tombe sur moi à ce moment précis ? *Come on*, pourquoi MAINTENANT ?!

OMG, j'ai fait un cauchemar hyper réaliste, écoute ça : les gars du camion étaient ENCORE revenus sur ma rue pour gosser avec le réseau pis ils m'avaient ENCORE enlevé Internet !

Une autre affaire assez surréaliste merci…

Je viens juste de revenir de l'hôpital, j'ai eu mon injection de *stuff* radioactif pour que mon médecin extraordinaire puisse retracer mes ganglions pendant la chirurgie. Je me demandais où est-ce qu'ils injec-taient ça au juste, tsé… Ben maintenant je le sais. C'est DRETTE SUR LA LIGNE DE L'ARÉOLE DU SEIN pis ça brûle en tabarnac (oui-oui, vous avez bien compris, ils injectent DIRECT sur le bord du mamelon. Euh, 'scusez : *DES mamelonS*. Ouan, j'ai eu droit à deux injections… Une de chaque bord, sacrament. Deux fois plus de cancer ? Ben deux fois plus d'injections, d'abord !).

Ah oui pis l'hôpital vient d'appeler…

Mon rendez-vous est à 6 h 30 demain matin. Fait que j'imagine que je devrais être dans la salle d'opération autour de 7 h-7 h 30… AAAAAAAAAAARGH !

Incognito (Enwèye, pars le char, on se pousse dans un autre pays !
Avec mes grosses lunettes noires pis ma perruque blonde,
l'hôpital nous retrouvera jamais ! Enwèye, vite ! Décolle !)

N° 53. Maude est sortie

25 avril 2013

Elle est en salle de réveil

J'ai la plus merveilleuse des femmes
et la plus courageuse.

Le chirurgien m'a confirmé que tout s'est bien passé

À bientôt

Chrystian

Nᵒ 54. Pas tuable

29 avril 2013

Ta-daaaaaaaa ! **Une vraie coquerelle, estie !**
1. J'ai réussi à traverser la chirurgie.
2. J'ai pus de cancer.
3. J'ai perdu mes seins mais j'en ai des nouveaux pis finalement chus pas morte.

1. J'AI RÉUSSI À TRAVERSER L'ANESTHÉSIE / LA CHIRURGIE / L'HOSPITALISATION

L'anesthésie

Ça, c'est le meilleur boutte, parce que ça implique plein de chimie pour oublier qu'on a peur et qu'on va se faire trancher le corps comme un steak ; mais c'est aussi un bout épeurant parce qu'avant de pouvoir s'endormir et oublier, shit de marde, faut passer par la case « intra-veineuse », pas le choix. Comme quoi rien n'est jamais tout à fait gratuit, hein. Sauf que moi, j'ai eu la chance inouïe de tomber sur un anesthésiste absolument charmant, un vrai de vrai bon Samaritain. :)))

Alors voilà : j'étais dans un genre de gros parking à patients, une salle commune où on attend sur notre lit à roulettes de se faire conduire à notre salle d'opération et où plusieurs membres du personnel viennent nous parler pour nous demander quelles sont nos allergies et nous donner un horrible petit bonnet bleu pis les pantoufles qui matchent (je vous défie de faire fitter ça dans votre palette, ciboire que c'est moche). Et là pouf, un gars sort de nulle part comme d'une boîte à surprise, *full* poli, tout en sourires et en délicatesse, et il arrive à mon chevet. Sérieusement (et dans le bon sens, là), il me faisait penser au respectable et savant Fantoche dans *Picotine* (voir de 3:35 à 3:55) :

 Il s'est présenté et m'a expliqué son travail. Quand je lui ai demandé de me piquer sur l'os de l'avant-bras plutôt que dans le pli du coude ou sur l'intérieur du poignet, il m'a dit : « Hmm, pas sûr ; mon aiguille est dif-férente de celles des infirmières de chimio, mettons que

44

ça me prend une bonne veine… » Il m'a écoutée vendre ma salade : « Ben non, regardez monsieur : j'ai des super belles veines ! Je suis sûre que vous allez pouvoir le faire ! », pis en un quart de seconde il a compris que j'étais effrayée, alors il m'a proposé un plan : « Qu'en dis-tu si je te mets d'abord un masque pour t'endormir et qu'ensuite j'installe l'intraveineuse, seulement une fois que tu es bien partie ? On fait ça avec les enfants ; je vois pas pourquoi on ne le ferait pas pour toi ! »

<3

Je vais pas exagérer et dire que ce gars-là mérite le prix Nobel de la relation aux patients, mais ça me tente en crisse pareil. *(Han ? De quessé ? Y a pas de prix Nobel pour la relation aux patients ?! Ben y é t'à peu près temps qu'ils en fassent un.)*

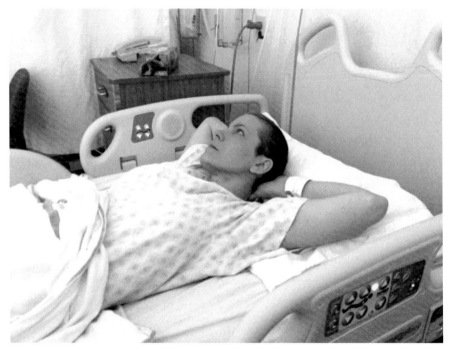

Derniers moments avec mes seins, dans une chambre qui n'était pas la mienne, quelques minutes avant l'opération

La chirurgie

Dans le gros parking à patients, à un moment quelqu'un vient, t'annonce que c'est ton tour, et commence à faire rouler ton lit en direction de ta salle d'opération. Je me souviens d'avoir entendu des gens dire :

45

« *Seven?* » « *Yeah, seven.* » Faque j'étais dans la salle d'opération numéro 7. Je dis « je me souviens », mais vous vous doutez bien que j'étais gelée dur sur l'Ativan… Alors côté souvenirs, c'est pas mal flou.

Mais vu que la salle n'était pas tout à fait prête (ou qu'il y manquait quelqu'un, je ne suis plus certaine), on a stationné mon lit dans le corridor, où j'ai eu le bonheur de voir arriver mon médecin extraordinaire. :))) Ostie qu'il tombait bien — premièrement parce qu'on avait besoin de lui pour m'opérer, mais aussi parce qu'il fait partie des personnes qui savent le mieux me réconforter —; inutile de dire à quel point j'étais heureuse de le voir. Faut quand même que je mentionne que vu que j'étais très *stoned* sur l'Ativan et que j'avais eu l'assurance, quelques moments plus tôt avec Fantoche, de ne pas avoir d'intraveineuse pendant que j'étais consciente, j'étais super bien, je trouvais mon lit vachement confo, y avait rien pour me stresser, j'avais l'air d'une ado *frostée* sur la fin d'un trip de *mush*.

Alors voilà, on a placoté ensemble, c'était *full* relax, ça m'a mis dans un super bon *mood*, d'autant plus qu'il m'a dit qu'il avait lu mes textes (on se souvient que je lui ai donné une copie reliée de mes courriels du N° 1 au N° 46) et qu'en plus d'avoir vécu toutes sortes d'émotions, il avait apprécié avoir le point de vue d'un patient parce que — et là ça je m'en souviens clairement — « *des fois on se demande ce que les patients voient* ». Ça m'a bien rassurée, parce qu'au moment où je lui avais laissé la copie imprimée, je m'étais quand même un peu inquiétée — « d'un coup que ça le choque », que je m'étais dit. Mais non. :) [Tsé, après Ken qui pogne les nerfs pour un courriel « non sollicité », je m'attends à toutte astheure, mouahaha !]

Ensuite on a fait rouler mon lit dans la salle et on m'a fait lever pour m'installer sur la table d'opération. Le plasticien m'a demandé de m'asseoir sur la table et a fait des marques au Sharpie sur mon torse : une ligne de la gorge au nombril, une courbe à gauche et une à droite pour délimiter le contour de mes seins. Il a fait des marques de coupe autour et de chaque côté de mes mamelons, et mon médecin extraordinaire est intervenu pour en faire des plus précises ET SURTOUT PLUS COURTES et a demandé au plasticien « *Is this okay with you?* ».

À ce moment-là j'étais dans les vapes, complètement *stoned* sur l'Ativan ; je n'ai même pas catché ce qui se passait et je n'ai eu aucune réaction non plus, je me souviens seulement d'avoir regardé leurs crayons se promener sur mon corps. C'est seulement aujourd'hui, en vous écrivant, que tout ça me revient en mémoire par flashs et que je réalise l'héroïsme de l'intervention *in extremis* de mon médecin extraordinaire — je vous rappelle qu'il avait lu mes textes et qu'il savait que la crainte d'avoir à porter toute ma vie des cicatrices très larges m'avait plongée dans un *down* terrible il y a un mois ou deux…

« Extraordinaire », y a pas d'autre mot, y é juste *fucking* extraordinaire, c'te gars-là. :) Voilà, c'est lui qui mérite le Nobel, on l'a toujours su, mais là c'est confirmé.

Après les marques au Sharpie, on m'a fait allonger. On m'a collé des électrodes à l'arrière des épaules, puis Fantoche, jusque-là invisible, est sorti de sa boîte à surprise pour me regarder dans les yeux : « Inspire le plus profondément possible… OK, maintenant expire et vide complètement tes poumons… » et *smack*, il a collé fermement le masque sur mon nez et ma bouche, et là je me suis dit « Mon Dieu qu'il est *sweet*, il appuie juste assez fort pour pas que je tente de me dégager, mais sans aucune rudesse non plus, pis ça va être correct quand il va m'installer l'intraveineuse, je lui fais confiance à ce gars-là », pis là ç'a senti drôle, un peu sucré, pis là pfwuiiit, *fade to black*.

Le réveil
L'instant d'après je me suis retrouvée dans un autre parking à patients, mais pas mal moins bondé cette fois.

Un, j'ouvre les yeux ; une fille s'occupe de moi, c'est *chill*, je suis toute molle ;

Deux, j'inspire, *badtrip* respiratoire complètement inattendu, je n'arrive pas à prendre assez d'air, j'étouffe carrément ;

Trois, un gars *full* bâti remplace la fille et me dit que tout est normal, il me dit « inspire là-dedans, tu dois faire monter la bille jusqu'à la ligne ici, c'est pour exercer tes poumons » ;

Quatre, je réalise que ben oui, c'est ben vrai, on est intubé quand on est sous anesthésie, faque probablement que mon système respiratoire a juste encore un peu le goût de dormir et de peser sur *snooze* en attendant d'être obligé de retourner à la job comme d'habitude;

Cinq: «OK *dude*, c'est bon, je respire normalement maintenant, tout est correct, sauf que ta petite machine est pétée, checke: la bille ne bouge plus du tout et pourtant je respire *full* bien, regarde…»

Le gars m'a répondu: «*J'ai dit* **inspire** *dans la machine! Pas* **expire***!*» MOUAHAHA! Je suis partie à rire, j'ai pensé aux portes qu'on tire quand c'est écrit POUSSEZ bien en évidence, et là j'ai regretté que Chéri ne soit pas avec moi parce que c'est le genre de chose qui nous fait beaucoup rire, et je me suis dit qu'il m'aurait trouvée drôle à ce moment précis. Alors je me suis trouvée drôle toute seule, c'est mieux que rien, haha!

Puis j'ai réalisé qu'il y avait une grosse horloge devant moi. Il était 13 h 15.

Pendant ce temps-là, Chrystian m'attendait péniblement dans la salle d'attente. Shit, j'aurais vraiment pas voulu être à sa place. Des heures et des heures d'angoisse, de questionnement et d'espoir mélangés ensemble… qui ont pris fin avec la visite de mon médecin extraordinaire, venu le voir pour lui dire que j'étais correcte, que tout allait pour le mieux dans le meilleur des mondes puisque…

- **il n'a relevé aucune trace de cancer** dans mon tissu mammaire, la chimio a tout tué. Tout ce qu'il restait de mon cancer ce matin-là, c'étaient des cicatrices là où auparavant il y avait des tumeurs (on se souvient qu'ils installent des marqueurs au moment de procéder à la biopsie, comme ça chaque site de prélèvement est identifié de façon précise),
- **il ne m'a enlevé que trois ganglions**: deux d'un côté, et un seul de l'autre,
- que **chacun de ces ganglions-là semblait tout à fait sain**,
- et que, sous réserve des résultats de l'analyse pathologique qui arriveront dans un mois, **je pourrai refaire de la pôle sans problème** éventuellement, et que **la possibilité d'échapper à la radiothérapie tient encore la route,** pour autant que tous les spécialistes se mettent d'accord là-dessus.

Chrystian a été hyper soulagé et franchement reconnaissant de cette visite-là, évidemment. Ensuite ils ont discuté de mes effets secondaires de chimio qui persistent, mais je ne vous parlerai pas de ça aujourd'hui, parce que là c'est le moment de se réjouir des bonnes nouvelles, et pas celui de se faire chier avec les affaires plates. Mais on s'entend-tu qu'avec des nouvelles pareilles, les affres de la chimio semblent tout à fait justifiées? On s'en câlisse-tu que ça fasse mal, sacrament?! Mets-en qu'on s'en câlisse!

Éventuellement Chrystian s'est approché de mon lit — j'ai reconnu le son de ses pas bien avant de l'apercevoir; il marche pas vite, jamais pressé, «en gars cool», que je dis toujours pour le taquiner — et il est venu m'annoncer toutes ces bonnes nouvelles-là dans la salle de réveil. On était tellement heureux de se retrouver, tellement contents d'être ensemble, en vie et en santé, ouf, c'était un moment puissant. Mais les règles étant ce qu'elles sont, il a dû quitter la salle après son deux minutes top chrono, pas le choix; Chéri pas Chéri, c'est comme ça. Bye mon amour, à tout à l'heure… Je t'aime…

Après ça on m'a roulée jusqu'à ma chambre (ben, pas moi personnellement, mais mon lit tsé), et après une éternité, Chrystian a eu le droit de venir me voir. J'étais heureuse, c'est tout ce dont je me souviens.

L'hospitalisation

Les crises de panique
Je m'attendais à faire plusieurs crises de panique au cours de mon hospitalisation, parce que ma seule référence était la naissance de Rémi (par césarienne d'urgence = intraveineuse + intervention chirurgicale pendant que j'étais tout à fait consciente); c'est là qu'on a diagnostiqué ma phobie en Psychiatrie. Cette fois, pour prévenir le pire, ou en tout cas pour au moins contenir les dégâts, j'avais apporté une bouteille d'Ativan avec moi. Eh bien surprise, elle a très peu servi: j'ai l'impression que la douceur de Fantoche l'anesthésiste est venue mettre un baume sur le bobo, puisque je n'ai fait qu'une seule vraie crise de panique (vendredi soir, le lendemain de l'opération); je veux

dire, j'ai eu peur souvent, mais j'ai toujours réussi à me contrôler, à part vendredi soir.

C'est certain que j'y ai mis beaucoup du mien par exemple, c'est-à-dire que j'ai évité le plus possible de regarder mon cathéter, que j'ai prévenu toutes les infirmières et les auxiliaires, et qu'en général j'ai fait bien attention d'avoir toujours le poteau derrière moi plutôt que devant (on reste branché un certain temps pour recevoir de la morphine et des antibiotiques), mais en gros, moi je dis que toute la magie était dans l'intervention de l'anesthésiste. Bravo, parce qu'avant lui, des tas de gens ont essayé de me faire passer cette panique-là ou de me faire « entendre raison », mais rien n'y a jamais fait. Lui n'a même pas essayé, il a juste été lui-même, il a juste bien fait sa job avec un doigté exceptionnel. *Two thumbs up*, monsieur Fantoche ! Je t'aime !

Les lits électriques
Oh, wow ! J'en veux un d'même ! C'est un matelas gonflé d'air qui bouge tout seul et fréquemment, genre aux 2 minutes, sans répit,

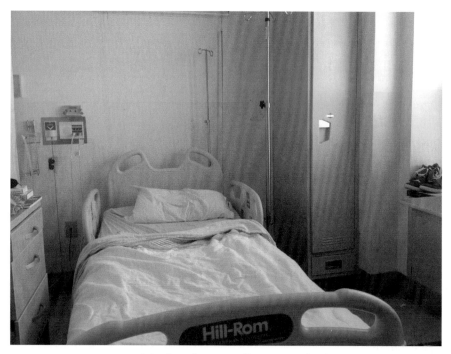

Ma chambre, mon lit, mon nid

24 heures par jour, pour déplacer les points d'appui de temps en temps ; comme ça les patients risquent moins de faire des phlébites (caillots dans les jambes). Ça bouge tout doucement et on n'a jamais les fesses engourdies à force d'être semi-assise, c'est génial pour lire des magazines, haha ! C'est sûr que c'est bruyant — d'ailleurs il paraît que la plupart des patients détestent ces lits-là parce que ça les empêche de dormir —, mais moi j'ai tripé solide et j'ai passé beaucoup de temps à gosser avec les pitons *up/down* pour atteindre chaque fois la position parfaite, c'était super le fun et ça donnait un feeling spa à l'aventure. ;)

24 h post-op

V pour vivante, 48 h post-op… Ben oui j'avais mis du vernis pis j'avais apporté mon *make-up*, franchement ! *What did you think ?!*

La bouffe
Sérieux ? Pas si pire que ça ! Le saumon était bon.

La jaquette
La mienne était spéciale, avec boutons-pression aux épaules (pour que les médecins et infirmières puissent m'examiner plus facilement) et sans possibilité de l'attacher derrière. Faque tant qu'à avoir les fesses à l'air, j'ai fait de la pub pour mon sport dans les corridors de l'hosto ! (Avec plein de plis de draps dans le dos et sur les cuisses, *damn sexy* !)

Les bandages
OK, ici c'est un peu moins cool.

Pôleuse un jour, pôleuse TOUS les jours! Pink Pole Power, c'est un organisme qui appuie la cause du cancer du sein... pis ils vendent des shorts de pôle pour faire des dons aux fondations. :) Merci Valérie et Sean!

Je vais essayer d'expliquer ça en ménageant les cœurs sensibles.

Le chirurgien esthétique m'a installé des drains pour que je guérisse mieux (la peau « recolle » plus vite sur le corps s'il y a moins de fluides qui se promènent en dessous). Tout ça est attaché par des épingles à la jaquette d'hôpital, ce qui engendre de la douleur chaque fois que le vêtement bouge parce que ça tire sur les tubes, et donc sur les plaies. Sérieux, j'en ai déjà suffisamment avec la douleur aux seins ; j'ai pas besoin de la douleur des drains en plus, c'est *fucking* insupportable. Faque j'ai trouvé une solution quand je suis revenue à la maison (ça fait mal quand même, mais moins). Et surprise : la solution s'est avérée être une crisse de bonne joke en même temps. Faque je vous ai fait des photos, je pouvais pas passer à côté.

Attention par contre : ici ça va vous prendre un méchant sens de l'humour… C'est pour ça que je vais vous envoyer les photos à part, pour que vous puissiez choisir de les regarder ou non. Donc si vous pensez être trop sensible, **ne regardez pas le prochain courriel**, celui qui s'intitule « Attention, ça choque… mais c'est drôle » (Nº 55). Quand je dis sensible, je parle autant du côté médical que de la rectitude politique, en particulier avec l'attaque terroriste que Boston vient de subir pendant son marathon. Sinon, allez-y, regardez les photos du Nº 55, vous allez rire un bon coup.

Parlant des drains… ce sont des Jackson-Pratt, donc des poires qui pendent de chaque côté. J'en ai quatre ; une paire de chaque bord. Je sais pas si c'est du latex ou quoi, mais la texture est un peu collante, ce qui devient franchement dégueu avec mes bouffées de chaleur. En clair : jusqu'à ce que je trouve ma super solution, j'ai carrément eu l'impression d'être coincée entre deux gars qui étaient venus se frotter les couilles (rasées) contre mes hanches 24 heures sur 24. Il était temps qu'on arrête ça, sérieux, chus pas dans le *mood* pantoute.

2. J'AI PUS DE CANCER

Mais attention, je ne suis pas guérie !
Je vous ai déjà expliqué ce que mon médecin extraordinaire a trouvé pendant la chirurgie — ou plutôt ce qu'il n'a pas trouvé, hehe :) —,

mais il faut y aller avec sagesse et attendre les résultats de la Pathologie. Et de toute façon, même quand les résultats reviendront négatifs du labo (parce que oui, ils seront négatifs, ça je vous le jure), on ne pourra pas tout de suite dire que je suis guérie, malheureusement.

Le cancer est une maladie qui exige beaucoup de patience de la part du patient, pis je fais même pas de jeu de mots, là. On avait l'habitude d'attendre 5 ans avant de proclamer qu'un cancéreux était tiré d'affaire; entre-temps, on disait qu'il était «en rémission» et on guettait la récidive jusqu'au fameux *milestone* des 5 ans. Je crois que maintenant on attend 10 ans, mais bon je ne sais plus, faudrait que je vérifie avant de vous confirmer ça. *Anyway*, tout ça pour dire que je suis loin d'avoir le droit de me dire guérie.

Mais entre nous, là… je vous dis ça pas fort, dans le creux de l'oreille… Chrystian et moi, c'est en plein le genre de soulagement qu'on a eu. «Guérie» est précisément le mot qui fitte avec l'impression que tout ça nous laisse. Pis laissez-moi vous dire qu'enfin on respire. Parce que l'air de rien, on est à la fin d'avril 2013; c'est à la fin de mai 2012 qu'on a commencé à avoir des soupçons sérieux à propos de ma santé et que tout notre *badtrip* a commencé. Faque tsé, un an de terreur, un an d'épuisement, un an à vivre dans l'ombre du spectre d'une maladie mortelle… Quand t'entends le chirurgien-oncologue te dire, un an plus tard, qu'il n'a pas vu de traces de cancer dans le tissu mammaire de ta femme, tu te dis: «Ouep, on est guéris toué deux, estie.» Je pense qu'il sera toujours temps de se remettre à *badtriper* si le vent tourne, mais en attendant, on n'enlève rien à personne en étant heureux de ma «guérison».

3. J'AI DES NOUVEAUX SEINS

Est-ce qu'ils sont beaux? Bon, ça je l'ignore malheureusement.

Premièrement j'ai des bandages, alors on voit eu-rien. Mais de toute façon, ça va prendre un grand bout avant qu'on sache de quoi ç'a l'air, genre des mois, pour plusieurs raisons: 1– toute la région est enflée; 2– les prothèses n'ont pas encore «pris leur place», c'est-à-dire qu'elles vont descendre un peu; 3– mes muscles pectoraux sont complètement traumatisés. Mes seins risquent donc de changer beaucoup de forme dans les semaines et mois qui viennent.

Est-ce qu'ils sont plus gros qu'avant ? Bon, ça aussi je l'ignore malheureusement.

Là encore, ça va prendre un petit bout avant qu'on puisse le savoir. C'est vraiment très difficile de juger pour le moment, d'abord pour les raisons mentionnées au paragraphe précédent, mais aussi parce que j'ai deux tuyaux qui courent de chaque côté sous la peau pour les drains (donc quatre en tout), alors évidemment ça prend de la place autour de la prothèse et ça fait plus gros encore.

Ce que je constate pour l'instant, c'est que mes seins sont beaucoup plus larges qu'avant ; ils semblent avoir un plus grand diamètre qu'avant, c'est-à-dire qu'ils couvrent une plus grande surface de mon thorax — mais je garde la tête froide et je ne panique pas parce qu'il paraît que ça ne restera pas comme ça. Donc oui, ils semblent plus gros si on considère leur diamètre, mais en contrepartie, si on évalue leur « projection », ils ont l'air plus plats (évidemment, vu qu'on a enlevé les aréoles et les mamelons, il n'y a plus d'effet pointu ou conique), et d'un autre côté, ils sont très « pleins » en haut (vers les épaules)... mais encore une fois, je dois être bien rationnelle et me souvenir que ce que je vois maintenant ne ressemble pas du tout à ce qui sera le résultat final (c'est pas si facile de rester terre à terre, je vous le garantis).

Quant à connaître ma nouvelle taille de soutien-gorge, alors là, je ne suis vraiment pas rendue là : y é pas question que j'essaie de mettre un soutif sur mes plaies et mes drains — juste à imaginer la douleur, j'en ai les jambes flageolantes.

Ça te fait quoi de ne plus avoir de mamelons ?
Connaissez-vous le principe selon lequel les amputés sentent encore le ou les membres qu'on leur a enlevé(s) ? Eh bien c'est pareil pour moi ; pour le moment tout baigne, étant donné que je n'ai pas encore vu mes seins sans mamelons... J'ai vraiment l'impression de les avoir encore. C'est pas garanti que j'irai aussi bien quand on enlèvera mes bandages et que je me verrai dans le miroir, par exemple... ! Mais tant que je joue à l'imbécile heureuse et que je fais l'autruche, ça va ! Mes mamelons vont très bien, merci !

FAQ

Pis? Ça fait-tu mal?

Oui. Pis devinez quoi? Je souffre d'allergies saisonnières, et comme c'est la grosse saison du pollen, eh bien je vis dans la terreur d'éternuer. Oh la la, ça m'est arrivé une fois hier, et je peux vous dire que j'ai eu l'impression que j'allais fendre en deux. Je prends religieusement ma médication pour prévenir les éternuements, mais tsé, on n'est jamais vraiment à l'abri; un atchoum est si vite arrivé…

T'es sortie quand de l'hôpital?

Samedi après-midi (l'opération était jeudi).

C'est quoi les contraintes en ce moment?

Il faut porter des vêtements à emmanchures larges, sinon on n'arrive pas à passer les bras dedans; il faut aussi que ça s'attache par en avant, parce qu'il est hors de question de monter les bras plus haut que les épaules, autant pour la douleur que pour la cicatrisation.

Ça prend une éternité et un soin infini pour effectuer la moindre tâche, genre se brosser les dents, ouvrir la porte-patio, remonter son pantalon (qui doit impérativement être lousse ou au moins *very, very stretchy*), etc. Et ça prend une organisation d'enfer pour se laver parce que premièrement, on peut pas bouger comme on veut; parce que deuxièmement, quand on enlève nos vêtements, les poires Jackson-Pratt ne sont plus rattachées à rien, alors elles pendent vers le bas et tirent sur les drains — ça fait mal en TABARNAC —; pis parce que troisièmement, il faut à tout prix que les pansements demeurent secs, alors c'est un méchant tour de force. Perso je refuse de me laver «à la mitaine», alors j'ai élaboré tout un plan pour pouvoir prendre une douche:
   a) Attacher les drains à une ceinture;
   b) Enligner la douche le plus bas possible;
   c) Me laver juste un petit bout à la fois, en essuyant tout de suite après pour éviter que l'eau file jusqu'aux pansements;
   d) Pencher ma tête vers l'avant très loin de mon corps pour laver mes cheveux;

e) Orienter les miroirs de la pharmacie vers la douche afin de voir ce que je fais pendant l'opération ultradélicate du savonnage/rinçage sous les bras (un, je ne peux pas monter mes bras trop haut ni les envoyer trop loin vers l'arrière ; deux, je dois contourner mes pansements pour ne pas les mouiller, et ils montent pas mal vers l'aisselle, c'est un travail de grande précision).

Ça demande beaucoup de temps et mille efforts — je sors de la douche complètement épuisée —, mais une fois que c'est fait, je vous dis pas le bonheur d'être enfin PROPRE DE LA TÊTE AUX PIEDS ! L'air de rien, ça manque cruellement pendant l'hospitalisation. Ah oui, et j'oubliais : il faut prendre un antidouleur de 30 à 45 minutes avant d'entrer sous la douche, sinon ça craint !

Il ne faut rien soulever, et rien tirer non plus. L'idéal est de se servir le plus possible de la force de ses jambes [chest-bras-chest-bras-chest-chest-bras-DOS-chest-bras-bras-chest… ;)]. C'est pas facile de se lever du lit, vous ferez le test : allongez-vous à votre place habituelle sur le matelas, et venez vous asseoir sur le bord du lit (sans les coudes) juste pour le fun… Pis après levez-vous, le tout en vous rappelant bien de ne pas mettre vos mains sur le matelas ni sur vos cuisses… Mettons qu'on réalise que plein de petits gestes du quotidien sont des réflexes dont il n'est pas facile de se débarrasser. On réalise aussi que ça prend de bons abdos et pas mal de temps pour se lever avec le plus de grâce et le moins de douleur possible en comptant sur des muscles qui étaient au repos après toute une nuit !

As-tu eu le visage bleuté en fin de compte
(à cause du *stuff* qu'ils t'ont injecté dans les mamelons
pour qu'il voyage dans ta lymphe jusqu'à tes ganglions) ?
Non, parce que finalement ils ne m'ont injecté que le *stuff* radioactif, pas le *stuff* bleu ; ça n'a pas été nécessaire dans mon cas. J'avoue que je suis un peu déçue, j'aurais bien voulu voir ça ! Pis j'étais prête en plus : j'avais même mis ma perruque blonde sur le conseil de Chéri (pour jouer les Schtroumpfettes), mais ç'a juste été un rendez-vous manqué. Pouèt-pouèt.

Comment c'était, les retrouvailles avec les enfants?

Chrystian a emmené les enfants à l'hôpital le soir de l'opération. J'étais vraiment heureuse de les voir… Mais ils ont eu tout un choc! Premièrement, la jaquette d'hôpital et le poteau du soluté font toujours un gros effet, mais en plus, j'avais des marques de Sharpie et de rouge désinfectant qui dépassaient du col de ma jaquette, et là, ouf, on peut dire que ç'a bouleversé mon grand Rémi. Dès le premier regard, tout le réalisme de la situation lui est rentré dedans, et même s'il a bien tenté de cacher qu'il réalisait que j'avais été *malade* et que j'aurais pu en *mourir*, le coup qu'il venait d'encaisser était très clair dans ses grands yeux paniqués. Il a essayé de tenir bon pendant au moins 15-20 minutes avec un air pas naturel du tout, et puis POUF, il a éclaté en sanglots:

— Maman, je t'aime!

— Moi aussi, Rémi! Est-ce que tu pleures parce que tu as de la peine ou parce que tu es ému?

— …

— C'est normal de pleurer, Rémi, c'est quelque chose de très gros, ce qu'on vit, tsé.

— Mais maman, je pleure parce que je suis content qu'on soit réunis tous les quatre… je ne veux pas te perdre… j'ai eu peur… je t'aime…

Ouf. Entendre ça de la bouche de son fils de 9 ans, c'est, euh, indescriptible. Ça mouille les yeux en tout cas; ça, je peux vous le dire.

De son côté, Nina-la-*tough* a été très ébranlée aussi — elle me fixait avec des grands yeux mi-curieux, mi-épouvantés —, mais orgueilleuse comme elle est, elle s'est bien gardée de passer un commentaire et a plutôt tenté de faire diversion. Par contre, dès que j'ai été de retour à la maison, elle s'était déjà ressaisie et était en mesure de venir me voir pour me faire des demi-câlins chaque fois qu'elle me sentait un peu vulnérable (parce qu'il faut éviter de me serrer, ça fait mal, alors elle a développé un nouveau type de câlin qui est tout à fait approprié <3).

T'as l'air de quoi aujourd'hui ?

De ça. Pis je *chille* dans ma cour en vous écrivant, il fait beau ; cette fois ça y est, le printemps est installé pour vrai.

As-tu recommencé à fumer ?

Non, et je suis toujours aussi en crisse d'avoir arrêté.

Comment tu te sens ?

Bien ! Mieux que je ne l'aurais cru en tout cas ! En fait, je me sens exactement comme le délicieux et très à propos reggae que mon amie **Shawna** m'a envoyé parce que

Look de coton ouaté
pour les Geneviève

j'ai l'impression d'avoir eu le dessus sur le cancer. *Let me tell you,* ça donne un estie de bon feeling ! *But I'll get on my feet again / Ride on a wave to happiness / Burn all the hurt and pain / In times like these where survival is the game / Let's play on*[3]…

Il me reste à surmonter la douleur physique, mais tsé, c'est juste une question de jours ou de semaines ou de mois, pis je vais être correcte. Ça fait qu'on serre les dents en attendant, ça va passer… Ah oui pis on se drogue aux antidouleurs, aussi ; ça aide encore plus que de serrer les dents, haha !

Quand pourras-tu recommencer la pôle ?

Mon Breast Man a dit « À l'automne ». Mon médecin extraordinaire croit que ça ira plus vite que ça, mais il préfère que je m'en remette aux recommandations du plasticien, histoire de ne pas *scrapper* l'esthétique de l'œuvre et de s'assurer que les prothèses resteront bien là où on me les a posées.

C'est quoi les prochaines étapes ?

- **Demain**, j'ai rendez-vous à 8 h chez mon Breast Man (chirurgien esthétique). *Eeeesh*, il va enlever mes drains. Je suis contente, parce que ça sera moins encombrant et que j'aurai sûrement

---

3. Marcia Griffiths, *Suvival, Naturally*, 1978.

moins mal ensuite, mais je m'attends à lâcher un estie de cri dans son bureau, parce qu'il va simplement tirer dessus après avoir enlevé les points du suture qui les retiennent (AAAAARGH! Le tube file quand même un bon 20 centimètres de long à l'intérieur, viarge!). Je ne sais pas s'il va enlever mes bandages ou s'il va juste les changer, alors je ne sais pas si je pourrai voir mes seins, mes cicatrices et mes «non-mamelons»... À suivre...

- **Le 13 mai**, j'ai rendez-vous avec mon médecin relax (oncologue), qui commencera vraisemblablement mon traitement antihormonal (Tamoxifène, qui fait prendre du poids, pendant cinq ans). J'aurai aussi une injection de biothérapie ce jour-là (Herceptin).
- **Le 17 mai**, je dois subir un *MUGA scan* en médecine nucléaire pour vérifier l'état de mon cœur afin de s'assurer qu'il récupère bien de la chimio.
- **Le 22 mai**, j'ai rendez-vous avec mon médecin extraordinaire (chirurgien-oncologue) pour recevoir mes résultats de la Pathologie... et je crois qu'il aura déjà ma réponse à propos de la radiothérapie à ce moment-là, puisque mon cas aura probablement déjà été soumis au *board*.
- **Le 6 juin**, j'ai rendez-vous chez mon dermatologue pour faire traiter mes cicatrices au laser, ce qui n'est pas pris en charge par le système public. Ça devrait les rendre moins rouges et aussi moins surélevées. Ça s'appelle le «V-Beam», comme dans «*Beam me up, Scotty*», parce que tsé, l'idée, c'est de les faire disparaître.
- **Éventuellement** mais je ne sais pas quand, j'aurai une chirurgie sous anesthésie locale par mon Breast Man; il me fabriquera des aréoles et des mamelons. Pas la couleur; juste la forme. La couleur, ça viendra bieeeeeeeeeeen plus tard, et ça sera à New Orleans, d'ailleurs faudrait bien que je commence à m'informer des disponibilités et des tarifs du tatoueur (wow! Ça semblait si loin quand j'étais en chimio, et là je sens que ça s'en vient, c'est de plus en plus concret!).

Un chausson avec ça?

Oui, je veux ajouter quelque chose d'important.

À l'hôpital, plusieurs fois par jour, on entendait à l'interphone (y compris dans les chambres) des messages qui disaient «*Anyone speaking Punjabi, please dial XXXX*». J'ai entendu ce message-là pour du grec, pour du mandarin et pour plein d'autres langues… Ça m'a beaucoup touchée que tout le monde se donne la main pour tâcher d'aider au mieux les patients, jusqu'à la limite du possible. Ça me désole de dire ça, tsé je suis *full* «Vive le Québec francophone» et tout, mais crisse, pareil: c'est pas dans un hôpital francophone que j'aurais entendu ça. On a beaucoup à apprendre des hôpitaux anglophones.

J'en reviens pas de mon hôpital, une fois de plus. Multiculturel, *caring* pis *patient-oriented*; exactement ce qu'un établissement de soins devrait être. Quand j'ai dit à une infirmière: «Ayoye, je me mets dans la peau d'un malade ou d'un blessé qui vient d'arriver au Québec; il a mal et est pogné à l'hôpital sans comprendre personne et sans pouvoir se faire comprendre non plus… L'angoisse doit être assez *heavy* merci quand tu cherches à expliquer ta phobie ou à prévenir que t'es allergique à la pénicilline… C'est formidable que dans votre hôpital on fasse appel *à tout le monde* pour offrir un maximum d'aide», eh bien elle m'a raconté l'histoire toute récente d'une patiente de mon âge, qui venait d'émigrer d'une ancienne république de l'URSS: une maman monoparentale (un enfant), sans famille ici, cancer du sein, pas un mot d'anglais ou de français. :(Ostie que je suis contente que cette fille-là soit suivie à mon hôpital et pas ailleurs… Et *by the way*, les bénévoles lui ont non seulement trouvé un interprète, mais d'autres ressources aussi. Fiou, tsé.

Tout ça m'a encore une fois offert l'occasion de réaliser à quel point j'ai de la chance. Je vais bien et je suis bien entourée, *je suis chanceuse*.

Et puisqu'on parle d'être bien entourée…
Je veux vous dire merci encore une fois. Tout ce soutien, tout cet amour, toutes ces attentions, toutes ces bonnes pensées; chacun de vous contribue tous les jours à ma guérison, le savez-vous? :) Réalisez-vous le cadeau que vous me faites? C'est ultra précieux! Je ne sais pas ce que j'ai bien pu faire pour mériter tout ça, mais en tout cas je le savoure à chaque instant. :)

Merci à tous ceux qui nous ont écrit au moment de la chirurgie, vos messages ont joué un rôle capital pour nous;

Merci à Gigi et à Marie-Noëlle pour les chocolats décadents! J'ai hâte d'avoir de vos nouvelles;

Merci à Mamma Sophie pour la délicieuse sauce à spag — pas juste un dépanneur, mais un ESTIE de gros plaisir;

Merci à Marie-France pour le savoureux réconfort de ta soupe et le flash génial des tisanes-desserts zéro calorie, c'est peut-être grâce à ça si je n'ai pas recommencé à fumer ces derniers jours, c'est pas rien ;

Merci à Marc et à Sophia, qui ont cuisiné une méga lasagne teeeeeellement bonne, et plein-plein de cupcakes teeeeeellement *cute* pour ma famille ! Et *by the way*, ça signifie que Sophia, malgré ses nausées de grossesse, s'est tapé toutes les effluves de bouffe dans la maison ! *I know what it's like and I THANK YOU!*

Enfin je souhaite remercier Colette, ma belle-mère, qui se dévoue corps et âme pour nous aider depuis le début de ce cauchemar, et qui nous a préparé, pour mon retour à la maison, *full* bouffe : sauce à spag, pain de viande, etc. Ah que j'aime cette femme ! <3

Des amis, plein d'amis : voilà bien ce qui compte dans la vie.

Je vous aime ! À bientôt !

Maude

N° 55. Attention ça choque… mais c'est drôle

29 avril 2013

PASSEZ TOUT DROIT si vous êtes une petite nature ou si vous êtes bouleversé par les blagues politiquement incorrectes !

A different kind of terrorist

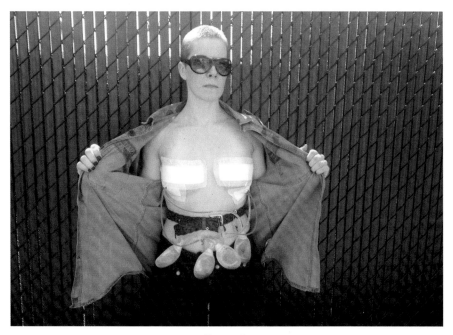

All wired up

Bomber boobies

Nº 56. Le choc de la mise à nu

1er mai 2013

Avant d'embarquer dans le vrai sujet du jour, je vais vous donner d'excellentes nouvelles post-chimio. :)

Premièrement, j'ai 4 orteils sur 10 qui ont « dégelé » ! *YAHOOOOO!* Ça avance pas vite, mais ça avance quand même, et plus vite que prévu à part ça ! On s'en va du bon bord. :) Et mes mains, qui étaient bien moins atteintes que mes pieds, sont redevenues complètement normales maintenant. L'enflure, elle, se résorbe lentement. C'est pas réglé encore, mais je travaille là-dessus ! Lentement mais sûrement !

Deuxièmement, je me suis pesée ce matin… J'ai perdu 4,5 livres (sur 23) ! *Attaboy!* J'ai pas encore commencé le Tamoxifène et je ne prends plus de Decadron, alors c'est le moment idéal pour perdre du poids. On continue, ça va bien ! :) Du contrôle, plein de légumes, les tisanes-desserts de Marie-France ; on va y arriver, sacrament !

Enfin, ça se replace côté ongles : on se souvient que quelques-uns de mes ongles ont eu trois stries verticales noires chacun, ç'avait commencé à l'époque du AC ; ensuite, avec le Taxol, la lunule de mes pouces était disparue et ces deux ongles-là étaient devenus tout blancs ; et finalement, tous mes ongles (pieds et mains) étaient devenus blancs. Depuis environ deux semaines, par contre, ils ont commencé à retrouver à la fois leur couleur rosée et leur lunule.

Le choc de la mise à nu

Hier, j'ai été voir mon Breast Man pour qu'il m'enlève ces horreurs de drains qui me torturaient, ainsi que les bandages qui m'empêchaient de voir de quoi avaient l'air mes nouveaux seins.

Évidemment, personne te dit rien à propos de la douleur que ça représente quand le médecin tire sur les drains pour te les enlever, et personne te dit : « Peut-être qu'un antidouleur 30 minutes avant, ça serait pas fou. » Mais j'avais reçu une petite brochure sur la mastectomie à l'hôpital il y a deux mois, et une phrase avait retenu mon attention : « Le retrait des drains peut être un peu douloureux, mais rassurez-vous, ça ne prend que quelques secondes. »

Moi, si y a une chose que j'ai appris avec le cancer à propos des affaires médicales, c'est qu'à l'hôpital ils vont toujours essayer de te faire paraître ça pas trop grave pour que tu paniques pas. Donc j'ai catché le message sous-jacent (ça va te faire mal sans bon sens pis tu vas avoir l'impression d'agoniser pendant une bonne heure) pis, la veille, je me suis concocté un petit cocktail médicamenteux à prendre le matin de la procédure. Après avoir méticuleusement vérifié l'interaction de l'Ativan avec le Dilaudid et avec l'Oxycotone, j'ai arrêté mon choix sur le deuxième pour le matcher avec mon Ativan, et j'ai décidé de doubler la dose qu'on m'avait prescrite.

Oui, je le sais qu'on ne devrait jamais *fucker* le chien avec les ordonnances, mais je sais aussi plein de choses à propos des médicaments pour avoir travaillé en psychiatrie pendant plusieurs années. Pis honnêtement, chus contente pas à peu près d'avoir *fucké* le chien avec mes ordonnances, justement, parce qu'OSTIE QUE J'AI EU MAL pendant cette procédure-là. *By the way*, à propos des mélanges de médicaments : j'appelle toujours mon pharmacien avant pour m'assurer de ne pas m'empoisonner, et je vous demande de faire la même chose avant de vous faire un *mix and match* de couleurs pis de formes, *all right* ? Parce que c'est dangereux pour de vrai.

Alors après avoir retiré les bandages et quelques points de suture, mon chirurgien esthétique a tiré super fort sur les tubes en plastique qui me sortaient de la poitrine. J'ai entendu « *AAAAAAAAAAAAAARGH* » par-dessus la voix de Marcia Griffiths qui chantait dans mon iPod [OK, ça sonnait vraiment comme le cri de quelqu'un d'autre, mais malheureusement, c'était bel et bien ma voix que j'entendais], et là j'ai dit « *Shit!* », et « *Fuck me!* » tout de suite après, ce à quoi le médecin a répondu « *Yep* ».

Après quelques secondes, quand j'ai ouvert mes yeux et que j'ai été capable de retrouver assez de force pour me concentrer, je lui ai demandé :

— OK, fait que ça, c'était juste un de chaque bord, *right* ? Y en a encore deux à enlever, c'est ça ?

— *Nope*, j'ai enlevé les 4 d'un seul coup, qu'il a répondu.

Thank God! Ce gars-là avait été assez viril pour faire ce qui devait être fait d'une main de fer et en une seule *shot*, fiou ! Pour traverser ces moments-là, vaut mieux avoir un chirurgien avec un côté mâle alpha bien assumé, je vous le garantis, haha !

Je suis restée étendue là pendant un petit bout parce que je savais que je perdrais connaissance si je me levais, mais éventuellement j'ai pu marcher jusqu'au miroir pour enfin voir de quoi j'ai l'air *topless*... Je m'attendais à vivre un gros choc.

Mais il ne s'est rien passé. Rien du tout. Pas de choc. Même pas de surprise. Rien pantoute. C'est bizarre, mais j'étais ben correcte avec ce que j'ai vu, même si ce que j'ai vu c'était de l'asymétrie, des bosses et des cicatrices larges et épaisses ; même si mon sein gauche est clairement plus gros que le droit, et même si je n'ai plus de mamelons. J'étais ben correcte avec ça.

Est-ce que c'est l'Ativan qui m'a rendue zen de même ? Est-ce que c'est parce qu'au fond je me préparais à ça depuis des mois sans m'en rendre compte ? Ou parce que je crois mes chirurgiens quand ils me disent que ça prendra des mois, mais qu'éventuellement mes seins seront tous les deux de la même taille et à la même hauteur ? Aucune idée. Mais l'important, c'est que j'étais en paix. Encore plus important : je n'ai pas cessé de l'être depuis.

Eh ben ça, c'est ce que j'appelle une *victoire*.

Mes cicatrices mesurent 7 cm chacune. Elles vont vraisemblabement rapetisser un peu. Elles sont très foncées, presque noires, à cause des gales qui tomberont bientôt. Pour le moment elles sont pleines de bosses et vont certainement s'aplanir, mais ça prendra des années. Les traitements de laser V-Beam que je pourrai débuter dans six semaines dans une clinique privée accéléreront le processus.

Mes seins sont jaunes à cause des ecchymoses de la chirurgie, mais j'imagine qu'ils reprendront leur couleur normale dans deux ou trois semaines. Le droit est le plus beau des deux : il est plus petit, ses contours sont plus ronds, et les bosses créées par le tiraillement de la suture (dans le cadran inférieur gauche [du côté de la craque]) sont assez discrètes. Mon sein gauche semble pas mal plus gros — c'est peut-être l'enflure, peut-être pas, je sais pas —, et il est beaucoup moins *smooth* que l'autre (aussi dans le cadran inférieur du côté de la craque, donc du côté droit du sein). La suture semble tirer si fort sur la peau que ce sein-là n'est pas rond ; son contour comprend un segment complètement droit qui brise la rondeur de la ligne sur un quart complet de son diamètre, toujours dans ce même cadran inférieur. Mes deux seins ont un très grand diamètre par rapport à avant, mais ils sont aussi très plats. Encore là, par contre : ma poitrine va considérablement changer de couleur, de forme et de taille dans les semaines, les mois et les années à venir.

Mes prothèses ont été manufacturées par la compagnie Mentor et sont en gel cohésif de silicone. « *400 cc / round / high profile* » ; c'est ce qui est écrit sur la carte de plastique qui m'a été remise. Je ne sais toujours pas comment ça se traduit en taille de soutien-gorge… Je vous le dirai quand je serai *game* d'en essayer un — j'ai la chienne juste à y penser pour le moment, crisse ça fait tellement mal —, mais mon feeling, c'est que ça me prendra un petit peu plus qu'un C (rien de monstrueux par contre).

On est rentrés à la maison vers 10 h après cet épuisant épisode. J'ai dormi toute la journée. Je me suis levée seulement pour souper et… je me suis recouchée tout de suite après, j'ai dormi comme un loir toute la nuit.

Aujourd'hui je me sens bien. Aujourd'hui il fait beau, aujourd'hui est une excellente journée pour être en vie.

Maude

FAQ

Un cancer, ça met combien de temps à s'installer ?
Ici je vais marcher un peu sur des œufs parce que je ne voudrais pas induire personne en erreur. Les données varient d'une source à l'autre, mais une chose est sûre : le cancer met plusieurs, plusieurs années à se développer. Pour une tumeur de la taille de 2,1 cm (comme la plus grosse des miennes), certaines sources parlent de 7 ou 8 ans (mais j'ai aussi lu 10 ans et même plus). Donc mon cancer aurait débuté autour de mes 30 ans, mais c'est hypothétique. Chrystian a lu qu'une tumeur met 2 ans pour passer de 0 à 1 mm (d'autres sources parlent de 5 ans) ; ensuite, l'évolution s'accélère parce qu'elle est exponentielle. On dit qu'une tumeur double tous les 100 jours en moyenne.

Mais il y a un truc sur lequel tout le monde s'entend : avant de s'organiser en tumeur et de devenir relativement invincibles, les cellules cancéreuses demeurent potentiellement vulnérables face à notre système immunitaire pendant pas mal d'années. Si je vous dis ça, c'est pour vous montrer que vous avez du temps pour intervenir et qu'il n'est jamais trop tard pour changer les choses qui vous donnent l'impression de miner votre santé — cigarette, stress prolongé, manque de sommeil, *whatever*.

Comment intervenir, justement, pour ne par développer de cancer?

Bon, c'est évident que si on avait la réponse à cette question-là, le cancer serait comme le scorbut : un mal disparu depuis longtemps et qu'on apprécie pour le piquant qu'il confère à notre folklore. En attendant d'en arriver là, on peut peut-être essayer de bichonner notre système immunitaire, puisque de nombreux tests en laboratoire semblent démontrer son importance dans la lutte au cancer et dans la prévention de la maladie. Fait que vu que c'est lui l'expert, ça serait pas bête de lui fournir tout ce dont il a besoin pour bien faire son travail ; bien dormir, bien manger et bouger de temps en temps, ça peut pas nuire.

Pourquoi as-tu choisi la médecine moderne?

Même si je sais qu'elle est loin d'être optimale et même si je suis très consciente de l'implication un peu vicieuse des compagnies pharmaceutiques dans le système en général et dans la recherche en particulier, j'ai choisi un traitement conventionnel.

À l'annonce de mon diagnostic, j'ai discuté de ça avec quelques personnes qui m'ont proposé un autre point de vue : « Et si tu refusais la chimio? Tu risques de souffrir beaucoup, ça ne vaut peut-être pas le coup… Tu pourrais te faire opérer et voir ensuite comment ça se passe… ».

J'ai beaucoup apprécié qu'on me soumette l'idée. Sérieux, je n'y aurais peut-être pas pensé moi-même, tellement j'étais affolée de la nouvelle. Je crois que l'idéal est d'évaluer plusieurs possibilités avant d'arrêter son choix. Mais cette option-là, elle n'était clairement pas pour moi. Voici ce que j'ai systématiquement répondu à ça : « C'est pas fou comme idée, et je prendrais peut-être la peine de l'envisager si je n'avais pas d'enfants. Mais dans ma situation, je considère que c'est ma responsabilité de faire absolument tout ce que la médecine "ordinaire" me propose. Nina n'a que 5 ans, et Rémi en a seulement 9 ; c'est vraiment pas le moment que ça chie, et il est hors de question que j'aie des regrets si un jour on me dit qu'on ne peut plus rien pour moi. Si je dois mourir et laisser Chrystian seul avec les enfants, eh bien ça sera après avoir tout fait pour rester en vie. »

Que je souffre ou non pendant les traitements me semblait tout à fait accessoire en comparaison avec mon but ultime, qui était d'épargner le deuil à mes enfants en bas âge. Cela dit, il y a des cas où la chimio n'est pas forcément indiquée et où une chirurgie seule peut faire l'affaire, comme par exemple dans le cas des cancers dont l'évolution est très lente et qui sont repérés à leurs tout débuts.

Par ailleurs, j'ai lu qu'une « détection précoce » se fait quand la tumeur mesure entre 3 mm et 1 cm. On m'a diagnostiquée alors que ma plus grosse tumeur mesurait 2,1 cm ; c'était loin d'être précoce comme diagnostic, et pourtant, cette tumeur-là avait complètement disparu au moment de ma chirurgie (cette tumeur-là pis toute sa gang aussi). Ça, ça veut dire que la chimio a détruit mes tumeurs, et donc qu'elle a probablement fait la même chose avec la majorité, et peut-être même avec la totalité, des cellules cancéreuses « lousses » qui se promenaient dans le coin ou ailleurs.

Looking back, je trouve que j'ai bien fait de dire oui à la chimio, pis *looking at my kids*, je trouve que j'ai doublement bien fait. Sauf que moi, j'ai pu compter sur une équipe médicale *top notch* qui a pris les bonnes décisions au bon moment, et les patients n'ont malheureusement pas tous cette chance. À preuve : cette jeune femme dont j'ai entendu parler, qui consultait pour une bosse dans le sein à une clinique sans rendez-vous et à qui le médecin a répondu : « *Inquiète-toi pas, c'est sûr que c'est pas un cancer. C'est même pas la peine de faire une mammographie, puisque de toute façon c'est impossible d'avoir un cancer avant l'âge de 25 ans.* »... WTF? *Helloooooo*? Leucémie ? Cancer des os, du cerveau ? Lymphome ? Sainte-Justine, ça te dit-tu quelque chose, le cave ? Retirez-lui sa licence, quelqu'un ! CÂLISSE !

Faque prenez votre santé en main, choisissez vos médecins autant que faire se peut, posez des questions pis réfléchissez. Ça ne guérit peut-être pas le cancer, mais ça donne de bien meilleures chances, par exemple. ;)

N° 57. *Bikini Roadtest*

7 mai 2013

Le bikini : ça passe ou ça dépasse ? On veut savoir ! Pis on veut voir !
All right, il fait beau, il fait chaud : c'est le temps d'essayer un top de bikini pour voir si oui ou non mes cicatrices dépassent.

BEN ÇA FAIT ! Ça *fucking* fait ! On voit rien pantoute (à part les bosses des cicatrices à travers le tissu, et ça va s'aplanir éventuellement) ! C'est sûr que ça prend un top aux bonnets plus généreux qu'avant — premièrement mes seins sont effectivement plus gros, mes anciens tops ne couvrent pas assez ; les cicatrices dépassent du côté de la craque et aussi on voit mes autres cicatrices, celles laissées par les drains) ; et deuxièmement, dès que je bouge un peu la cicatrice de droite essaie souvent de sortir du maillot même si c'est un « large » —, mais en tout cas, ça fait pareil ! Tout ça grâce à qui, HEIN ?! Grâce à mon médecin extraordinaaaaaaaaiiiiiiiiiire !

Je suis bouche bée, je suis heureuse, je suis chanceuse, je suis reconnaissante, *je suis en bikini.*

On voit ma cicatrice à gauche ; j'ai la même à droite, qui file jusqu'au bord du bonnet côté craque, mais elle est plus plate et ne paraît pas sur la photo. Mon sein droit est plus petit que le gauche, mais c'est plus petit que la photo ne le laisse croire ; ça ne rend pas justice au travail de mes chirurgiens. En fait il est surtout plus haut, alors sa courbe ne descend pas autant que celle du sein gauche — pour le moment en tout cas.

No worries! Y a d'la place en masse dans mon Jacuzzi[4] !

---

4. Radio Radio, *Jacuzzi*, *Cliché hot*, 2008.

Pis en passant on ne voit pas non plus mes bleus (qui sont jaunes, en fait); eux aussi ont décidé de fournir leur effort pour me permettre de porter un bikini : ils se sont gentiment positionnés sous la zone couverte par le tissu sans même dépasser d'une miette. C'est fou pareil, non ?! :D

Pour ceux qui veulent voir de quoi ç'a l'air

Les belles photos de « The Scar Project » montrent les cicatrices que le cancer du sein a laissé sur des corps de femmes. Fait intéressant : toutes ces femmes-là sont relativement jeunes. Ça revient donc à ce que je répète depuis le début : le cancer n'est pas qu'une affaire de retraité ou de bénéficiaire de CHSLD, qu'on s'en souvienne une fois pour toutes.

Pour ceux qui filent vraiment *deep*

Extrait du second livre de Vickie Gendreau (auteure de *Testament*, atteinte d'une tumeur au tronc cérébral). Voir à 7 minutes les superbes images d'une Vickie heureuse à la fin (à la fin de la vidéo comme à la fin de sa vie, qu'on espère). Calvaire, ça m'arrache le cœur. (Lire le code QR ou chercher « Vickie + Gendreau + drama + queens » dans Google)

Pour ceux qui n'ont pas envie de passer à côté de la vie

Awesome song, great lyrics. C'est une crisse de bonne toune de Jeff Bridges. Oui, oui, l'acteur. J'aimerais ben ça que vous l'écoutiez et que vous vous concentriez surtout sur « *But I get busy and I get distracted* » (pour lire les paroles, vous pouvez scanner le deuxième code QR ou chercher « Maybe I Missed the Point + lyrics » dans Google); l'idée, c'est de ne pas se laisser distraire de notre propre vie. Qu'est-ce qui est important pour vous en ce moment ? Vous voulez vous entraîner ? Ben *faites-le*. Vous voulez passer plus de temps avec vos enfants ? Planifiez *tout de suite* quelque chose avec eux ce soir après le travail, emmenez-les chez Dairy Queen sans être stressé pour une fois; profitez-en pour vrai.

Peu importe votre but, faites chaque jour ce qu'il faut pour cesser d'avoir l'impression que la vie vous file entre les doigts.

Du temps, vous en avez ; c'est vous qui choisissez, après tout. Y a qu'à pas le gaspiller sur Facebook ou en disant oui à n'importe quoi sans vous en rendre compte.

Faites ce qui a un sens pour vous en ce moment même — faites l'amour ce soir ; *bookez* cet après-midi la fameuse fin de semaine de pêche *boys only* dont vous parlez depuis 2 ans en sirotant une 50 mais qui n'aboutit jamais parce que y en n'a pas un estie qui est *game* de prendre 15 minutes pour réserver un chalet pour la gang ; inscrivez-vous à un cours de ballet, un vrai, celui que vous vouliez faire quand vous étiez petite ; apprenez à jouer de la guitare ; cruisez-la donc, la belle fille que vous voyez tous les jours à la même heure dans le métro, vous vivrez tous les deux une meilleure journée (et plus si affinités, haha) ; donnez votre nom comme bénévole à la Maison du Père pour faire des rencontres qui changent une vie ; allez passer votre permis de conduire, louez-vous un char chez Budget pis crissez votre camp en Gaspésie pour manger des crevettes pis voir enfin un show de Radio Radio ; apprenez l'espagnol les soirs de semaine, ben oui vous allez être un peu plus fatigué que d'habitude, pis ça ? ; servez-vous enfin de l'extracteur à jus que vous rêviez d'avoir et que vous avez effectivement reçu à Noël mais qui traîne dans l'armoire depuis 2010, *come on*, ça doit pas être tant de trouble que ça ; coloriez des princesses pis des bagnoles Disney® avec votre enfant pis un kit de 120 Prismacolor — ; je m'en crisse, ç'a pas besoin d'être grandiose, noble ou altruiste, ni de vouloir dire quelque chose pour les autres, d'ailleurs les autres n'ont rien à voir là-dedans. C'est **votre responsabilité** d'être heureux, pis *guess what* : non, ça peut pas attendre à demain. Parce que oui, c'est vrai que vous décidez de votre emploi du temps, mais malheureusement, vous ne décidez pas pantoute du temps qu'il vous reste. Pis des fois ça surprend, je vous le dis.

Pas que je veux beurrer trop épais ni vous écœurer avec ça (je suis bien consciente qu'à cette heure-ci vous êtes en train de travailler), mais moi, aujourd'hui, je me la coule douce dans mon bikini. :D

Anyway, après tout ce que je viens de vivre, je le mérite bien, alors je vais le prendre pendant que ça passe.

Fait que bonne journée, là ! Pis faites quelque chose de cool avec ce qu'il en reste !

Maude

FAQ

T'as mal où, au juste ?
- J'ai crissement mal en dessous des bras, surtout à gauche (c'est le fait d'avoir enlevé des ganglions qui fait si mal aux aisselles).
- J'ai mal aux seins, évidemment. Surtout le gauche.
- Hier j'avais mal à la cicatrice gauche, je pense que la peau n'en revient pas pantoute de ce qui lui arrive.
- Ça piiiiiique ! Ça pique comme par en dedans, c'est pas mal déstabilisant. J'imagine que c'est bon signe et que ça guérit… ?

Pis on dirait que ma peau est insensible, c'est *fucking weird* comme feeling.

Est-ce que tes seins sont encore enflés ?
Je sais pas trop, mais j'ai l'impression que non. J'ai l'impression que tout rentre tranquillement dans l'ordre. Vu de l'extérieur en tout cas.

Qu'est-ce qui fait le plus mal : la chimio ou la chirurgie ?
Hum… Ben c'est pas pareil du tout. Après l'opération, la douleur est aiguë mais localisée sur le haut du corps ; tu peux bouger tes jambes, etc. La chimio, elle, fait mal partout en plus d'altérer vraiment beaucoup l'aspect physique au complet, contrairement à la chirurgie qui ne touche que les seins. Ah oui pis y a aussi les envies de vomir… Mouais, c'est clair, je préfère l'opération.

As-tu été *fuckée* après l'anesthésie générale ?
Zéro ! Faut dire que j'ai eu tout un anesthésiste aussi. :) Pas de confusion, pas de maux de tête, pas de trous de mémoire comme certains le

rapportent, rien de ce genre. J'ajoute que j'étais en bonne santé (à part le cancer, tsé) ; ça doit aider.

Es-tu contente de la grosseur de tes seins ?

Je pense que oui, mais j'attends que ça se place avant de juger. Je pense que je vais être contente. Faudra voir avec les mamelons, aussi.

Comment est ton sommeil ?

Pas top. Ce sont souvent mes bouffées de chaleur qui me réveillent, mais comme je suis obligée de dormir sur le dos, je ne parviens pas à me rendormir ; j'aurais besoin de changer de position, ne serait-ce que pour me trouver un spot plus frais sur le matelas. Mais je ne peux pas bouger comme je veux et je ne peux surtout pas dormir sur le côté ni m'étirer, alors je fais avec, c'est-à-dire que je fixe le plafond en réfléchissant à plein de choses. Des fois je me sens un peu comme une tortue : prise sur le dos, pas productive, pas rapide.

Comment t'as fait pour passer du vernis à ongles en salle d'opération ?!

Aaah-HA ! Je me suis cachée ! Deux infirmières m'ont pognée le matin même : « Ils vont te dire de l'enlever ! » (mais j'avais pas de dissolvant *anyway*, il aurait fallu qu'ils me donnent de l'acétone sur place). Alors après ça, j'ai gardé mes mains cachées, hehe. Tsé, la veille en mettant mon vernis, j'en avais discuté avec Chrystian (parce que la couleur des ongles peut donner des indications sur l'état d'un patient) : « Peut-être qu'ils ne voudront pas, mais moi ça va me remonter le moral, pis *anyway* viens pas me faire croire qu'avec tous leurs moniteurs, ils ont vraiment besoin de mes ongles pour savoir si je tombe en arrêt respiratoire, franchement ! » On était tous les deux d'accord sur le fait que je ne mettais pas ma vie en jeu avec du rouge sur les ongles, faque enwèye : amène le kit de manucure par ici. Après des mois de noir, un peu de rouge, ça remonte sa femme. ;)

Tu baises-tu ?

Non. Et c'est pas l'envie qui manque pourtant.

Si la chimio n'empêche pas de baiser (j'avoue que ça refroidit les ardeurs, par contre, et que pendant le traitement, c'est pus du tout comme avant), avec la chirurgie, c'est une autre histoire. Premièrement, au tout début, t'es pas dans le *mood* vu que t'as mal, ça me semble assez évident. Deuxièmement, et c'est là le plus gros hic, celui qui persiste une fois que l'envie revient : tu dois surveiller tes mouvements, ne jamais mettre de poids sur tes bras et ne faire aucun geste brusque ou rapide. Faque tsé, arrange ça comme tu veux (attention de pas toucher mes seins, han ! / mets pas de poids sur moi ! / ben non, pas comme ça ; je peux pas être sur le côté ni sur le ventre ni à quatre pattes !), mais on s'entend-tu que ça devient pas mal compliqué pis que ça commence à manquer de spontanéité ?!

N° 58. Patiente pressée cherche pathologiste privé pour analyse *speedée* et plus si affinités

22 mai 2013

Yo.

Grosse déception.

La secrétaire extraordinaire de mon médecin extraordinaire a téléphoné hier en fin d'après-midi pour nous dire que mes résultats n'étaient pas encore sortis du laboratoire de pathologie. En conséquence, mon rendez-vous de ce matin a été remis à vendredi après-midi... Ce qui signifie qu'on devra attendre encore un peu avant de savoir si mon cancer est complètement parti ou pas. C'est juste deux jours, c'est pas si long... pis en plus, on est tellement sûrs que les résultats seront négatifs (c'est-à-dire qu'on est certains qu'on aura de bonnes nouvelles)... mais tsé, pareil, on a ben hâte d'entendre : « On n'a pas trouvé une miette de cancer dans tes seins ni dans tes ganglions, maudite chanceuse. »

Fait qu'on est un petit peu déçus. Pis on a BEN BEN BEN hâte à vendredi. D'ici là, pourquoi ne pas...

Vous émouvoir. C'est très beau, et c'est pour Vickie Gendreau (chercher « Urbania + chère + Vickie » dans Google ou lire le code QR) :

Vous donner des nouvelles de moi…

J'ai vu mon Breast Man hier

Il a enlevé mes points, AYOYE DONC, CÂLISSE! Il a tiré *full* fort avec ses pinces et ses ciseaux, ça ne voulait juste pas s'arracher — attention les petites natures : les nœuds de fil étaient pris dans des méga gales qui creusaient profondément dans la peau, donc mettons que c'était pas mal solide… Ça fait qu'il a arraché mes gales (et un peu de peau par la même occasion) en quatre temps (à chaque extrémité de la cicatrice sur chacun des seins), pis moi j'ai crié quatre fois, pis j'ai encore mal ce matin, c'est tout rouge (autour de mes nouvelles gales). Quand tout ça sera fini, on pourra vraiment dire que mes seins en auront vu de toutes les couleurs : injection de traceur radioactif dans les mamelons, mastectomies, prothèses, arrachage de gales, arrachage de drains, perforations pour les biopsies… À celles qui ont peur de la soi-disant douleur occasionnée par les mammographies de dépistage, je dis allez-y, parce que je vous garantis que ça fait pas mal moins mal de prévenir que de guérir!

J'ai posé mille et une questions au chirurgien esthétique, et voici un résumé des réponses que j'ai obtenues, un mois après l'opération :

Je pourrai faire de la moto dans une semaine ou deux, mais avec une brassière sport genre armure de béton; je peux faire de l'activité physique mais sans poids, sans sauts, etc. (genre vélo stationnaire); je peux dormir sur le côté (enfin!); je peux monter mes bras en haut des épaules, mais à condition de le faire lentement, en fait l'idéal est de faire des exercices en faisant grimper mes mains une à la fois sur un mur comme des araignées, de plus en plus haut chaque jour.

Je m'attendais à prendre un rendez-vous pour la chirurgie de reconstruction mamelonnaire, mais non. Il faut d'abord attendre jusqu'en septembre pour voir si je dois subir une chirurgie correctrice pour mes prothèses; même si mes seins ont l'air corrects maintenant, ils peuvent encore changer pas mal, et en particulier durcir (le corps forme parfois une coque autour de la prothèse, un genre de tissu cicatriciel à la Iron Man)… OK d'abord, on attend. *soupir*

Samedi, j'ai reçu un cadeau incroyable, dans le sens que j'y crois pas encore

Oh. My. God. Une boîte qui contenait plein d'affaires *cute* (entre autres des vernis à ongles !), mais surtout une clé USB incrustée dans un petit boîtier gossé main absolument magnifique, y a vraiment beaucoup de travail en arrière de ça. Je vous passe tous les détails, mais en gros j'ai eu la surprise hallucinante de découvrir les voix de mes collègues qui, **pendant douze heures**, m'ont lu *L'histoire de Pi* !

J'ai braillé en estie.

J'ai braillé parce que première-ment, ça fait déjà huit mois que je suis partie et qu'ils ne m'ont pas oubliée. Je rappelle qu'il s'agissait pour moi d'un nouvel emploi et que, aussi ridicule que ça puisse l'être, je n'étais là que depuis quatre mois quand je suis partie en congé de maladie ; eh bien même si j'ai été absente deux fois plus longtemps que j'y ai travaillé, mon équipe me dit « On t'aime pis on veut que tu reviennes », pis je vous défie de rester de marbre si ça vous arrive un jour. C'est *fucking* émouvant.

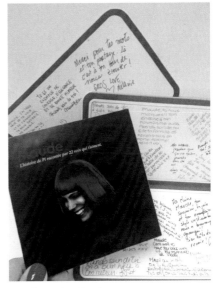

L'histoire de Pi, que mes amours de collègues m'ont patiemment lue page par page.

J'ai braillé parce que deuxièmement, le temps qu'ils ont dû mettre pour faire tout ça est inouï. Je ne parle pas seulement du temps consa-cré à la lecture, mais aussi de celui qu'ont nécessité le montage audio et le montage visuel du boîtier. De nos jours, le temps est peut-être ce qu'on a de plus précieux, alors je suis consciente de ce que mon cadeau représente et ça me touche beaucoup.

J'ai braillé parce que troisièmement, je trouve que *L'histoire de Pi* (dont j'ai vu le film mais que je n'avais pas lue) est un récit particulièrement bien choisi. Je trouve que ce cadeau-là est plein de sensibilité et d'écoute, l'idée est vraiment géniale : un livre audio que je peux écouter sans faire l'effort de lire quand je ne file pas, que je peux écouter même très gelée dans la salle d'attente quand j'attends mon tour pour l'injection, et qui représente assez bien l'aventure qu'on traverse quand on se met en route pour guérir du cancer. Par ailleurs, les vernis, les magazines et le chocolat qui étaient dans la boîte sont toutes des choses dont je raffole ; un cadeau personnalisé comme celui-là, reçu de surcroît d'une équipe que je ne connais que très peu, ouf, c'est précieux rare.

Vous l'aurez sûrement deviné, mais le cadeau était accompagné d'une carte signée par tout le monde. Oui, on a tous déjà vu ça, c'est rien de nouveau, je le sais. Mais crisse, ça m'a chavirée pareil, et même beaucoup, de lire tous les petits mots l'un après l'autre. J'ai vraiment du mal à réaliser que tout ça est réel. C'est complètement *out of this world* ! Et c'est *pour moi* ! Merci tout le monde. :) Alexis, Annie, David, Geneviève la Fée, Geneviève G., Isabelle, Josée, Karina, Lyne, Marc-André, Marie-Bénédict, Mélanie, Mélisa, Michel, Mylène, Nathalie, Stéphane, Stéphanie A., Stéphanie B., Stéphanie G., Sue, Sylvie, Vlada : ensemble, vous m'avez fait pleurer de bonheur.

Maude

FAQ

Es-tu toujours non-fumeuse ?
Oui, toujours non-fumeuse, et toujours aussi fru de l'être.

Pourquoi les résultats de l'analyse pathologique de ton tissu mammaire ne sont pas encore sortis ? Est-ce que c'est mauvais signe ?
Mauvais signe, je ne crois pas. Je pense que c'est plutôt parce qu'on manque de pathologistes au Québec et que mes spécimens brettent dans un frigo en attendant qu'un spécialiste ait le temps de les passer au peigne fin. On s'entend que cette analyse-là est bien moins urgente

que celle de la biopsie d'une patiente qui attend toujours son diagnostic, hein. Moi j'ai déjà été traitée, et même si on me trouvait encore un peu de cancer, je pense que mon cas demeure pas mal moins urgent que celui d'une autre qui doit peut-être être opérée dans les 48 heures ou commencer sa chimio au plus sacrant.

Cela dit, ça donne quand même le goût de se magasiner un pathologiste sur eBay pour accélérer le processus.

Ben non, je niaise.

Je pensais plus à bloquer l'autoroute 40 ou quelque chose de même. ;)

As-tu commencé le Tamoxifène ?
Non, mais j'ai fait remplir mon ordonnance par exemple. Tout est prêt, sauf que je dois attendre les résultats de Pathologie parce que le traitement antihormonal débute habituellement après la radiothérapie. Donc si je dois faire de la radio, je ne dois pas prendre de Tamoxifène tout de suite. Fait qu'on attend après le pathologiste, mais honnêtement, ça fait plutôt mon affaire ; chaque journée de gagnée sans Tamoxifène est une journée où c'est plus facile de perdre du poids. Et là, comme j'ai obtenu le *go* pour commencer le vélo stationnaire dans mon sous-sol de banlieue, j'ai presque le goût de dire au pathologiste de prendre son temps. ;)

Ça fait quoi, quand tu touches à tes seins ?
Au début c'était franchement *weird*, parce que ma peau est devenue complètement insensible après la chirurgie. Donc je sentais mon sein sous ma main, mais mon sein ne sentait pas ma main sur lui ! Là, non seulement ma peau a retrouvé de la sensibilité, mais en fait elle est devenue encore plus sensible ; même le tissu des vêtements ou des draps me fait mal parfois. Quand on touche, il faut y aller vraiment très doucement parce que ça brûle. J'ai encore des spots complètement insensibles, mais ça devrait rentrer dans l'ordre dans les semaines ou les mois à venir. Mes seins eux-mêmes me donnent un feeling étrange parce qu'ils n'ont plus rien de la forme que je leur connaissais : ils sont presque durs, vraiment plats et plus gros qu'avant.

C'est comment, le silicone ?
Fun fact, j'ai parfois les seins froids. Mais vraiment froids, là ! Mon corps n'arrive pas toujours à réchauffer la prothèse. Le feeling est tellement

bizarre… Le silicone est évidemment plus ferme que des vrais seins (plus que les miens après deux enfants en tout cas! Mouahaha!), c'est pas naturel au toucher, en tout cas pas pour le moment. Ça donne aussi des seins beaucoup plus hauts, un peu comme s'ils étaient jackés par une brassière *push-up* en permanence, mais encore une fois, mon Breast Man est certain qu'ils vont descendre avec le temps. À remarquer sur la photo qui suit: premièrement ça tient tout seul, magie-magie, j'ai même pas de soutif; deuxièmement on voit les cicatrices (ou plutôt les gales qui laisseront place à des cicatrices, alors les lignes horizontales ne resteront pas proéminentes comme ça). Ça vous donne une idée du look. Moi je suis très, mais vraiment très heureuse du résultat *so far*, considérant bien sûr que je figure désormais dans la catégorie «Double mastectomie totale» (on s'entend qu'on est loin des concours de *wet t-shirts* pis des *covers* de *Playboy*!)

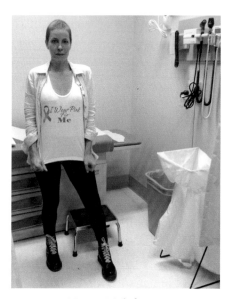

I Wear Pink for Me

Deux mois après ton dernier traitement de chimio, ton corps est comment?
J'ai (encore) attrapé un virus il y a quelques semaines, ce qui me fait penser que **mon système immunitaire** est peut-être à boutte; ça fait quand même plusieurs rhumes/grippes que je me tape en quelques mois. Un petit mot sur la toux en pleine convalescence après des mastectomies et reconstructions mammaires: n'essayez pas ça à la maison. Ça fait mal pour rien.

Cette fois ça y est, *tous* **mes cils** sont tombés. Pas que je n'ai plus de cils, non! Mais ceux qui étaient longs et qui étaient restés debout dans le tumulte de la chimio ont déclaré forfait. Il ne reste que les nouveaux, les jeunes, les recrues; ceux-là sont nombreux, ultramotivés et très fiers, c'est-à-dire qu'ils forment ensemble une frange drue et redoutable — zéro courbe, ils poussent droit devant et sont si forts qu'ils en sont raides au toucher. Donc en ce moment, j'ai les cils ultrafournis mais ils donnent l'impression d'être super courts quand on me regarde de face, étant donné qu'ils ne sont pas recourbés du tout.

J'ai perdu toute la douceur de **ma peau**. Chrystian a toujours beaucoup apprécié ma peau parce qu'elle était vraiment très lisse et douce, mais pour le moment c'est fini malheureusement. J'ai de minuscules boutons un peu partout, un peu comme des grains de sable, ce qui donne un fini rugueux. C'est pas grave du tout, et surtout ça rentrera peut-être dans l'ordre éventuellement.

L'enflure (surtout aux pieds, mais partout en général) a commencé à se résorber environ quatre semaines après la dernière injection de Decadron, mais j'en souffre encore. Mes chaussures sont trop serrées, et le soir, mes pieds sont super enflés, ce que je n'avais jamais connu auparavant.

Huit semaines après ma toute dernière injection de Taxol, **les nerfs de mes pieds** sont bof : j'ai deux orteils dégelés par pied (les plus petits orteils). Les autres orteils et la plante de mes pieds sont toujours dans le champ. **Mes mains**, elles, n'ont plus aucun problème côté terminaisons nerveuses ; tout est rétabli et je peux maintenant tenir un volant de voiture, prendre des objets et écrire à la main sans problème.

Ça prend combien de temps à se remettre de deux mastectomies totales + deux reconstructions complètes ?

Comme je ne suis pas complètement remise encore, je ne sais pas trop. Mais je vous mets des petites notes que j'ai prises à deux, trois et quatre semaines après l'opération :

14 jours post-op

Je n'ai plus de bleus sur les seins, ou en tout cas rien qui paraît au premier coup d'œil. Je suis très impressionnée ; tout ça est parti plus vite qu'un bleu de pôle, haha ! Les drains ont beaucoup aidé pour ça, mais je pense que si j'avais eu le choix, j'aurais opté pour des méga bleus pendant un mois plutôt qu'une douleur lancinante 24 heures sur 24 à cause des tubes qui zigonnaient dans mes plaies ouvertes à chacun de mes mouvements, en plus de la douleur débile que j'ai ressentie au moment de leur retrait.

21 jours post-op

Je n'en reviens pas de voir à quel point mes seins sont réussis. :) Ça changera peut-être, mais pour le moment, le résultat est harmonieux, même si mes seins ne sont pas d'égale hauteur (j'ai toujours eu un sein plus haut que l'autre de toute façon, mais là c'est un peu plus marqué). Celui qui est le plus haut est aussi plus petit, ça donne l'impression que mon muscle pectoral est resté un peu coincé, comme s'il s'était crispé autour de la prothèse pour la *squeezer* et la rendre un peu plus petite. J'espère que ce n'est pas un signe que je suis en train de faire une coque. Ça fait moins mal, et je dois surveiller mes mouvements parce que je n'ai pas toujours de « signal d'avertissement » de douleur. Mes gales ont commencé à tomber à droite, mais rien n'a bougé à gauche. La peau autour des cicatrices est pas mal sensible.

27 jours post-op

J'ai de gros morceaux de gale qui lèvent, y a de plus en plus de gales qui tombent. En dessous, la cicatrice est plus fine que je ne l'aurais cru, ça augure bien ! J'éprouve encore de la douleur, mais on sent clairement que ça va mieux ! La douleur se précise de plus en plus au lieu d'être diffuse sur tout le torse : mes cicatrices sont sensibles (surtout celle de gauche) ; ma peau est très à vif, un peu comme si j'avais brûlé au soleil ; j'ai la sensation que des aiguilles percent subitement ma peau de temps en temps (surtout aux aisselles) ; et j'ai beaucoup de démangeaisons sous les bras et sur les seins. En gros, j'ai de moins en moins mal à l'intérieur des seins, mais de plus en plus en surface, sur la peau.

Bon ben… À VENDREDI, SACRAMENT ! Pas le choix, faut attendre que la Pathologie soit prête à nous donner ses résultats — y a pas d'autre solution !

Nº 59. Résultats

24 mai 2013

Quand j'ai commencé mes traitements en octobre, j'avais promis à Chrystian de lui offrir ma guérison en cadeau d'anniversaire.

Sa fête, c'était il y a deux semaines.

Ben je suis *fucking guérie* ! Bonne fête, mon superhéros. :) Dansons toute la nuit, je suis *cancer free* !

Ch'capote, ch'capote ! :D

J'avais beau y croire, j'avais beau être certaine ; là, c'est plus sûr que sûr ! Mes résultats sont revenus (presque) NÉGATIFS du labo de Patho ! Ils ont trouvé du cancer *in situ*, mais moins de 1 % de cancer invasif décelable dans le tissu mammaire qu'ils m'ont retiré, et pas de cancer du tout dans les ganglions qu'ils ont analysés ! Et si en plus on ajoute le fait qu'ils m'ont enlevé ce petit 1 %-là en me faisant une double mastectomie totale, ben ça donne un genre de ZÉRO cancer ! *PAR-TAAAAAY !*

Mais mais mais mais mais… faut pas le dire trop fort non plus… parce qu'en réalité on ne pourra pas parler de guérison avant un bon p'tit boutte. Et et et et et… ça ne veut pas dire que ça ne reviendra jamais, ça arrive. Pis pis pis pis pis… une autre affaire, c'est que moi je dis toujours qu'on ne mesure que ce qu'on *peut* mesurer, c'est-à-dire que les tests actuels, menés avec les techniques actuelles, ont montré que j'étais (presque) *clean*, mais tsé peut-être que le cancer sait se cacher mieux que ça. Peut-être que dans cinq ans on mettra au point des tests plus poussés, des techniques plus précises…

Mais là aujourd'hui je me câlisse de tout ça, aujourd'hui je me considère GUÉRIE, aujourd'hui *I'm the fucking king of the fucking world*, aujourd'hui je peux dire que je n'ai pas souffert tout ça pour rien, aujourd'hui c'est le plus beau vendredi de toute ma viiiiiiiiiiiiiiiiiiiiiie !

Pour tout ce qui ressemble à une FAQ, genre Dois-tu faire de la radiothérapie quand même ? Ton 1 % de cancer, c'est quoi ? Pourquoi tu dis « presque négatifs », pis qu'est-ce que ça implique au juste ? Quand retourneras-tu travailler ? Vas-tu continuer à écrire ? Qu'est-ce qui va marquer la fin de tes courriels ? C'est quoi la suite de tes traitements ? Comment guérissent tes plaies ? Tes cheveux commencent-tu à faire une boule (oui, merde) ?, il faudra attendre à la prochaine fois, parce que là, en ce moment, je ne fais rien d'autre qu'être GUÉRIE ! Je suis guérie je suis guérie je suis guérie! J'ai pas dormi de la nuit (le stress des résultats) pis chuis même pas fatiguée tellement je suis *speedée*!

Maude Guérie-*Fucking*-Guérie Schiltz

Nº 60. *LET'S FUCKIN' RAISE THE ROOF!*

24 mai 2013

On sort fêter ça!
Souper à la Taverne Dominion à 20 h 45!
Les drinks, je ne sais pas où ça sera, mais je sais qu'il y en aura!

Tous ceux qui ont envie de trinquer avec nous, vous n'avez qu'à appeler/ texter!

CÂLISSE J'EN REVIENS PAAAAAAAAAAAAS!

Love you ALL!

Maude

Nº 61. *Smartbomb*

28 mai 2013

All right, this one's a shocker.
Êtes-vous bien assis?

Scroll down, pour voir.

Je vais refaire de la chimio !

FAQ

Ben voyons donc ! Pourquoi tu retournes en chimio si tes résultats d'analyse pathologique étaient si bons que ça ? !
Parce que mes médecins m'embarquent sur un protocole de recherche qui va fort probablement réduire mes risques de faire une récidive dans l'avenir. Je n'ai pas encore signé le formulaire — j'y vais demain et il sera toujours temps de refuser —, mais pour le moment ma décision est prise : j'accepte.

C'est quoi, le médicament que tu vas tester ?
C'est une chimio très puissante qui existe déjà et que les médecins n'administrent habituellement pas aux patients parce qu'elle rend beaucoup trop malade (l'emtansine).

Mais là, c'est différent : cette molécule-là sera cachée dans la molécule de trastuzumab (Herceptin) qu'on m'injecte déjà de toute façon (c'est-à-dire la biothérapie que je reçois aux trois semaines jusqu'en décembre 2013). L'Herceptin agira donc comme un cheval de Troie en cachant l'emtansine pour la déposer directement à l'intérieur des quelques cellules cancéreuses qui se promènent lousses dans mon corps, ce qui permettra de sauver la plupart de mes cellules saines (contrairement aux chimios traditionnelles).

Je rappelle que le rôle de l'Herceptin que je reçois actuellement est de repérer mes cellules cancéreuses (qui présentent toutes un nombre anormalement élevé de marqueurs HER2 sur leur enveloppe); une fois que c'est fait, il en désactive le noyau. Ensuite, on espère que mon système immunitaire se charge de les détruire. Dans la recherche, l'Herceptin pourra en plus livrer un ingrédient toxique à l'intérieur de chacune des cellules cancéreuses qu'il réussira à attraper pour les détruire.

Pour ceux qui veulent des détails:

www.dailymail.co.uk/health/article-2211284/T-DM1-New-smart-drug-breast-cancer-extends-womens-live-months.html

www.docteurjd.com/2012/06/03/asco12-cancer-du-sein-le-t-dm1-cheval-de-troie-pour-tuer-les-cellules-cancereuses-her2

Mais si la molécule existe déjà et qu'on sait qu'elle est efficace, pourquoi n'est-elle pas administrée aux patients?

Parce que les désavantages du traitement pèsent plus lourd que ses bénéfices. En clair, c'est un remède très *hard*: le poison est trop fort et fait plus de mal que de bien.

Ça veut dire que tu vas redevenir chauve?

Non. Mais j'aurai d'autres effets secondaires. Le seul que je connais pour le moment, c'est la chute des globules bancs; pour le reste, je vais savoir tout ça mercredi matin. Par contre, le traitement est tellement précis que les effets secondaires sont moins nombreux et beaucoup moins prononcés. Je vous donnerai les détails après mon rendez-vous de demain, celui où l'on m'informera de tout ça.

Qu'est-ce qui te dit que tu ne recevras pas le placebo?

Il ne s'agit pas d'un protocole à double insu, c'est-à-dire qu'il n'y a pas de groupe avec un placebo et que tous les patients sont informés de la nature du médicament qu'ils reçoivent. Il y a bel et bien un groupe témoin, où les patients continuent de recevoir le traitement standard comme si rien n'était (Herceptin = biothérapie), et l'autre groupe teste le nouveau médicament (T-DM1 = biothérapie + chimio *hard*); moi, j'ignore dans quel groupe j'aboutirai.

T'as pas peur des risques ?

Non. L'Herceptin, je le reçois déjà et je le tolère bien. L'emtansine, elle, est connue depuis bien plus que 20 ans, alors ça ne m'inquiète pas. C'est sûr que de combiner les deux pourrait avoir un effet surprise, mais j'ai confiance.

Pourquoi tu acceptes de participer à cette recherche-là ?

Premièrement, pour moi : pour ma santé ET ma tranquillité d'esprit. C'est un médicament auquel je crois, et si la façon de l'administrer est nouvelle, la molécule, elle, est loin de l'être. Donc on connaît son efficacité et ses effets (bénéfiques et nocifs).

Deuxièmement, moi qui suis complètement improductive depuis des mois, là je sens que j'ai une belle occasion de contribuer à la communauté. Les critères sont très stricts, c'est pas toutes les patientes qui peuvent participer. Moi je fitte, alors *go*, on y va. Le but ultime de cette recherche-là est de permettre aux patientes qui ont le même profil que moi de garder leurs seins (dans environ 10 ans, quand le T-DM1 aura été suffisamment testé). C'est une chimio tellement efficace qu'elle pourrait faire disparaître toutes leurs lésions, comme ça les filles subiraient de la chimio et de la radiothérapie, mais ni mastectomie ni tumorectomie. Je teste ça pour mes *sisters*, comme mes *sisters* qui ont testé l'Herceptin il y a huit ans — c'est grâce à elles si je suis en vie aujourd'hui (je rappelle qu'il y a environ cinq ou huit ans, jusqu'à l'apparition de l'Herceptin sur le marché, les filles qui présentaient mon cancer avaient peu de chances d'en sortir vivantes).

Y a une troisième raison qui me dit que ma place est dans ce protocole de recherche-là. Je vous préviens, ça sonne ésotérique sur les bords. Juste avant mon opération, mais vraiment juste avant, je suis allée faire de la pôle dans un studio où je n'avais jamais mis les pieds. J'étais seule avec une autre élève, on attendait la prof :

— Tu fais de la recherche sur le traitement du cancer pour vrai ?! Cool ! Moi j'ai le cancer, faque *keep up the good work* !

— Oh… Quel cancer as-tu ? Nous, c'est juste pour le cancer du sein.

— Cancer du sein ! Bilatéral !

— Ah ! Mais tsé, on travaille sur un cancer qui touche peu de patientes, c'est très pointu. C'est le HER2+.

— Je suis HER2+ !

— Han! Quelle coïncidence! À quel hôpital es-tu traitée?

— À l'Hôpital des Saints.

— Pour vrai?! La recherche à laquelle je participe se fait avec eux!

— Mon oncologue, c'est Dr Relax; le connais-tu?

— HAN! Oui! C'est mon prof et il travaille sur cette recherche-là lui aussi! Ayoye, le monde est petit!

Alors elle m'a expliqué comment fonctionnait le T-DM1.

Ensuite je suis partie me faire enlever les seins et je n'y ai plus pensé. Puis j'ai reçu mes résultats et mon médecin extraordinaire m'a proposé ça. Ça peut pas être un hasard, non?

- J'ai décidé sans raison particulière d'essayer un studio où je n'étais jamais allée, juste quelques jours avant ma chirurgie;
- J'étais seule avec une fille, et pas n'importe laquelle: celle qui fait de la recherche et qui connaît mon médecin. Elle est venue s'entraîner ce jour-là et pas la veille ou le lendemain;
- J'ai eu une conversation avec cette fille-là alors qu'on aurait très bien pu commencer à s'entraîner chacune de notre côté;
- Je fitte dans les critères de cette recherche-là (HER2 fortement positif, doit avoir commencé par la chimio avant la chirurgie, doit présenter du cancer résiduel après la chimio et la chirurgie, les résultats du *MUGA scan* doivent être de plus de 50%, etc.);
- J'ai reçu mes résultats du labo de pathologie seulement sept jours avant la date limite pour envoyer mon consentement en Allemagne, d'où est dirigé le protocole.

En plus, c'est la toute première fois que le T-DM1 est testé sur des patientes qui ne sont pas en stade IV (que la médecine considère généralement condamnées, mais qui *by the way* ne le sont pas toujours).

Disons que j'ai un peu l'impression que la compagnie pharmaceutique Roche a envoyé une limousine à ma porte... Faque j'embarque.

Je ne comprends pas! Ils ont enlevé tes seins, pourtant!
Des cellules cancéreuses, t'es pus censée en avoir!

Ça, c'est impossible à vérifier; une cellule cancéreuse, c'est très petit, et un corps, c'est très grand. On a la certitude que mon corps n'abrite plus de tumeurs, donc d'*amas* de cellules cancéreuses, mais on ne sait pas si des cellules cancéreuses *solitaires* s'y promènent encore ; s'il y en a, alors je risque une récidive éventuellement, parce qu'un jour elles pourraient s'organiser en tumeurs à nouveau (et pas nécessairement dans mes seins ; mon cancer du sein pourrait très bien refaire surface en surprise dans mes os, mon foie ou mes poumons). Par ailleurs, si les pathologistes ont trouvé des cellules cancéreuses dans mon tissu mammaire après l'opération, c'est que la chimio n'avait pas réussi à toutes les éradiquer.

Est-ce que le médicament que tu vas tester pourrait te protéger contre un nouveau cancer complètement différent ? Genre cancer du pancréas ou *whatever* ?
Non, puisque son « véhicule », l'Herceptin, ne le conduira qu'aux cellules qui présentent trop de HER2 sur leur enveloppe, et que ces cellules-là sont exclusivement des cellules de mon cancer du sein HER2+. Ce médicament ne sait attaquer que les cellules pour lesquelles il a été conçu.

Vu que tu as eu le cancer, quels sont tes risques d'avoir un autre cancer primaire un jour (primaire = pas une métastase de mon cancer du sein, mais bien un tout nouveau cancer sans rapport avec celui que j'ai eu) ?
Exactement les mêmes que les vôtres.

Pis, as-tu fêté tes beaux résultats en fin de semaine ?
Haha, oui ! Pis j'ai même fumé des cigarettes, ah la la… :s

Pourquoi tu disais que tes résultats étaient « presque négatifs » ?
Voici mes résultats dans le détail :
Sein gauche : il restait du cancer *in situ*, ce qui, selon mon médecin extraordinaire, « ne compte pas ». Si vous aviez ça, vous vous feriez traiter c'est sûr ; mais c'est considéré comme du précancer, ça ne bouge pas pendant plusieurs années. Faque mon doc, lui, il calcule ça comme un résultat négatif.
Sein droit : il restait du cancer invasif (ou infiltrant, si vous préférez), et ça, ça compte. Mais il y en avait très peu, moins de 1 %. Voilà pourquoi on dit « presque négatifs ».

Vas-tu faire de la radiothérapie?

Le *Tumor Board* discute de mon cas présentement, alors je ne le sais pas encore.

Ce qui joue en ma faveur, c'est que je n'ai aucun ganglion d'atteint et qu'on a retiré TOUT mon tissu mammaire ET mes mamelons.

Ce qui joue en ma défaveur, c'est l'étendue de mon cancer. À droite, la zone infectée mesurait 7 cm (pas une tumeur de 7 cm, mais plutôt une zone de 7 cm comportant 8 lésions disséminées), c'est pas mal gros… Dès qu'une tumeur mesure 5 cm, c'est un *no brainer*, ils irradient sans se poser de questions. Reste à savoir s'ils vont considérer l'étendue de ma zone atteinte comme une seule tumeur… Si oui, alors vu que j'avais 7 cm, je devrai passer sous les rayons même si ma plus grosse tumeur mesurait «seulement» 2,1 cm.

Vas-tu arrêter d'écrire? Qu'est-ce qui va marquer la fin de tes courriels?

Non. Je vais écrire tant que j'aurai des traitements, parce que je veux que les gens sachent ce que c'est de A à Z, et aussi parce que j'ai encore besoin de vos encouragements… Oui ça va faire long, mais coudonc, on en coupera des bouttes pis c'est toutte! ;)

Chus tanné de recevoir tes courriels, ça finit pus…

Ben *guess what*! Si t'es écœuré de me lire, imagine comment *MOI* chus t'écœurée d'aller à l'hôpital, haha! Ça finit pus ça non plus! Sérieux, personne ne m'a dit ça, mais je voulais vous rappeler que vous pouvez vous désabonner *anytime*, y a vraiment pas de problème, et que vous pouvez aussi simplement ignorer mes courriels ou les identifier comme du *junkmail* si vous n'avez pas les couilles de me demander de retirer votre adresse! ;)

Tu recommences à travailler quand?

Ouf… Ici je me suis vraiment laissé berner par mon enthousiasme et ma naïveté. J'ai abordé la question avec mon médecin extraordinaire à mon dernier rendez-vous:

— Bon, faque pour un retour au travail… Est-ce qu'on peut penser que je serais peut-être correcte pour fin juillet-début août?

— Juillet?! Non! Pantoute!

— Ah bon? OK… Ça va être le «un an standard» d'abord?

— Pfff, pis tu peux en rajouter. On n'est pas rendus là du tout dans ton cas. On en parlera plus tard, là c'est vraiment trop tôt pour évaluer ça, mais en tout cas tu n'y retournes pas tout de suite.

… Han ? Sérieux ?! Moi j'avais vraiment l'impression que ça y était… ?

Quels sont les effets secondaires qu'il te reste ?

On est à neuf semaines après ma dernière injection de chimio (Taxol) et j'ai encore :

- De l'enflure aux pieds ;
- Des problèmes aux terminaisons nerveuses des pieds ;
- Le risque de voir tomber mes ongles des orteils, qui sont encore blancs à moitié (mais pour les mains, c'est réglé).

C'est quoi ton projet fou du moment ?

Me faire faire des mamelons ontariens. Sérieux ! J'ai trouvé LA ceinture noire du gossage de mamelons, et elle est à Toronto ! Faque j'ai décidé que c'est elle qui allait me les faire (c'est quand même drôle d'aller dans la ville canadienne la plus frigide pour s'acheter des mamelons, pouahaha !). Côté tatouage, je ne change pas d'idée, je vais confier ça au gars de New Orleans le moment venu[5]. À suivre…

SOPHIE !

C'est grâce à Sophie si je n'ai pas vomi vendredi matin en attendant mes résultats. <3 J'allais super bien jusqu'à mercredi, date où je devais recevoir mes résultats de pathologie (est-ce que j'étais OK ou est-ce que j'avais plus de cancer qu'on pensait ? Pis est-ce qu'ils allaient m'enlever plein de ganglions ou est-ce que j'allais pouvoir refaire de la pôle un jour ?).

Sauf qu'à cause du report de mon rendez-vous, le stress s'est accumulé ; le 48 heures d'attente de plus, ouf, je l'ai trouvé *tough*. Tellement *tough* qu'en plus de l'insomnie, j'ai eu des nausées. Alors vendredi matin vers 8 h, quand est venu le moment de déjeuner avec mon gros mal de cœur, j'ai… ben j'ai choisi de me faire réchauffer la sauce à

---

5. NdA : toute l'info sur ce tatoueur spécialisé en mamelons 3D se trouve dans le tome 1.

spaghetti de Sophie au lieu de manger des toasts, pis magie-magie, ça m'a sauvée du vomi ! Après ça j'ai réussi à dormir un peu, et quand je me suis levée on est partis pour l'hôpital. Que c'est bon d'avoir des amis qui nous aiment ! Merci Sophie, mille fois merci. <3

Mon médecin extraordinaire !
Bon, il n'est pas ici pour le lire, mais je veux lui dire merci à lui aussi. Vendredi, il a passé un temps fou avec nous. Genre, je sais pas, une heure ? Une heure et demie ? Aucune idée, mais en tout cas il nous a TOUT expliqué et il a répondu à TOUTES nos questions. *Love.*

Maude *Guinea Pig* Schiltz

Nº 62. *Baby, I'm a Star*[6]

31 mai 2013

Things are getting very exciting
Mercredi, je suis devenue la star canadienne du cancer. Pour vrai, là ! J'exagère pas ! Vous allez suivre en direct les aventures de la première patiente au pays à tester LE traitement que tous les oncologues du monde entier attendaient impatiemment depuis des années. La recherche dont je fais partie n'est pas comme les autres, je vais vous expliquer ça tout à l'heure. Alors voilà : vous et moi, on remet ça pour un périple qui sera au moins aussi *thrilling* que le premier, sinon plus. On va vivre ça *live* ensemble. :) On va aider les génies de la recherche à trouver l'estie d'remède contre le cancer, pis après ça on va sortir un livre avec nos courriels pour aider les futurs patients et ceux qui les aiment — et on va faire tout ça en tripant, vous pouvez compter sur moi. *Rock on!*

La Céline Dion du cancer
Pardonnez-moi le rapprochement, mais c'est ça pareil : c'est une petite Québécoise (moi) qui est sous le *spotlight* du cancer au Canada en ce

6. Prince, *Baby I'm a Star, Purple Rain*, 1984.

moment. Et le plus drôle, c'est que l'aventure va débuter pour le Canada en date du 24 juin, date de la fête nationale du Québec. Sérieusement, là : c'est-tu assez ironique à votre goût ?!

Aujourd'hui, le couloir de l'hôpital ; demain, le monde ! Hahaha !

OK, je vous explique la raison de mon vedettariat soudain :

On traite le cancer depuis longtemps. Ça fait quoi, 50, 60 ans, qu'on poursuit des recherches sérieuses, mais malgré toute l'énergie et les ressources qu'on y a consacrées, on n'est toujours pas capables de s'attaquer à cette maladie-là sans s'attaquer en même temps au corps qui l'abrite. Pour tuer le cancer, il faut tuer aussi un peu de la personne qui en est atteinte, c'est-à-dire qu'on administre un poison qui va détruire les cellules cancéreuses et une partie des cellules saines de l'organisme ; ça s'appelle un agent cytotoxique (= « toxique pour les cellules »), et c'est la chimiothérapie.

Les chercheurs ont eu plein d'idées, entre autres celle de fabriquer un agent cytotoxique qui saurait ne s'attaquer qu'aux cellules mutantes. Et depuis environ 15 ans, ce rêve a commencé à prendre forme de façon sérieuse avec l'Herceptin, je vous en ai parlé souvent. L'Herceptin réussit à identifier la cellule cancéreuse et à la désactiver, bravo ; mais il ne la tue pas. C'est le système immunitaire qui doit ensuite s'en charger, et la job n'est pas garantie. Eh bien ça fait 15 ans que les chercheurs du monde entier s'excitent sur l'Herceptin parce qu'ils se disent qu'un jour ils sauront cacher un agent cytotoxique *dans* chaque molécule d'Herceptin afin de pénétrer à l'intérieur de la cellule cancéreuse pour faire exploser son ARN et son ADN sans pour autant endommager ou éliminer les cellules saines autour. Jusqu'ici, parmi les difficultés de ce défi, il y avait celle de trouver un dosage suffisamment puissant pour faire « imploser » la cellule mutante, et celle d'avoir l'assurance que l'agent cytotoxique ne serait pas libéré dans l'organisme avant d'avoir rejoint sa cible, parce que sinon, c'est foutu : on magane et on tue des cellules saines.

Tout ça est devenu réalité, et mieux que ça : les chercheurs ont émis l'hypothèse audacieuse qu'un traitement de ce genre pourrait éventuellement devenir le traitement principal contre le cancer, et qu'il pourrait être accompagné d'autres traitements si ça chie. Actuellement, on se sert de la chirurgie pour traiter le cancer (on retire la tumeur ou on retire l'organe atteint, par exemple un rein, un morceau d'intestin… ou un sein… ou les deux, comme pour moi), et on accompagne la chirurgie d'une chimiothérapie et/ou de radio-thérapie quand c'est nécessaire, selon le type de cancer et son étendue. Ce que ça veut dire, c'est que si l'hypothèse des chercheurs se confirme, les femmes atteintes du même cancer que moi pourront être traitées avec seulement une chimiothérapie et elles pourront garder leurs seins intacts (pas tout de suite évidemment, mais dans plusieurs années, quand on sera sûrs que ça fonctionne bien).

En ce moment et depuis des années, les oncologues des quatre coins du monde fantasment sur ce médicament-là. Eh bien il existe enfin. Ils l'ont attendu 15 ans et tout le monde en parle avec un peu de bave au coin de la bouche tellement c'est excitant (à chacun sa *turn-on switch*, han!), sauf qu'ils ne peuvent pas s'en servir puisqu'il n'est pas encore approuvé. Toute cette excitation vient, d'une part, du fait que le médicament contient un ingrédient que l'on sait très efficace mais qu'il est impossible d'utiliser seul parce qu'il fait trop de tort à l'orga-nisme (d'où le génie de l'avoir couplé à la biothérapie) et, d'autre part, du fait que si ça marche, ça fera probablement débloquer de façon exponentielle la recherche pour d'autres types de cancer.

Jusqu'à maintenant, le médicament n'a été testé que sur des patientes volontaires qui allaient mourir (c'est toujours comme ça qu'ils pro-cèdent, parce que ces patientes-là n'ont rien à perdre; soit leur état s'améliore et elles survivent un peu plus longtemps; soit ça ne change rien; soit ça précipite leur déclin, mais de toute façon elles n'allaient déjà pas bien du tout), mais là ça y est: on teste le T-DM1 pour la première fois sur des patientes « qui vont bien », si je peux m'exprimer ainsi.

Alors tous les oncologues ne se peuvent plus, ils veulent tester ça. MAIS ne teste pas qui veut: ça prend une patiente spéciale, avec un cancer spécial, avec un *timing* spécial.

Pis la patiente spéciale, y en a juste une au Canada: c'est moi. :)

Pour l'instant, je suis la seule ici à présenter les caractéristiques nécessaires pour tester le médicament tant attendu. Mettons que c'est peut-être le plus beau cadeau que je pouvais faire à mon médecin extraordinaire. <3 Toute son équipe, c'est-à-dire les gens que je vous ai présentés dans le courriel N° 28, sont *full* excités; et puis ça met aussi mon hôpital dans la *game*. Ils faisaient déjà beaucoup de recherche et ils étaient déjà très actifs dans ce domaine-là, mais actuellement, c'est

LE projet de recherche *hot* de l'heure, celui auquel tous les médecins et tous les hôpitaux rêvent de participer. Et au moment où on se parle, au Canada, y a juste mon hôpital qui peut le faire… grâce à *mon* cancer.

Éventuellement, ils trouveront d'autres filles comme moi et il y en aura sûrement plusieurs au Québec et au Canada, mais ce que ça change pour le moment, c'est que je suis devenue un genre de Super Patiente. Il va sans dire qu'ils sont crissement contents que j'aie dit oui (mais je veux préciser que je n'ai subi aucune pression, mais vraiment zéro — j'ai fait mon choix toute seule et ils ont fait bien attention de contenir leur enthousiasme jusqu'à ce que j'aie signé les papiers). J'ai plein de monde autour de moi, encore plus qu'avant (faudra d'ailleurs que je vous présente les nouveaux), je suis devenue la *rock star* de la carte soleil, la *Hollywood babe* de la jaquette bleue (que je ne porte plus en passant, parce que j'en ai mon *truck* — c'est trop laitte pis ça sent trop le cancer; je reste habillée en civile et je fais juste flasher mes boules sur commande aux médecins, aussi simple que ça), et celle sur qui on compte pour faire avancer la recherche chez nous. Alors c'est sérieux.

Mais je suis pas devenue sérieuse pour autant. Parce qu'une *rock star,* faut bien que ça rock'n'rolle, tsé. Fait que :

J'm'en vais au Bike Week de Laconia !
Ouep ! On part à trois motos la fin de semaine prochaine, on s'en va triper là-bas et rejoindre des amis américains pour faire la route ensemble. :) Je me suis acheté une armure à seins chez Victoria's Secret pour pouvoir faire le voyage, mon Breast Man dit que c'est correct. C'est le temps de ressortir mes Daisy Dukes pis mes tops *red, white and blue*, yahou !

On va s'amuser, je vous ramènerai des photos !

D'ici là, Chéri a enfin son trip de gars !
Vous souvenez-vous, je vous disais que Chrystian avait besoin d'aller lâcher son fou ?[7] Eh bien l'occasion se présente enfin, après des mois d'attente. :D Il est parti avec sept *buddies*, ils ont organisé un tournoi de golf de trois jours vraiment cool, avec veston vert et tout ! Fallait les voir se préparer ! *Cute* au boutte, ils ont même créé des logos et

---

7. NdA : Tome 1, courriel N° 40.

imprimé des chandails pour les équipes, haha! En tout cas je suis bien contente pour lui. :)

De notre côté, Rémi, Nina et moi, on va en profiter pour triper ensemble: piscine (je ne peux pas nager à cause de mes faux seins pas guéris, mais je sais faire la matante sur le bord, par exemple!), Dairy Queen pour mes petits trésors, initiation à l'humour mordant de Rock et belles oreilles (ils ne les connaissent pas encore), spectacle de pôle au studio 409 samedi soir (comme spectateurs, là! On ne participe pas!), bains avec des bombes de Lush, *game* de hockey-bottine samedi matin pour Rémi… On va pas s'emmerder. ;)

Ils annoncent *full* chaud… Profitez-en donc vous autres aussi! Faites des *popsicles* maison si vous avez des enfants! Un petit bâtonnet à café planté dans un mini yogourt pis c'est réglé! Vous n'avez pas d'enfants? Bon, ben c'est le moment ou jamais: rappelez un vieil ami perdu de vue pis reprenez toutes ces années-là en un seul soir sur une terrasse! Awèye! Faites de quoi! Et prenez cinq secondes dans la soirée pour vous dire: « *Ayoye, j'ai même pas le cancer, c'est tellement cool!* »

Eille, Ken pis Barbie! *Respect*, estie!

Aaaaaaaaa-HA! Voici ENFIN l'occasion de prendre ma revanche sur les deux personnes qui m'ont traitée comme de la marde et qui m'ont piétinée au moment où j'étais déjà complètement à terre. Le plus beau là-dedans, c'est que je n'ai aucun effort à fournir pour ça, j'ai même pas besoin d'échafauder des plans ou de me changer en méchante d'un film de Disney®: ça va se faire tout seul. Ma vengeance, ça va être de leur tomber sur les nerfs dans les corridors de l'hosto et de les hanter dans l'ascenseur, haha! :)

Est-ce que je vais porter plainte contre eux à l'ombudsman, comme plusieurs m'ont suggéré? Je ne sais pas, je ne crois pas. C'est pas mon genre. Mais ils peuvent avoir peur que je le fasse, par exemple. On verra comment ça se passera, mais en tout cas j'aime bien l'idée qu'ils ne m'oublient pas. Je vais les croiser plus souvent, bien plus souvent que si je ne participais pas à l'étude.

À propos du T-DM1, mon nouveau médicament qui coûte la peau du cul

Je ne subirai probablement pas d'effets secondaires, ou alors vraiment très peu. Des effets sont répertoriés (ils m'ont remis la liste), mais ils ne se sont manifestés que chez peu de patientes, et en plus, moi je suis *full* jeune et pétante de santé, probablement plus que les autres patientes (qui étaient de stade IV, le dernier stade du cancer). Ça ne m'inquiète pas du tout. À suivre.

D'ailleurs, on verra comment ça ira, mais je n'aime pas tellement l'idée de ne pas travailler pendant plusieurs mois encore. Peut-être que si je vais bien pendant les traitements, je pourrais essayer de retourner au travail? Justement, je dois rectifier une info du courriel précédent : mes globules blancs ne baisseront probablement pas, en tout cas je pourrai me promener dans le vrai monde sans porter un masque, je pourrai manger de la viande crue et faire à peu près tout ce que je veux, à part des choses comme manger du pamplemousse parce que ça diminue l'efficacité du médicament, entre autres à cause de son effet sur le foie.

Un détail important : on s'excite, on s'excite… mais ça se peut très bien que je ne reçoive jamais de T-DM1. C'est pas parce que j'ai donné mon consentement que je vais nécessairement recevoir le nouveau médicament ; je pourrais très bien tomber dans le groupe témoin. Si c'est le cas, je vais recevoir les 14 injections comprises dans le protocole (donc 5 de plus que ce que mon plan de traitement prévoyait au départ), mais seulement avec l'Herceptin (trastuzumab), et pas avec le T-DM1 (trastuzumab + emtansine). On appelle ça une étude «randomisée», ça signifie que les patientes sont désignées au hasard par un logiciel. *By the way*, l'étude est supervisée par la FDA. Pour ceux qui aiment le côté «officiel» de l'affaire : www.clinicaltrials.gov/ct2/show/study/NCT01772472#locn

FAQ

Vas-tu engraisser encore, est-ce que ton nouveau médicament va faire ça?
Non, parce que j'ai été très claire là-dessus : si vous me donnez des corticostéroïdes, *I'm out*. On va faire ça *cold turkey* ou on le fera pas pantoute, et je plains celui qui va s'essayer à me passer du Decadron en douce, parce que je vais lui faire une crise terrible. D'ailleurs j'ai Chéri qui me protège là-dessus; à chaque injection, il vérifie soigneusement les sacs et les seringues de ce qui doit m'être injecté, et il fait de grosses enquêtes quand il y en a qui sont suspects dans la *batch*.

SuperChéri avec ses superpouvoirs. :) Pour le moment j'ai beaucoup de difficulté à gérer la perte de poids, en fait je n'assure pas du tout — je perds une livre et je la reprends aussitôt —, fait qu'on va pas faire exprès pour se remettre dans la marde en prenant du Decadron, tsé.

Vas-tu perdre des cheveux, des ongles ? Vas-tu vomir ?
Nope. Rien de tout ça n'est prévu.

Est-ce qu'il y a des risques ? Est-ce qu'ils sont graves ?
Oui. Mais il ne faut pas oublier que des risques sérieux accompagnent la prise de tout médicament, y compris le sirop contre la toux ou les analgésiques. Et faut pas oublier non plus que je reçois de l'Herceptin *anyway*, recherche ou pas ; alors les risques liés aux effets listés, je dois vivre avec de toute façon (ça touche surtout la santé du cœur, des poumons et du foie). Mais comme pour tout médicament, quand tu regardes la notice sur le Web, ça te fait dresser les cheveux sur la tête. Et oui, pour ceux qui se le demandent, il est même mentionné « mort » dans le consentement. Mais je ne m'énerve pas avec ça.

Ayoye, mais pourquoi tu fais ça, d'abord ? !
Parce que j'y crois.
Parce que je veux vivre vieille avec mon chum pis mes enfants et que je suis convaincue que *c'est ma chance.*
Parce que je veux que collectivement on trouve l'estie d'solution, et que je suis convaincue que *c'est notre chance.*

Le cancer, sérieux, faut régler ça ; ça fait bien trop longtemps que ça dure pis c'est tellement plus grave que la commission Charbonneau… Moi je peux aider parce que je présente LE profil, faque j'aide, je fais mon petit boutte. Je rappelle que si aucune patiente HER2+ n'avait accepté de participer aux recherches il y a 15 ans, aujourd'hui j'aurais un pied dans la tombe et une métastase dans le poumon. Faque han, peur pas peur, j'y vais.

As-tu des obligations en tant que cobaye ?
Peux-tu te retirer à n'importe quel moment ?
Oui, et oui. Je dois remplir un paquet de questionnaires régulièrement (sur mes symptômes, etc.) et je dois subir différents tests à plusieurs

étapes du traitement (prises de sang, examens du cœur). Tout ça sert à deux choses : répertorier les infos pour la recherche, et garantir que mes médecins pourront intervenir à temps si jamais ma santé se détériore. Je peux me retirer de l'étude à tout moment, mais ils peuvent aussi m'en exclure, par exemple si mon état se dégrade. Je dois avoir sur moi en permanence une carte qui indique le protocole dont je fais partie et les coordonnées de mon équipe de soins, comme ça s'il m'arrivait quelque chose, par exemple un accident de moto, eh bien les gens qui s'occuperaient de moi dans un autre hôpital sauraient qui appeler et quoi faire.

Combien d'hôpitaux prévoient participer à cette étude-là ?
- Au Québec : 5
- Au Canada : 12
- Dans le monde : 275

Ces chiffres-là ne sont pas confirmés ; il s'agit des hôpitaux qui *souhaitent* participer, mais évidemment que s'ils n'ont pas de patientes qui fittent dans le protocole, alors ils ne pourront pas participer. Roche cherche 1 484 patientes en tout.

Ça va durer combien de temps ?
Jusqu'en 2024 ! C'est fou, han ?! Ils vont m'observer pendant 10 ans après l'administration du traitement, mais ça s'intègre aux rendez-vous normaux que j'aurais eus de toute façon, c'est-à-dire à mes visites de contrôle avec Dr Relax et avec Dr Extraordinaire. J'aurai par contre à subir des examens supplémentaires (*MUGA scan* pour le cœur + prises de sang pour les marqueurs de tumeurs *and some other shit*).

Le traitement lui-même me sera administré jusqu'au printemps 2014 (14 injections aux 3 semaines = 42 semaines).

Qui sait ? En testant ça, je sauverai peut-être votre vie ou celle de votre conjointe un jour. Ou celle de votre fille qui n'a que 5 ans pour le moment, mais qui grandit dans un monde où le cancer est devenu le voisin que l'on croise tous les jours…

Pensez-y.

Maude

Nº 63. Ça y est, j'ai commencé le T-DM1

28 juin 2013

Condonc, 'est-tu morte pis personne nous a avertis ? ! Ça fait un méchant boutte qu'on n'a rien reçu d'elle… D'un coup que son histoire de médicament expérimental a mal viré, tsé… ?

Haha ! Ben non ! 'Est pas morte ! Et d'ailleurs, si jamais il se passait quelque chose de poche, vous le sauriez ; j'ai laissé toute ma liste d'adresses à Chéri, et je la mets souvent à jour au cas où. Capotez pas, là ! C'est pas par pessimisme ! C'est juste au cas ! Et de toute façon, ça sert aussi à vous transmettre les bonnes nouvelles, comme par exemple la fois où Chrystian vous a écrit pendant que moi et mon silicone on faisait connaissance dans la salle de réveil.

Alors vous voyez bien que malgré tout le temps qui a passé, j'ai pas changé ben-ben : j'ai PLEIN de choses à raconter, comme d'habitude. ;)

J'ai vu plein de monde et ça m'a rendue heureuse

C'est difficile de vous faire comprendre à quel point ça m'a fait du bien de revoir du monde. Je me suis sentie tellement ermite au cours des derniers mois… Et j'ai tellement besoin de vous tous pour être heureuse… Alors voici, dans le désordre, les rayons de soleil qui sont venus me redonner le rose aux joues : un lunch avec Isabelle R., que j'aime tellement et depuis tellement d'années ; un 5 à 7 avec ma gang de bureau, que j'ai très hâte de côtoyer de nouveau quotidiennement ; un souper à la bonne franquette avec Vlada et Stéphanie G., deux *chicks* du bureau ; un après-midi de shopping professionnel avec Geneviève C., suivi de margaritas et d'une bouffe en terrasse ; une *ride* de moto à Laconia avec Chéri et mes *thugs* de SAMCLO ; une pratique au Studio Pole à Saint-Eustache avec Nina (inquiétez-vous pas ; c'est juste Nina qui s'est pratiquée, pas moi !) et Judith, la championne québécoise en titre qui en passant m'a fait un SUPER cadeau en m'offrant un Xstage dont je me servirai quand j'irai mieux (c'est une pôle qui tient toute seule, pas besoin de plafond) ; un show au Studio 409 avec Valérie, Zoé, Roxane, Nadia et toutes les autres — *oh boy* que je m'ennuie

Photo : Michel Paquet, photographe

Valérie, aussi drôle que magnifique au show du 409

Photo : Michel Paquet, photographe

Valérie a fait participer Nina au show du 409 <3

Photo: Michel Paquet, photographe

Rémi en Spiderman à la soirée du 409

Nina en Spiderman au Studio Pole

Au Studio Pole: *Way up there!*

Au Studio Pole: *DEVIIIIIIIL!*

Au Studio Pole : Nina était inspirée ! C'est peut-être la perruque qui fait ça ?!

Au Studio Pole : Nina a même
fait du tissu ! Chuis jalouse !

de la communauté de pôle québécoise ; une soirée avec Éric R., mon ami de toujours qui m'a invitée à manger szechuanais et à boire un Singapour Sling avec ma perruque mauve de manga japonais pour mélanger tout le monde avec plein de cultures asiatiques en une seule soirée (c'est moi qui portais la perruque, pas lui, mouahaha !), et que j'ai aussi eu la chance de revoir tout un après-midi dans notre habitat naturel, la banlieue ; un 5 à 7 de cocktails de filles avec Roxane et Zoé suivi d'une petite bouffe chez Victoire ; et bien sûr la soirée où Chéri et moi on a fêté la bonne nouvelle de « j'ai presque pus le cancer » avec Dan et Zoé.

Tout ça me rapproche de la vraie vie, celle dont je m'ennuie tellement ; parce que tsé, c'est super de savoir que je vais rester en vie, mais bon, si c'est juste pour restée tapie chez moi, ben c'est pas une vraie victoire… Alors un MÉGA merci à tous ceux qui m'ont fait sentir que j'étais pas si loin de vivre *pour de vrai* — vous m'avez donné en plein ce dont j'avais besoin à ce moment-là, et ça m'a comblée de bonheur. <3 Quand on a le cancer, les amis sont encore bien plus précieux.

J'ai pris une douche froide et ça m'a réveillée

Ouin, ça c'est moins le fun, par exemple. Depuis le début de juin, j'éprouve une fatigue énorme. C'est arrivé tout d'un coup, 3-4 jours après ma 3e injection d'Herceptin (biothérapie) : *bang*, complètement vannée. Je vivais dans un genre de pensée magique et l'équation me semblait logique : je n'ai (presque) plus de cellules cancéreuses + mes traitements sont de plus en plus légers = l'horreur est derrière moi et je vais me sentir de mieux en mieux. Euh, ben non. C'est pas de même que ça marche, ç'a l'air. La chimio, ça laisse des traces, tsé. Sur le coup, j'ai pensé que j'avais peut-être un petit virus ou quelque chose du genre.

Même pas.

Après deux bonnes semaines de « Ben voyons donc, comment ça que je file mal de même, moi ? », j'ai fait un peu de recherche sur le Web, pis paf, ça m'a fessée solide : l'Herceptin engendre une immense fatigue chez plusieurs patientes.

Câlisse.

Moi qui me sentais de plus en plus près d'un retour au travail, moi qui croyais qu'à partir de maintenant j'allais pouvoir faire un peu de sport (sans *chest* ni bras, haha), me sentir bien et reprendre graduellement des tâches normales, je me suis rendue compte que c'était pas comme ça que ça marchait. Pantoute.

Laver les planchers me rend aussi molle que la moppe.

Prendre le bus et le métro pendant une heure me mène directement au lit plutôt qu'à destination.

Lire m'endort plus que ça m'instruit.

Aller au cinéma ou aller prendre un café avec une copine, c'est correct, mais à condition de choisir entre les deux et de me laisser une journée de break chaque fois.

Bref, je peux faire le lavage OU voir un ami, mais pas les deux.

Donc ça, ça m'a jetée à terre, et c'est ma faute. J'ai fait l'erreur de me laisser séduire par la pensée magique et je n'aurais pas dû. À force de m'habituer au cancer, à force d'en faire mon quotidien, j'ai comme oublié que oui, *cancer IS a big deal.* C'est pas parce que je vais mieux que c'est instantané, et c'est pas non plus parce que je suis « jeune » que je serai forcément sur pied plus vite que les autres.

L'autre chose qui m'a scié les jambes, et solide à part ça, c'est la ménopause

Au début, c'était facile de dealer avec les effets secondaires de mes traitements parce que ce qui me venait systématiquement en tête, c'était « ben vaut mieux ça que de mourir, han » ; c'était une évidence. Quand on a le choix entre vivre ou garder ses seins, quand on a le choix entre perdre ses cheveux ou ses enfants, eh bien c'est un peu plus facile de gérer les deuils et les douleurs que les traitements amènent.

Mais quand tout à coup on devient pas mal sûr qu'on va survivre, et quand tout à coup les traitements *hardcore* sont choses du passé, on devient franchement moins tolérant. On accepte moins facilement les compromis. L'un de ces compromis-là, c'est la ménopause. *A priori*, je m'en crisse pas mal de ne plus être menstruée. Je m'en crisse presque, aussi, d'avoir à endurer des tas de bouffées de chaleur quotidiennement. Mais je ne m'en crisse pas du tout de voir ma sexualité complètement transformée. Ça, ça passe pas pantoute.

Là je vous préviens : je vais être graphique.

Quand on parle de changements amenés par la ménopause, on parle souvent de sécheresse vaginale. Moi je me disais : « Bof, y a rien là ; les *sex-shops* se fendent en quatre pour vendre d'excellents lubrifiants. » Je me disais que la spontanéité allait sûrement en prendre un coup, mais c'est tout. Jusque là, pas de problème.

Mais il n'y a pas que ça, finalement.

Il y a que je ne ressens plus du tout la même chose au moment de la pénétration vaginale et que je pense bien que ça ne reviendra plus jamais. Je vous explique : j'ai clairement l'impression que les parois vaginales cessent de se gorger de sang (et j'imagine que c'est d'ailleurs ce phénomène-là qui cause une modification dans le processus de lubrification), et ce que ça donne, c'est que le vagin, au lieu de devenir souple et tout « coussiné », eh ben il reste juste *full* plate comme s'il disait : « Organise-toi donc avec tes troubles ; moi je ne joue plus, c'est fini le niaisage, j'embarque pus là-dedans, je ne réagis plus, ça ne m'intéresse plus de mettre de l'énergie dans ta vie sexuelle. »
Même si ça te tente, même si t'as le goût, ton corps reste exactement comme si tu lisais ton rapport d'impôts ; il ne répond plus du tout. Résultat : c'est carrément désagréable, t'as l'impression d'avoir un vagin en carton, et à la limite, ça fait même mal si tu ne fais pas attention.

Je m'excuse pour l'analogie, mais c'est un peu comme insérer un tampon à la toute fin des menstruations finalement ; c'est comme si tu étais desséchée de l'intérieur et que le contexte ne s'y prêtait pas.

Je le prends mal. TRÈS mal. D'autant que c'est complètement inattendu : tout le monde nous prévient du manque de lubrification amené par le déficit hormonal de la ménopause, mais on ne parle jamais de *plaisir*. Pourquoi ? Moi je pensais qu'il suffirait d'un peu de lubrifiant du commerce et que rien n'y paraîtrait plus. Pourquoi personne ne parle de ça ? C'est trop gênant, la sexualité des femmes qui vieillissent (ou qui se retrouvent ménopausées prématurément à cause d'un cancer) ?

Il existe des lubrifiants à usage interne ; mon infirmière m'en a suggéré un, que j'ai d'ailleurs acheté (Replens, en pharmacie). Tu en mets deux à trois fois par semaine, et ça exerce un effet en continu, comme ça tu n'as pas besoin d'interrompre tes ébats (« Excuse-moi, Chéri ; je te reviens dans deux secondes parce que je dois aller chercher l'applicateur pour mon lubrifiant interne »). OK, bravo pour la grande percée de l'industrie pharmaceutique, mais sacrament, je cherche bien plus que ça ! Je cherche à retrouver les sensations que j'avais *avant*.

Alors voilà, le cancer m'a enlevé ça aussi, et il l'a fait en cachette à part de ça, le petit crisse. Perdre mes cheveux, risquer de mourir, avoir mal au cœur, mal partout ; c'est beau, ça je sais. Mais la perte de plaisir à cause d'un manque d'irrigation sanguine des organes sexuels ? *Really ?* À 40 ans ? Et *pour toujours ?* Comment ça se fait que je ne savais pas ça ?

Là dites-moi pas qu'il y a autre chose au lit que la pénétration vaginale, crisse, je le sais ! Oui, y a plein de façons d'avoir du fun tout nu, mais voilà : je ne veux faire aucun compromis, je veux conserver ma sexualité entièrement intacte. Pour moi ça passe pas du tout, je suis déçue, triste, atterrée. Et ce qui m'a permis de demeurer motivée jusqu'ici ne fonctionne plus ; maintenant que ma survie est à peu près garantie, je n'arrive pas à me dire : « OK, tu fourres pus comme avant, mais c'est pas grave, parce qu'au moins tu vas rester en vie. »

En ce qui concerne la libido, je peux difficilement juger pour le moment, étant donné que je suis complètement à plat. Ces temps-ci j'ai bien peu d'idées impures, c'est vrai ; mais je refuse d'établir de lien prématuré avec la ménopause, parce que le contexte dans lequel je me trouve demeure, avouons-le, loin d'être idéal : fatigue extrême, choc psychologique de la ménopause, nouvelle chimio expérimentale, image corporelle qui en prend un coup (prise de poids + pus de mamelons + grosses cicatrices), etc. ; mettons qu'on a déjà vu mieux pour filer cochonne.

Bref, je suis en train de redevenir gâtée, un peu comme tous les êtres de notre race, tous les humains qui, *let's face it*, sont des *kings* quand vient le moment de tenir la vie pour acquise. Il faut que je retrouve ce sentiment-là, il faut que je me reconnecte sur l'horreur : j'ai failli mourir. MOURIR ! Mais je suis vivante, et je vais le rester — et avec ça viennent des désagréments de toutes les sortes, qui sont le prix que j'ai à payer pour passer du temps avec mon mari, avec mes enfants, avec mes amis, avec mes collègues. Du temps sur Terre ; voilà ma récompense. Et malgré l'inestimable valeur du cadeau (vivre, c'est pas rien quand même !), il semble que nous ayons tous une propension à le considérer comme un droit acquis plutôt que comme une chance incroyable.

Accepter les changements en échange de ma vie, j'y arriverai. Seulement, j'ai besoin de temps pour m'y faire.

 Une chose n'a pas changé, par contre : l'importance d'être heureux. Attention de ne pas la perdre de vue, autant vous que moi. La vie nous a donné tout ce qu'il faut pour être heureux ; à nous de construire le bonheur autour de nous pour ne pas vieillir dans l'aigreur. C'est prioritaire.

En passant, les chaleurs de la ménopause, c'est pas ce que vous imaginez. C'est pas juste qu'il fait chaud ; quand ça vient, on se sent exactement comme quand on va perdre connaissance. C'est une chaleur qui part de l'intérieur et qui augmente jusqu'à ce qu'on ait des gouttelettes de sueur qui perlent sur le nez, pas de farce. C'est pas facile à endurer, c'est vraiment très éprouvant. C'est pas la fin du monde non plus, *don't get me wrong* ; mais c'est quand même déstabilisant de se sentir à la limite de la perte de conscience chaque fois et ça perturbe le cours des choses — quand ça nous arrive alors qu'on est en conversation avec quelqu'un, on a du mal à suivre ce que l'autre nous dit et j'imagine que ça doit faire bizarre, pour l'autre, de voir son interlocuteur se mettre à suer de la face et perdre toute contenance.

Laconia ? Pfff ! Rien de plus qu'un gros kiosque à t-shirts !

Eille, *come on* ! C'est pas un *bike event*, ça ; c'est un marché aux puces !

À l'aller, on a eu des conditions pas très agréables pour rouler. Il faisait froid et on a eu de la pluie pour les deux dernières heures du trajet, mais bon, c'est pas si pire, au moins il n'a pas plu tout le long. J'étais déjà fatiguée avant même de partir, faque tsé… :/ On est arrivés là-bas vers 19 h et on s'est trouvé un *saloon* où manger (rien qui se compare à mon Hogs and Heifers adoré, évidemment ;)), puis pouf, je suis tombée dans mon lit comme une roche tout de suite après (d'ailleurs, j'ai dormi toute la fin de semaine :/). Pendant ce temps-là, les gars sont allés prendre un verre, mais pas pour longtemps ; *man*, le *last-call* est à minuit et demi, pis rendu à 1 h du matin, tout est fermé, c'est m-o-r-t ! On n'est pas habitués à ça, ici…

D'ailleurs, leur devise « *Live Free or Die* » nous a fait rire une couple de fois, parce que tout ce qu'on a vu là-bas, c'était des gens de 40-50 ans qui faisaient fièrement péter l'échelle des décibels avec leur Harley, sans casque bien sûr, mais qui ne savaient rien faire d'autre ; juste du bruit. Ils passaient trois ou quatre fois de suite sur le même petit bout de rue en rinçant leur moteur pis… c'est toutte. Tout le monde a la même Harley plate — toutes les motos sont pareilles ! —, tout le monde se couche à minuit, achète le même t-shirt « Laconia 2013 » pis… se sent complètement *wild* juste d'être à Laconia.

C'était la 90ᵉ année du Bike Week, alors on s'attendait à plus que ça ; on pensait voir des motos vraiment *badass*, des kiosques de mécanique pis de peinture complètement malades, des tonnes de pièces de moto à vendre, des shows de musique pis de boucane… Ben non. Y avait même pas deux-trois *biker babes* ! Juste des *tourings* Harley de pépère, pis tous pareils à part de ça : bourgogne ou noir, *windshield*,

Welcome to Bike Week: "Live Free or Die" (and don't forget your iPod!)

Welcome to Bike Week : Eat Pizza and Buy a T-shirt or Die

Laconia : OK, y avait peut-être quelques motos qui étaient différentes, mais en tout cas rien qui sortait de l'ordinaire

Welcome to Bike Week: Back the fuck off or die, haha!

Welcome to Bike Week : Live busty or die

Laconia : en attendant le traversier pour New York

Laconia : pause soleil sur le chemin du retour

Laconia : sur le traversier vers l'État de New York

gros *fairing*, grosses sacoches, gros système de son. Des *tourings* Harley, pis des t-shirts à vendre. Des millions de t-shirts.

On ne m'y reprendra plus, j'y retournerai pas. Faut que j'avoue par contre que la *ride* de retour a été magique ; on a traversé des forêts magnifiques et on a pris le traversier pour retourner dans l'État de New York, c'était écœurant.

All right, now rack 'em up!
Ça y est, j'ai débuté le protocole expérimental mercredi ; 14 injections au total, donc il m'en reste 13.

C'était un grand jour pour tout le monde à l'hôpital. Je devais commencer lundi, mais vu que c'était férié (Saint-Jean-Baptiste), ils ont préféré déplacer mon rendez-vous pour que mes deux médecins soient présents au cas où ça virerait mal. Ça s'est bien déroulé, mais j'ai quand même dû passer toute la journée là-bas, entre autres à cause de rendez-vous additionnels imprévus et d'un achalandage extrême à l'étage de chimio, mais aussi parce que j'ai dû attendre deux heures après la fin de l'injection pour qu'on me fasse une prise de sang à une heure précise (le protocole comprend toutes sortes d'exigences, et je devrai me soumettre à différents tests à des moments fixés d'avance pour qu'ils puissent tout évaluer bien comme il faut).

J'ai appris qu'en plus d'être la première Canadienne dans l'étude, je suis l'une des *very few* dans toute l'Amérique du Nord. Il paraît que quand ils m'ont randomisée et que mon dossier est tombé du côté T-DM1 plutôt que dans le groupe du traitement standard, la madame qui dirige la recherche en Amérique du Nord était folle comme d'la marde ; elle est en Californie, et ils n'ont que peu de patientes américaines sur le T-DM1.

Ma prochaine injection aura lieu le 22 juillet, et on continuera comme ça aux trois semaines jusqu'au 24 mars 2014.

Y a du nouveau monde autour de moi
Eh bien oui, forcément ; comme je suis maintenant dans le département de Recherche plutôt qu'en clinique habituelle, plein de choses changent. Un des aspects qui changent, c'est mon infirmière pivot.

Big Day : on aborde le T-DM1 en famille

Ça fait que *RIP* mon infirmière pivot adorable, adieu. Je suis vachement déçue parce que je l'aimais beaucoup. :(

On m'a plutôt assigné une infirmière spécialisée en recherche.
Une rousse un peu ronde, verbomotrice, douce et attentionnée à

l'extrême, au point où des fois je me dis même que c'est trop. Elle voit à appliquer toutes les procédures de la recherche (prise de rendez-vous pour les examens prescrits par le protocole, questionnaires sur mes effets secondaires, etc.) ; je suis en contact avec elle beaucoup plus que je ne l'étais avec mon infirmière pivot adorable. Je lui parle ou la vois au moins une fois par semaine, mais souvent plus. Elle se fend littéralement en quatre, je dirais tout le temps, et va même au devant de mes demandes, je dirais souvent, afin de s'assurer que tout se passe bien pour moi ; elle va même jusqu'à prendre des mesures hors de l'ordinaire pour régler des choses qui ne sont pas des problèmes pour moi ! Je pense que je vais l'appeler « Ces femmes qui aiment trop », en clin d'œil au best-seller des années 80[8] !

Avec elle, il y a une jeune infirmière qui finalement va changer de branche pour étudier dans un autre domaine. Elle parle peu, mais ce n'est pas forcément dans son tempérament ; je crois qu'elle a bien peu de place pour s'exprimer, en fait. Elle est *bright*, ça paraît. Elle a souvent un petit sourire tout tendre quand elle regarde Ces femmes qui aiment trop régler mes « non problèmes », et elle est jolie. En fait elle ressemble à Catherine A., à la différence qu'elle n'est pas très grande ; des yeux clairs, très vifs ; des cheveux blonds en queue de cheval et un teint sanguin. Je ne l'ai jamais vue de mauvaise humeur. Dommage qu'elle parte bientôt ; je l'aimais bien.

Une deuxième infirmière « principale » travaille sur cette recherche-là. Je tripe dessus raide ! La cinquantaine pétillante, l'esprit bien aiguisé et l'humour à la bonne place, les yeux très clairs et le genre qui prend la vie du bon côté, celui du fun. :) Je suis certaine que sa recette de muffins aux carottes est *killer* et que c'est elle qui met de l'ambiance dans les partys de Noël quand ça lève pas, vous voyez le genre ? Celle-là semble s'occuper du côté plus technique de la recherche ; chaque fois que je l'ai vue, elle parlait d'aspect précis d'examens (« J'ai vérifié, et les paramètres de nos échographies cardiaques sont conformes aux exigences du protocole ») ou elle venait pour me

---

8. Robin Norwood, *Women Who Love Too Much*, 1986.

faire une prise de sang. Elle est bien dans sa job et bien dans sa peau, c'est évident. En fait elle respire le bonheur et la confiance en soi. C'est hyper rassurant et agréable d'avoir quelqu'un comme elle à ses côtés quand on se trouve dans un environnement qui peut parfois être bof, comme un hôpital (mais mon hôpital n'est pas bof, loin de là).

Je réalise aussi presque un rêve en ayant désormais directement accès à la pharmacienne de l'hôpital. Tsé, moi je tripe sur les pharmaciens. Les bons, on s'entend. Et elle, elle est bonne, je le sens. *I dig her.* Pas très grande, cheveux blonds il me semble (j'étais *frostée* sur l'Ativan), *full* sympathique mais sans en faire trop, *no non sense* et… elle a déjà fait de la pôle! Juste une fois, mais quand même! Un estie d'gros morceau d'robot pour elle, Saperlipopette! Elle m'a informée que mon traitement comportait un *petit* risque pour les ongles (9 %). Faque : retour au vernis noir? Chais pas, ça me tente comme pus, on dirait. Pour le moment j'ai du fluo qui matchait avec ma perruque « Poutineville » de cette semaine. On verra. En tout cas je vais au moins essayer de porter du vernis tout le temps.

L'implication des enfants
Depuis l'annonce de mon diagnostic, jamais Chrystian et moi n'avons tenu les enfants à l'écart. Nous leur avons toujours tout dit avec un maximum d'honnêteté. Est-ce qu'on l'a regretté? Pas une seconde. D'abord, on estime qu'ils ont le droit de savoir parce qu'ils sont aux premières lignes et que la santé de leurs parents les concerne directement puisqu'elle a un impact immense sur leur avenir immédiat. Ensuite, on a constaté qu'ils se sont révélés d'un soutien infaillible, dans la mesure de leurs possibilités, bien entendu. Il est évident qu'ils ont trouvé ça difficile par moments, tout comme nous d'ailleurs. Mais il n'y a pas de doute que cette étape de leur vie leur a fait réaliser plein de choses et qu'elle leur a permis d'acquérir une maturité à laquelle même certains adultes ne semblent jamais accéder.

Évidemment, ils ont encaissé le choc chacun à leur façon.

Rémi, qui était déjà tellement doux et compréhensif, a réagi en devenant encore plus ouvert aux autres et en prenant plus de responsabilités au sein de la famille. Les petites tâches comme ramasser son assiette ou vider le lave-vaisselle ne le rebutent plus, au contraire ; il saisit ces occasions-là pour se sentir utile et il sait que même les plus petits gestes nous aident. En même temps, il est dans la phase préado et tripe comme un malade sur les jeux vidéo, et ça lui permet de s'évader du vrai monde et des vrais problèmes, ce qui n'est pas forcément mauvais, au contraire. C'est une bonne soupape, tout comme le hockey cosom du samedi matin.

Nina, avec ses déchirements tellement secrets, semble avoir parfois mal réagi, mais sans jamais vouloir le laisser paraître. Je pense qu'elle perçoit ma maladie comme une profonde injustice. Ses résultats scolaires n'ont pas été aussi bons qu'ils auraient pu l'être, et c'est vraiment parce qu'on n'a pas réussi, Chrystian et moi, à lui offrir autant de soutien qu'on aurait dû. L'hiver a été difficile, et quand venait le moment de s'occuper des dictées et du reste, il nous restait malheureusement bien peu d'énergie. Il nous est souvent arrivé d'oublier de vérifier ses cahiers. Par contre on s'est bien appliqués à lui donner toute l'affection dont elle était avide ; disons qu'on est allés avec les priorités, *nos* priorités. Quand je la regarde aujourd'hui, je vois une enfant heureuse, mais une enfant qui cherche parfois l'attention ; est-ce ma maladie, ou est-ce simplement de son âge ? Rémi avait eu cette phase-là aussi à cet âge.

Quoi qu'il en soit, j'espère de tout cœur que nous n'avons pas fait fausse route… Mais quelque chose me dit que nous avons bien fait ça. Ils ont confiance en la vie, ils ont confiance en nous, ils semblent équilibrés. L'avenir nous dira si nous nous sommes trompés.

Lundi, je les ai emmenés à un atelier pour les enfants dont un parent souffre du cancer. Je lisais un magazine (les parents ne participaient pas à l'atelier, histoire de laisser les enfants s'exprimer sans pression), quand l'une des animatrices est venue me trouver pour me dire à quel point elle était soufflée par l'attitude et l'aplomb de mon fils ; quand elle lui a demandé, dans le cadre de l'activité, « Comment te sens-tu quand ta maman se repose dans son lit au lieu de passer du temps avec toi ? », il lui a répondu, le plus naturellement du monde : « Bien ! Je me sens super bien quand elle se repose, parce que je sais qu'elle est en train de faire tout ce qu'il faut pour guérir et que grâce à ça, elle va se sentir mieux; je veux que ma maman se sente bien. »

*émue, *fucking* émue*

Voilà qui résume bien ce que je pense: si on ne leur explique pas ce qui se passe, alors ils risquent de mal vivre les changements qui ont lieu à la maison. Il m'arrive par ailleurs de me demander comment on aurait vécu cette année-là si on leur avait caché la vérité… «Je me suis rasé les cheveux pour le fun »? «Je ne travaille plus parce que je n'en ai plus envie, j'y retournerai quand ça me tentera, mais là, je prends un break »? «J'ai mal partout et je bouge difficilement, mais c'est juste une grippe, ça va passer »? «Je pleure parce que le film est triste »? «Je me fais opérer parce que, euh, je sais pas trop pourquoi, mais en tout cas je me fais enlever les mamelons, j'en veux pus »? «Je ne peux plus te propulser en l'air dans la piscine parce que ça me fait mal aux seins, mais oui, des seins c'est comme ça, ça empêche de faire des mouvements normaux »? «Je ne peux plus te laisser grimper sur la pôle ou nager sans ceinture de sécurité parce que si tu tombes ou que tu te noies, je ne pourrai pas t'aider; toute la force que j'avais avant est disparue d'un seul coup »?

Non; avec le recul, je suis convaincue qu'on a fait le bon choix en leur faisant confiance et en s'ouvrant à eux.

Ceinture obligatoire dans la piscine quand papa s'absente
parce que je ne peux pas faire de sauvetage à cause de mes seins

Le revers des antioxydants

En ce moment, la grosse mode, ce sont les antioxydants. Plusieurs d'entre vous m'avez posé des questions et fait des commentaires à ce sujet, alors ça vaut la peine d'en parler. Je sais que c'est pas évident de comprendre comment ça se fait que si ça peut prévenir le cancer, ce n'est malgré tout pas la panacée pour moi en ce moment; pourquoi dois-je restreindre ma consommation d'antioxydants alors que je suis justement atteinte d'un cancer? Je vais prendre un gros raccourci, mais en résumé, voici: les antioxydants protègent les cellules, *toutes* les cellules. Donc les antioxydants protègent les cellules cancéreuses comme les autres, et ça les rend plus puissantes. L'une des caractéristiques des cellules cancéreuses, c'est de mettre sur *hold* leur fonction «suicide» (dans un corps en santé, les cellules s'autodétruisent dès qu'elles mutent et deviennent anormales, et c'est exactement ce qui vous protège du cancer). Si je me gave d'antioxydants, je risque de faire de mes cellules cancéreuses des supercellules qui résisteront encore mieux aux assauts de mon système immunitaire et de la chimiothérapie.

La chimiothérapie, justement, oxyde les cellules pour les tuer. Voilà pourquoi je ne dois pas fournir trop d'***anti***oxydants aux cellules qu'on essaie justement d'oxyder. Donc le chou, le thé vert, les petits fruits, tout ça; je peux en consommer, mais sans y aller *overboard* non plus.

Faque c'est ça qui est ça!

Maude

FAQ

Comment sont tes seins maintenant?

- Ils sont plus beaux que je ne l'aurais cru: ils sont plus symétriques (fiou! Parce que c'était pas si évident après l'opération!), moins hauts... Je suis bien contente.
- Ils sont gros: leur diamètre est assez impressionnant, mais ils sont évidemment un peu plats vus d'en haut (donc quand moi je les regarde), parce que les prothèses n'ont pas une forme de sein,

elles sont vraiment rondes. D'ailleurs, je ne me souviens pas si je vous avais dit ça, mais il me semble que les compagnies de silicone devraient mettre sur le marché des prothèses avec un dôme plus prononcé pour les filles qui, comme moi, n'ont plus de mamelons. Avec le nombre ahurissant de cancers du sein (une femme sur neuf), mettons que si y a quelqu'un parmi vous qui cherche une idée pour se partir une *business*, ça serait peut-être pas fou!

- Ils sont marqués de cicatrices : mes dernières gales viennent tout juste de tomber, deux mois après la chirurgie ; c'était du solide! La piscine a beaucoup contribué à détacher mes gales, ce que mon chirurgien esthétique m'avait d'ailleurs conseillé. Les cicatrices sont très rouges. Le dermatologue qui me fait des traitements de laser pour en réduire l'apparence est super satisfait de ma cicatrisation, il trouve que je guéris vraiment bien. Ma cicatrice de droite est plus longue que celle de gauche, parce que mon mamelon droit était un peu plus gros que le gauche, alors l'incision a été plus grande de ce côté-là. Elle est aussi plus basse, parce que mon mamelon droit était plus bas que le gauche. Et j'ai aussi les cicatrices des drains, qui sont des ronds rouges (à peu près le diamètre d'un stylo bic pour chacune d'elles).

- Ils sont parfois douloureux : des fois ça pince. Si je fais un effort trop soutenu, je ne le sens pas sur le coup, contrairement à avant ; je le sens dans les heures ou les jours qui suivent. C'est dommage, parce que ça me servait d'avertissement pour reconnaître mes limites ; des fois c'est difficile de faire la différence entre les mouvements que je peux exécuter sans risque et ceux que je ne devrais pas faire.

- Ils sont immobiles : même quand je me couche sur le côté, ils ne s'affaissent pas et demeurent super ronds. *Fucké!*

- Ils sont souvent froids : ça, j'en ai déjà parlé.

- Ils sont très fermes au toucher : ça aussi, j'en ai déjà parlé.

- Ils donnent l'impression d'être toujours un peu aplatis par un soutien-gorge même lorsqu'ils sont nus ; l'absence de mamelons adoucit leur forme et crée une sorte de rondeur aplatie que de vrais seins n'ont pas tant qu'ils ne sont pas dans un soutif.

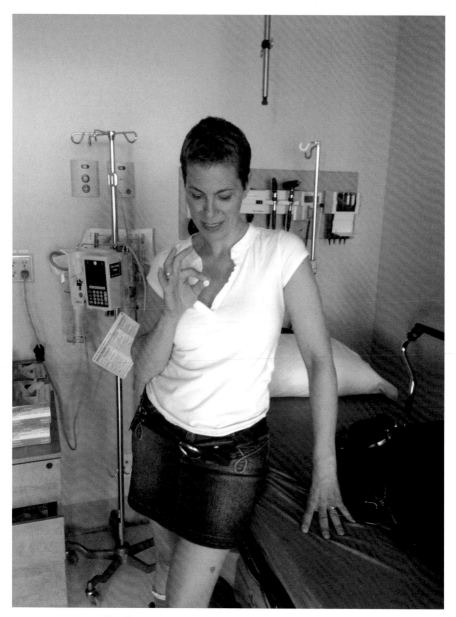

Ma taille de soutien-gorge ? Une image vaut mille mots…

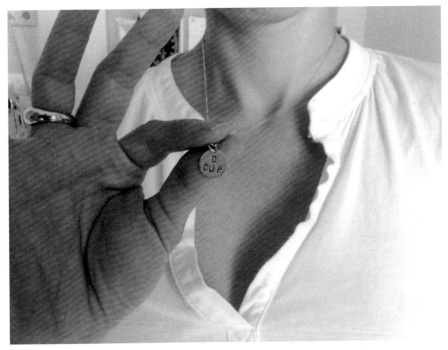

Effectivement, une image vaut mille mots ; regardons-y de plus près…

Est-ce que ça paraît que c'est des faux ?

Oui, c'est sûr ! En fait, je vois pas comment ça pourrait ne pas paraître… Premièrement, on voit les contours des prothèses, ça fait des seins très-très ronds. Ensuite, quand je fais certains mouvements, ça fait plisser les prothèses en déplaçant le gel de silicone (genre si je courbe le dos pour ramener mes épaules vers l'intérieur en rapprochant mes bras l'un de l'autre vers l'avant). Mais sérieux, je m'en accommode très bien. Je veux dire, tsé, je reviens de loin… *Fuck*, quand je pense que j'aurais pu y passer ! Ou que j'aurais pu avoir des seins pleins de bosses comme ceux que j'ai vus sur le Web… Non, sérieux, ils sont bien mieux que n'importe quoi que j'aurais pu imaginer.

Portes-tu des soutiens-gorge ?

Vraiment pas souvent, parce que ça me fait mal. Et encore là, pas sur le coup ; c'est seulement quand j'enlève le soutien-gorge que les pincements commencent. Les bandeaux sont beaucoup plus confortables pour le moment. Les pires soutiens-gorge sont les modèles sport ou *push-up*. Parlant de *push-ups* : je ne peux plus en porter, en tout cas pas pour le moment, parce que ça déplace mes seins vers le milieu (la craque) et que, ce faisant, ça révèle mes cicatrices (qui sont ultra voyantes pour l'instant parce qu'elles sont encore foncées). Par ailleurs, étant donné que mes seins ont une forme plate, c'est pas facile de trouver un modèle de soutien-gorge assez grand pour les contenir en largeur, mais qui n'est pas trop profond ; en général, ceux qui ne sont pas coussinés pochent à la hauteur du mamelon. Mais avec un modèle coussiné, même s'il y a un petit vide, ça ne paraît pas.

Est-ce que tes cicatrices paraissent sous un chandail blanc, mettons ?
Oui. On voit la couleur, mais on ne voit plus de relief puisque les gales sont tombées.

Il paraît que t'as recommencé à fumer pour de bon ?
Ben oui… :/ C'pas fort, han ? Mais je *veux pas* arrêter, alors c'est ben difficile de me motiver. Quand j'avais cessé en 1999, j'étais ultra motivée. Là, pour essayer de me botter le cul, j'en ai parlé à mon médecin extraordinaire, et sa réponse m'a prise par surprise :

— Là j'aurais besoin que tu me fasses un *pep talk* à propos de la cigarette ; j'ai rechuté.

— Euh, ben honnêtement, c'est pas si grave que ça, ça change pas grand-chose pour le cancer du sein.

— HEIN ?! Sérieusement ?!

— Oui, pour vrai. Le plus grand risque pour toi avec la cigarette en ce moment, c'est que tu cicatrises mal au niveau des seins ; mais encore là, tu as passé le point critique [NdA : environ un mois, si je me souviens bien de ce qu'il a dit], alors bof, c'est pas si grave. Tsé, moi j'aime mieux donner l'heure juste aux gens. Là c'est pas grave, alors je te le dis.

— Mais c'est rien pour m'aider à me motiver, ça !

— Haha, je sais ! Mais tu peux toujours te dire que la cigarette est un facteur de risque important pour le cancer du poumon, et que si un jour tu développais un cancer du poumon, là tu serais vraiment dans la merde, parce que c'est pas mal moins facile à gérer qu'un cancer du sein. Mettons que c'est pas la même *game*…

— Mais est-ce que j'ai plus de risques de développer un autre cancer parce que j'en ai déjà eu un ?

— Non, tu as les mêmes risques que tout le monde.

Oh, well… Je ne laisse pas tomber le projet pour autant, je vais m'y remettre éventuellement. Comme je vous ai déjà dit, je me fais confiance là-dessus.

As-tu eu une coupe de cheveux? Une teinture? Des mèches?
Non, je laisse pousser et je ne touche pas — ça me convient ainsi! La dernière fois que j'ai coupé mes cheveux, c'était juste avant la croisière, donc vers la fin février. Mes cheveux qui ont perdu de leur couleur à cause de la chimio ressemblent à s'y méprendre à des mèches blondes, et de façon générale, mes cheveux ont beaucoup pâli en comparaison avec avant. Je trouve ça joli. :) Je doute que je puisse les laisser pousser comme ça encore longtemps sans les couper (souvent les côtés deviennent comme trop épais et il faut les couper, le temps que les cheveux du dessus de la tête les rattrapent), mais en tout cas je vais essayer. On verra bien ce que ça donnera!

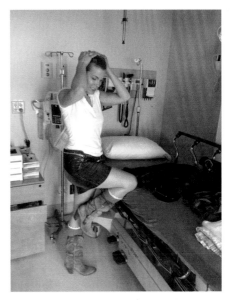

Mes cheveux poussent! On me voit ici à l'injection du mois de mai

Qu'est-ce que tu fais de tes journées ces temps-ci?
Je regarde des vidéos de pôle pis je capote. Est-ce que je peux vous en mettre un? C'est mon préféré. Il s'agit d'un duo, un garçon et une fille. Je vous promets que vers 3:20 vous n'en croirez pas vos yeux.

www.youtube.com/watch?v=ktr_HZs1JUM

Je n'ai pas 1 % de leur talent ni de leur force, mais bon Dieu que j'ai hâte de m'y remettre. Mais je dois être patiente; on comprendra que les ouvertures qui sont en train de cicatriser sur mes muscles pectoraux ne me le pardonneraient pas…

Sinon, je réponds à des courriels et je trie de la paperasse pour vider le sous-sol. J'essaie de tout passer en revue pour alléger la maison, étant donné que la moitié de ce qui est dedans ne sert à rien ni à personne ; ça ne demande pas d'effort physique et, au moins, je me sens (un peu) utile.

Et bien sûr, je vais à l'hôpital. Ça, c'est mon activité numéro 1. J'ai ma carte VIP, tsé.

Côté forme physique, ça va comment ?
Ah la la ! J'essaie de faire un peu de vélo stationnaire pour garder la forme et tenter de perdre quelques livres (et côté poids ça va bien, j'avance ! Je ne peux toujours pas porter mes jeans préférés, mais je progresse. Faut dire que j'ai pas encore commencé le Tamoxifène, alors ça aide). Mais c'est assez décourageant merci ! Mes traitements d'Herceptin ont comme effet de nuire au cœur, et j'ai été complètement inactive pendant longtemps… alors le résultat est assez… nul ! Keuf-keuf !

Là je ne comprends plus rien. Pourquoi tu suis encore des traitements ? T'as encore des cellules cancéreuses ou quoi ?
Ça, personne ne peut le savoir avec certitude. Il faudrait me découper en tranches fines et passer tout mon corps au microscope ; aucune autre technologie médicale disponible en 2013 ne permet de vérifier ça (on peut déceler des tumeurs, mais pas des cellules ; c'est bien trop petit). Perso, je crois qu'il m'en reste quelques-unes (et c'est d'ailleurs à ça que sert la biothérapie ; elle les désactive), mais je crois aussi que je fais ce qu'il faut pour les éradiquer avec le T-DM1. À nous deux, cancer ; j'te garantis que tu créras même pas à ça.

Quand crois-tu être en mesure de travailler ?
Pffff. La dernière fois que je vous ai écrit, j'avais l'impression que j'aurais pu recommencer pendant l'été. Alors j'en ai parlé à mon doc… qui m'a répondu : « Maude, t'as le cancer et t'es en traitement. Si jamais t'as vraiment l'impression de péter le feu, *fine* ; pète le feu pendant un bout de temps, et après seulement on s'en reparlera et je te signerai un retour au travail. La pire erreur que tu pourrais faire serait d'y retourner trop tôt. » Je suis repartie un peu perplexe, mais ça n'a pas été long que ça m'est revenu en pleine face : je me suis ramassée sur les genoux après ma troisième injection et là je me suis dit que j'étais pas mal épaisse

d'avoir eu l'impression d'être correcte. *Fuck, man*, il a raison, il sait ce qu'il fait, *stop second-guessing him*. J'ai bien vu que je n'étais pas en mesure de reprendre un *beat* de travail normal. Alors pour le moment, je m'en tiens à l'avis médical. Évidemment, ça sera à évaluer à mesure. Mais je me sens parfois impatiente d'être en forme et de recommencer.

As-tu réussi à obtenir un rendez-vous avec le psychiatre pour trouver autre chose que de l'Ativan ?
Oui, pis ça m'a déçue. J'ai l'impression qu'on s'est mal compris, lui et moi. Mon problème avec l'Ativan, c'est que non seulement il ne me gèle pas assez pour m'éviter des crises de panique (même si j'en prends 2 ou 3 mg), mais qu'en plus, je reste *numb* et endormie pendant 24 heures ! C'est bien trop long pour un médicament qui ne fait de toute façon que la moitié de la job ; moi, je veux soit un médicament pour me geler solide et ne me rendre compte de rien, soit un médicament qui se métabolise plus vite pour que je puisse fonctionner normalement après une injection… (Pour être honnête, je voudrais qu'un médicament puisse remplir ces deux conditions-là, mais tsé je suis raisonnable.)

Bref il m'a prescrit autre chose. Résultat ? Un antipsychotique antidouleur qui ne m'enlève pas mes peurs… mais qui m'a fait dormir DIX-HUIT heures d'affilée en rentrant à la maison ! Ayoye ! Chrystian est même entré dans la chambre pour s'assurer que je respirais encore dans mon lit ! Moi j'ai besoin de quelque chose qui me rend moins amorphe, et là je me retrouve à dormir 18 heures… Ça marche pas !

Une autre affaire à propos de l'Ativan : ça fait baisser la pression. Pour moi qui suis déjà hypotendue, mettons que c'est pas l'idéal. Mercredi, après mon injection, ils devaient prendre ma pression pour la recherche (ainsi que mes autres signes vitaux comme la température — ils feront ça chaque fois) : eh bien j'ai oublié le deuxième chiffre, mais je me souviens du premier : 83. À titre comparatif : la normale est de 120 sur 80, et la mienne oscille généralement autour de 100 sur 60. Disons qu'à 83 sur chais-pus-combien, t'as l'infirmière qui te regarde fixement et qui te dit : « Tu me promets de ne pas te lever, hein ? Je vais porter tes échantillons sanguins au labo, je vais être partie juste deux minutes, mais attends-moi avant de te lever, OK ? »

Pis, finalement ? La radiothérapie ? Vas-tu en faire ?

C'est une question toute simple, et pourtant, j'ai pas de réponse claire à vous donner. En gros, la décision m'appartient. Je suis allée rencontrer le radio-oncologue, appelons-le Capitaine Atome parce qu'il travaille avec des rayons radioactifs ; un gars super *smooth* — une voix grave et lente, un rire sympathique à la Eddie Murphy —, gentil comme c'est pas possible, vraiment quelqu'un de bien. C'est évident qu'il est hyper compétent, et en plus il est particulièrement compréhensif. Il nous a informés, nous a donné par cœur toutes les statistiques qu'on demandait et nous a dit, en définitive : « Tu tombes dans une zone grise. Je ne sais pas quoi te conseiller, parce qu'en fait, si je suis honnête, donner le *go* à la radiothérapie serait peut-être de l'*overkill* dans ton cas. Mais s'il s'agissait de mon corps, eh bien je le ferais quand même. »

Dans le bureau de Capitaine Atome,
en attendant de le rencontrer pour la première fois

Cela dit, je n'aime pas l'idée de recevoir des rayons radioactifs si ce n'est pas nécessaire. J'ai bien l'impression que je vais dire non, mais de toute façon je n'ai pas de décision à prendre pour le moment, puisque mes traitements, s'ils ont lieu, se feront seulement après le T-DM1, c'est-à-dire au printemps ou à l'été prochain. Voici les arguments dans la colonne «contre» :

Premièrement, c'est cancérigène.

Deuxièmement, si je le fais, ça m'enlève une option de traitement pour plus tard si jamais je fais une récidive. En gros, la peau peut prendre un maximum de 100 grays (c'est l'unité de mesure des rayons) au cours d'une vie entière, et il s'agit vraiment d'un maximum, on ne veut pas s'approcher de ce nombre. Mon traitement de radiothérapie me donnerait environ 50 grays au total ; si on ajoute à ça les grays reçus lors de mammographies ou d'autres expositions, eh bien ça monte assez vite quand même. Donc une nouvelle radiothérapie serait dangereuse dans mettons 2, 5 ou 9 ans. Voilà pourquoi on ne subit ce traitement qu'une seule fois.

Troisièmement, ça magane les prothèses mammaires au point de devoir parfois reprendre l'opération. La radiothérapie abîme la peau (dans certains cas la peau devient comme du carton et ça ne revient plus jamais à la normale ensuite), et parfois ça va même plus loin : le tissu cicatriciel s'emballe et finit par créer une coquille rigide autour de la prothèse en réaction aux assauts des rayons. Ça peut donner un sein plus haut que l'autre, un sein plus petit que l'autre, un sein rond et l'autre tout croche, etc. En ce qui me concerne, c'est CLAIR que je ne veux pas me faire réopérer. D'autant plus que quand tu corriges un sein, l'enfer commence : ensuite il faut retoucher l'autre, puis recommencer à nouveau le premier, et ainsi de suite. Disons que c'est un peu comme essayer d'égaliser un toupette, lol. En plus, le muscle pectoral devient parfois inutilisable et il faut, comme je vous l'ai déjà dit, aller prélever un dorsal (dans le dos) pour recouvrir le pectoral. C'est pas ben-ben mon genre, tsé.

Il faut comprendre que la radiothérapie a une portée locale uniquement, et qu'elle peut désintégrer de petits amas de cellules (des microtumeurs) qui pourraient passer inaperçus lors d'examens poussés (comme le *PET scan*, par exemple). Dans mon cas, l'analyse pathologique des tissus retirés de mon sein gauche a montré que j'avais eu une réponse complète à la chimio, alors tout est beau de ce côté-là, c'est sûr que personne ne me fera de la radio à gauche. Dans le sein droit, par contre, la réponse était *presque* complète ; il me restait moins de 1 % de cellules cancéreuses. Même si c'est juste 1 %, en pathologie, il n'y a que deux réponses possibles : positif (il reste des cellules cancéreuses) ou négatif (il n'en reste plus du tout). Il n'y a pas de case « un peu ». Mon cas est positif à droite, mais tsé, arrête de capoter avec ça, la grande : t'en n'as même pus, d'totons ! Voilà pourquoi je doute que les bénéfices de la radio outrepassent ses dommages dans mon cas. À mon avis, il n'y a pas d'amas de cellules dans mon sein droit, ou plutôt dans le muscle ou la peau qui recouvrent ma prothèse de silicone.

Pour attaquer des cellules « lousses », des *loners*, alors là c'est différent ; la radio ne sert à rien puisqu'on n'a aucune idée de la région à irradier étant donné qu'on ignore où pourraient se trouver ces cellules-là. Si j'ai des cellules cancéreuses qui voguent seules dans mon système, mettons dans un petit coin de ma cage thoracique, juste 1 cm à côté de la région qu'ils vont irradier, ou alors près de mon foie, ben on s'en câlisse-tu de m'irradier les seins ? Ça changera eu-rien pantoute, ça ne sera d'aucune utilité, les cellules cancéreuses vont rester là et intactes ! Dans ce cas-là, c'est la chimio qui est indiquée, puisqu'elle s'attaque plus facilement à des cellules qu'à des amas de cellules et qu'elle est systémique, c'est-à-dire qu'elle traite le système en entier plutôt qu'une région précise.

Bref, y a quelque chose en moi qui me dit que pour éviter la récidive, je dois y aller avec la chimio et laisser tomber la radio. Mais je me garde une porte ouverte, on verra dans l'temps comme dans l'temps.

Subis-tu encore les effets secondaires du Taxol ?
Oui : de la fatigue, de l'enflure aux pieds en fin de journée, et toujours de l'engourdissement aux pieds, mais seulement à deux orteils de chaque pied.

La protéine HER2, c'est quoi au juste ?
Eh bien ça permet une croissance en accéléré. Elle est présente chez le fœtus pour qu'il se développe en turbo, mais elle est mise en dormance quelques semaines après la naissance. Allez savoir pourquoi, mais il arrive qu'elle se réactive à l'âge adulte (chez les patientes qui ont

le même cancer que moi), et ce qui fait peur, c'est qu'elle donne aux cellules cancéreuses le super pouvoir de se multiplier et de se développer selon le même mode turbo qu'un fœtus. Mettons que ça clenche.

Tu changes de chirurgien esthétique ?

Ouin… Jusqu'ici j'en n'avais pas parlé, mais finalement je pense que c'est important d'aborder le sujet, ne serait-ce que pour les filles qui passeront après moi dans les très abrupts sentiers du cancer du sein.

Je sais pas pourquoi, mais j'ai toujours eu un drôle de feeling avec lui. Il est super gentil, super drôle, et il fait le *cool dude* ; c'est pas ça le problème. Mais je le sens très *laid back* quand il parle du corps humain. Je comprends qu'en travaillant en chirurgie esthétique, on puisse en venir à considérer le corps comme une pâte à modeler transformable à l'infini, mais enfin, j'ai comme un malaise avec ça. J'ai peur de subir de multiples chirurgies ; je veux juste quelque chose qui ressemble à des seins et c'est tout.

Trois choses m'ont fait réfléchir. Mais avant de vous les exposer, je veux rendre à César ce qui appartient à César : aujourd'hui j'ai des seins miraculeusement jolis compte tenu de ce que je viens de traverser, et c'est lui qui me les a donnés. OK, ça paraît que c'est des faux, mais tsé en même temps, faut garder en tête que j'ai subi une double mastectomie totale, ça fait que chapeau, *boss* ; ta job tient du miracle, et d'ailleurs je me dis souvent qu'il y a un genre de dieu qui a bien dû t'ouvrir le chemin et guider tes gestes. ;)

Mais.

1. J'ai l'impression qu'il m'a fait deux trous inutiles dans le sein gauche.
On s'entend que côté cicatrices sur les seins, je donne pas ma place. Mais de là à dire que c'est pas grave de m'en faire deux de plus, ça non par exemple ! Alors voici ce qui s'est passé : quand mon Breast Man a eu fini mon sein gauche le matin du 25 avril, il a fallu me poser des drains pour que le surplus de liquide puisse s'écouler vers l'extérieur (on se souvient de mes photos de terroriste mammaire…).

La job de drains, c'est un peu la tâche poche dont personne ne veut s'occuper. Alors en général, les chirurgiens refilent ça au petit résident qui attend son tour et qui a bien hâte de faire autre chose qu'une job de figurant dans la salle d'op. Ce matin-là a été comme tous les autres matins, c'est-à-dire que le résident (qui était super fin, en passant), s'est fait dire : « Awèye le grand ; rends-toi utile pis pose-moi donc des drains. » Il a percé deux trous dans ma peau, en plein sur le sein gauche ; des trous qui se cacheraient facilement dans n'importe quel maillot parce qu'ils ne sont pas très loin de l'emplacement habituel du mamelon (pour ceux qui en ont, je veux dire, hehe ! ;)). Mais le gars qui supervisait son stage — mon Breast Man — a regardé le travail seulement une fois que c'était fait, et ça n'était pas à son goût ; lui, il voulait que les drains soient installés ailleurs que dans la région du mamelon.

Alors il a arraché les drains du résident et il m'a percé deux nouveaux trous dans la peau pour installer les drains ailleurs : sur le côté, dans le rond qui délimite le sein. Avec le résultat qu'en plus de ma ligne de plusieurs centimètres à la place du mamelon, eh bien j'ai quatre trous dans le sein gauche au lieu de deux. Donc cinq cicatrices au lieu de trois. Je trouve que c'est graine en estie.

Premièrement, si tu tiens à ce que les drains soient placés à un endroit précis, ben tu peux le dire avant, tsé ! Une autre bonne solution, ça serait de regarder ton résident travailler pis de l'arrêter avant qu'il coupe, han… Pis deuxièmement, si jamais t'as rien dit, pis qu'en plus t'as laissé le résident couper là où tu voulais pas, ben *fuck it*, vis avec le résultat une fois que c'est faitte, calvaire ! Câlisse, y a le corps d'une fille en dessous de tes mains, là ! C'est pas comme si t'étais jardinier pis que ton assistant avait planté le rosier un peu trop à gauche ; des seins, ça se patche pas comme du gazon !

Faque voilà, j'ai deux cicatrices supplémentaires *à vie*, sans raison qui me semble justifier ça. Et *by the way*, quand les trous des drains sont sur le côté comme les miens, eh bien c'est plus difficile à cacher dans le maillot de bain.

2. Si mon médecin extraordinaire n'avait pas été là, mes cicatrices principales seraient probablement le double de ce qu'elles sont aujourd'hui et ça m'empêcherait de porter un maillot ou un décolleté.

On se souvient qu'à la toute dernière minute, mon médecin extraordinaire avait pris le Sharpie pour réduire de moitié ou à peu près les marques de coupe dessinées par mon Breast Man, *right*? J'ai l'impression que le plasticien a peut-être pris ça à la légère, alors que pour moi, la différence est immense, et elle le demeurera jusqu'à la fin de mes jours. Me semble que quand tu travailles en chirurgie, SURTOUT en esthétique, un de tes premiers objectifs devrait logiquement être de minimiser les cicatrices, autant leur nombre que leur ampleur, non ? Le patient doit ensuite vivre avec ça jusqu'à sa mort ; *man*, c'est pas rien…

3. Vous souvenez-vous que je m'inquiétais de me réveiller avec des seins immenses ?

Eh bien quelques semaines avant mon opération, j'ai parlé avec une patiente de mon Breast Man… Elle avait comme moi subi une double mastectomie et une reconstruction. Le lendemain de notre conversation, elle devait repasser sous le bistouri parce qu'elle trouvait ses seins bien trop gros. Elle m'a dit : « Tu dois absolument donner un nombre précis de cc ; si tu laisses le choix ou que tu demeures vague, tu risques de te ramasser avec des giga prothèses, mais si tu donnes des limites claires, elles seront respectées. » La fille à qui j'ai parlé, elle s'était réveillée avec du… 800 cc. Pour comparer, moi j'ai du 400 cc, et je les trouve gros. Faque tsé, 800 cc, c'est tout un rack à effets !

Au rendez-vous suivant, une semaine avant ma chirurgie, j'ai demandé à voir des échantillons de prothèses pour décider moi-même de ce qui me convenait (les échantillons n'étaient pas disponibles au moment de mon premier rendez-vous, j'ignore pourquoi).

Bref il m'a fait de beaux seins égaux et pas de bosses, et je lui en suis reconnaissante, mais je ne suis pas certaine que le résultat serait le même si mon médecin extraordinaire n'avait pas été là pour veiller au grain (ou plutôt aux seins), en fait j'ai vraiment le feeling que non. J'ai comme l'impression que je n'ai pas du tout les mêmes critères esthétiques que mon Breast Man, ça fait que je prends pas de risques ; j'ai fait mon enquête, et c'est à Toronto que se trouve la ceinture noire du *nipple*, faque *go* pour Toronto, c'est réglé.

Comment ça se passe avec les assurances ?
Ah, tabarnac ! Mal !

Y a une femme qui s'occupe de mon cas d'invalidité de longue durée. Pas qu'elle est méchante, mais *fuck*, c'est sournois pareil : elle m'appelle de temps en temps et me demande toujours pourquoi je ne suis pas en mesure de travailler… Elle guette mes mauvaises réponses.

— Euh, ben… parce que j'ai LE CANCER ?

— Oui, je comprends, hmm-mm. Mais en quoi ça vous empêche de travailler, au fait ?

— Ben je sais pas, tsé. Me semble que dans les maladies connues actuellement, le sida pis le cancer, ça doit scorer pas pire sur l'échelle du « ayoye », non ?

— Oh, ne vous inquiétez pas madame Schrrritz — c'est bien comme ça qu'on prononce votre nom ? — ; on vous appelle juste pour prendre de vos nouvelles, on veut juste être sûrs que vous allez bien et que vos traitements se passent bien.

— Ben moi je pense que vous devriez vous en assurer auprès de mon médecin à la place…

— Ah, vous savez, ici on dit toujours que les médecins ont déjà beaucoup trop à faire ! Dans l'état actuel du système de santé, on ne voudrait surtout pas les priver d'un temps précieux ; on préfère qu'ils emploient toutes leurs énergies à sauver des patients comme vous… Mais pour en revenir à votre santé, madame Sch… Sch…

— Schiltz.

— Oui, c'est ça, hehehe, excusez mon accent, c'est pas un nom qu'on voit tous les jours.

— Hmmm-mmm.

— Donc, quels sont les symptômes qui vous empêcheraient de travailler, au juste ?

Et ça continue comme ça jusqu'à la question à 100 piastres :

— Quels sont les noms de vos médicaments et à quelle fréquence les prenez-vous ? Ne vous inquiétez surtout pas, on a des spécialistes ici, ils vont pouvoir évaluer si c'est adapté à votre état ou non.

(Ah ben ça c'est la meilleure ! C'est le médecin payé par l'assurance qui va décider quelle chimio est indiquée dans mon cas ?!)

— Eh bien j'ai fait l'AC, puis le Taxol avec l'Herceptin, et enfin l'Herceptin tout seul. Et en ce moment je prends un nouveau médicament (gros malaise, ici : j'avais peur qu'en entendant « expérimental », la madame vire sur le top et que ses « spécialistes », qui ont probablement toujours en tête qu'ils pourraient se faire couper leur paye par la grosse compagnie d'assurance qui les rémunère pour leur avis « impartial », répliquent que l'expérimentation, c'est pas couvert ou que c'est pas correct ; alors que répondre ? Est-ce qu'ils vont me couper l'assurance parce que mon traitement n'est pas encore commercialisé ? Shit, je le sais pas, moi ! Qu'est-ce que je suis censée dire ? Dans le doute, j'ai choisi de la noyer d'informations). C'est extraordinaire, madame, mon médicament est en fait un puissant agent de chimiothérapie « tagué » sur des molécules d'immunothérapie. L'emtansine est livrée aux cellules présentant une surexpression de la protéine HER2, mais seulement à celles-là, et il réussit à pénétrer leur membrane — c'est vachement excitant, c'est la première chimio qui n'est pas à large spectre, vous comprenez ? Alors la biothérapie sert à la fois de véhicule et de cheval de Troie, puisqu'elle ne fait qu'atteindre la cible et que c'est seulement à ce moment que l'agent cytotoxique peut pénétrer la cellule pour faire imploser son ARN et son ADN, ce qui permet de préserver les tissus environnants, et…

— Euh, attendez là, je prends des notes pis ça va un peu vite pour moi… Les spécialistes dont je vous parlais tout à l'heure, je n'en fais pas partie, là ! Disons que je ne suis pas certaine de bien saisir tout ce que vous me dites, haha, c'est quoi déjà ? Vous disiez spectre, haha, c'est bien ça, « spectre » ? En fait, pourriez-vous simplement me donner le nom du médicament ? Ça serait plus simple pour moi, je pourrais juste transmettre l'information à nos spécialistes.

— Non, malheureusement, je ne peux pas puisqu'il n'a pas de nom, juste un code ; mais je connais bien son mécanisme par exemple, alors je peux vous l'expliquer encore si vous voulez…

Elle a fini par raccrocher.

Bon débarras.

Mon médecin extraordinaire s'est fâché quand il a appris ça. Ces appels-là imposent du stress au patient et ne devraient pas avoir lieu. Il m'a dit que oui, c'était correct que je dise que c'était expérimental, mais il m'a dit aussi : « Tu ne réponds plus à aucune question, tu leur dis systématiquement de m'appeler ou de m'écrire, pis moi je vais leur dire ce qu'ils ont à savoir. Et je vais être très catégorique — il n'y a rien qui puisse justifier ce genre d'interrogatoire, je ne veux rien savoir de ça. Qu'ils te fichent la paix, t'es traitée pour un cancer du sein, point final. »

M'entendez-vous penser jusque chez vous, là ? [JE L'AIIIIIIME !]

Nº 64. Dans mon corps de jeune fille[9]

1ᵉʳ juillet 2013

Bon.

J'ai relu mon histoire de vagin de l'autre jour, et je me rends compte que je n'ai pas réussi à bien décrire l'émotion qui m'habitait et qui m'habite toujours. Quand je relis ça, il me semble que ce qui se dégageait de ce paragraphe-là, c'est de la colère, alors qu'en fait, c'est pas ça du tout. Alors j'y reviens ce matin parce que le sentiment que cet aspect-là du cancer et de la ménopause me laisse, c'est loin d'être de la colère ; c'est plutôt *une tristesse infinie*.

Qu'est-ce qu'il me reste pour être une femme ? Pus vraiment de cheveux, pus vraiment de seins, pas de mamelons, pus de fonction reproductrice ni nourricière non plus ; qu'est-ce qui me différencie d'un gars, au fond ? Des organes génitaux féminins, oui, mais qui ne fonctionnent plus. Ici c'est le moment de préciser que c'est pas la jouissance qui pose problème ; je « viens » pareil, là ! Pas de trouble de ce côté-là (au moins la ménopause et le cancer ne m'auront pas enlevé ça, câlisse !). Seulement, je ne ressens plus le plaisir enveloppant et la plénitude caractéristiques de la pénétration vaginale. J'ai bien plus un *feeling* de test PAP, dans le sens que mon corps réagit exactement comme si j'étais à frette et pas excitée pantoute alors que, merde, c'est pas ça le problème !

---

9. Les Trois Accords, *Dans mon corps, Dans mon corps*, 2009.

140

En abordant la quarantaine, à l'âge où la plupart des femmes s'inquiètent de ne plus pouvoir retenir leur homme face à une jeune femme de 20 ou 25 ans juste parce qu'elles vieillissent et commencent à rider ou à flétrir un peu de la cuisse ou des seins, moi, je m'inquiète carrément de ne plus avoir grand-chose pour séduire le mien.

OK il me reste une personnalité qui fitte avec la sienne ; OK il me reste les merveilleux souvenirs de nos 18 dernières années et toute notre histoire pour compter sur son amour bâti pour veiller tard ; OK il me reste un esprit vif et une intelligence qui lui plaisent beaucoup… Mais côté *bête*, là… Côté instinct animal et survie de l'espèce… Je me sens diminuée face aux autres femmes. En clair, je sens que je ne vaux plus autant qu'avant comme femelle, si vous me laissez utiliser cette expression-là (qui est à mon avis parfaitement adaptée même si elle risque de mal sonner dans la tête de plusieurs).

Je le vis comme un drame réel, mais je veux absolument souligner en *bold* que **c'est dans ma tête que ça se passe**, et pas du tout dans le regard de Chrystian, qui est demeuré aussi bienveillant qu'avant… et aussi débordant de désir pour moi qu'avant.

Mais justement, parlons-en de ce désir-là : il me fait peur parce que je me sens dorénavant incapable de le satisfaire (en ressentant moi-même moins de plaisir d'une part, et donc en étant moins « dedans » pour les pauses-câlins d'autre part).

Quand on y pense, toutes les femmes de mon âge ont au minimum six choses que moi je ne possède plus :
- L'envie de faire l'amour régulièrement (1)
- Des seins, des vrais (2), et avec des mamelons, des vrais (2)
- Un vagin accueillant (1)

Population féminine en général : 6 ; Maude : 0.

Je *badtripe*.

Ben voyons donc, Maude, tu sais ben que Chrystian va toujours t'aimer pareil.

Probablement, oui. Sûrement, même.

Mais comme il dit, il m'aimerait même si j'étais paraplégique; sauf qu'à ce moment-là, moi je lui dirais : « Va baiser, mon amour. Reste avec moi, aime-moi, mais va chercher ailleurs ce que moi je ne peux plus te donner. »

Eh bien je ne me sens pas très loin de ça, sauf que je ne suis pas paraplégique et que ça me fendrait le cœur de lui dire « va baiser », même si, sur le plan humain, je refuse pourtant de l'empêcher de vivre normalement ; Chrystian n'est pas malade — c'est moi qui le suis. Si moi j'en arrive à ne plus baiser ou presque, ou encore à ne plus éprouver le même plaisir qu'avant, je ne vois pas pourquoi je l'empêcherais, lui, de baiser comme avant, justement, et de s'épanouir au lit (ici je précise que nous ne sommes pas un couple ouvert, et que pour nous, le cul, eh bien ça ne se vit pas sans l'autre — je ne parle évidemment pas de plaisirs solitaires ;)).

Faque c'est tout ça qui me déchire le cœur.

Tout ça, avec en plus un aspect important : je suis comme Chrystian. Je considère la sexualité comme un morceau très important de ma vie. Disons que j'ai du mal à concevoir une vie heureuse sans une sexualité heureuse (évidemment j'exclus le grand âge ; j'ignore comment on deale avec ça une fois rendu là). Faque tsé, mon chien est pas mal mort, dans le sens qu'on repassera pour la vie sexuelle épanouissante. Pour l'instant en tout cas. Parce que je vais bientôt avoir rendez-vous avec un gynéco spécialisé en oncologie à l'hôpital, mais tsé demeurons réalistes : les femmes « normales » aux prises avec ce genre de conséquences-là de la ménopause, eh bien on leur donne des hormones et ça revient, bingo. Mais moi ? Qu'est-ce qu'on va me donner, à moi ? Dans mon corps, c'est simple : hormones = cancer. Faque pas d'hormones pour moi ça c'est sûr, mais quoi d'autre ? Une psychothérapie (avec Ken ou Barbie, parce que ce sont ça, mes choix) ? Pour faire en leur compagnie le DEUIL de ma sexualité active et agréable, peut-être ?

Ouch.

(Mais ce qu'ils ne savent pas à l'hôpital, c'est que ma thérapie, c'est vous autres. Vous autres à qui je dis même ce que tout le monde tait, même ce qui n'a pas d'allure, et même ce que vous ne voulez peut-être pas toujours savoir parce que c'est comme trop intime. Et ce qu'ils ne savent pas non plus à l'hôpital, c'est que ma thérapie, qui ne coûte même pas un *tchick-a-tchick* de carte soleil, elle marche en estie ; chaque fois que je vous écris, et chaque fois que vous me lisez, ben seulement quelques jours plus tard — ou des fois même juste quelques lignes plus tard —, je me sens déjà mieux, ça me permet de faire le point, de relativiser, et de digérer tout ce qui m'arrive. Et si en plus je me mets à penser que j'en aiderai peut-être d'autres à se préparer à affronter un cancer et des changements dans leur corps de jeune fille, ben là c'est pas compliqué : je me sens carrément bien. Faque j'continue.)

Je vous mets une toune des Trois Accords qui fait sourire (ou pleurer, c'est selon…) et qui est bien adaptée au sujet d'aujourd'hui ; pour l'entendre, cherchez « accords + dans mon corps » dans Google ou scannez le code QR.

FAQ

Comment Chrystian réagit à ton drame ?

Il est aussi triste que moi, mais pas parce qu'il a peur de voir sa sexualité changer. Il est triste de me voir défaite, triste de me voir inquiète ; parce que lui, il est sûr de ce qu'il ressent, alors que moi, je me fais dans ma tête tout un cinéma à propos de ce qui pourrait se passer dans la sienne. Lui, il le sait qu'il est correct et qu'il peut dealer avec les phases que je traverse. Et en plus, il est convaincu que ma libido va revenir, tout comme ma confiance en mes capacités féminines. Il est optimiste et croit que le gynéco pourra faire quelque chose pour me « *pimper* » le vagin (ayoye, ça sonne vulgaire pas mal ! Attention, ce ne sont pas ses mots, hein. Ce sont les miens !).

En gros, ce qu'il me dit, c'est : « Premièrement JE T'AIME et je suis crissement content que tu ne sois pas morte — c'est vraiment tout ce que je demandais à la vie —, et deuxièmement, sacrament Maude, donne-toi une chance *for Christ' sake* — t'as le cancer cibole, pas la grippe — et arrête de t'imposer toute cette pression-là. Y a pas une fille qui m'a jamais fait triper autant que toi, pis *guess what*, ç'a même pas changé, ç'a pas changé PANTOUTE depuis 1995, enceinte pas enceinte, 25 ans ou 40, cancer pas cancer, perruque pas perruque, *tattoo* pas *tattoo*, silicone pas silicone, mamelons pas mamelons, habillée ou tout-nue, OSTIE JE CAPOTE SUR TOI, j'te trouve pétard pis t'es la femme de ma vie, *à vie*, pis ça, ça changera pas, pis c'est toutte, c'est simple de même. » <3

Qu'est-ce que ça te fait de voir des seins, genre dans une pub « Fermeté Buste Biotherm » d'un magazine français, mettons ?
Mal. Ça me fait mal. Pas tout le temps, mais souvent. La première fois que j'ai flipé une page du *Cosmopolitan* fr, j'ai pleuré (mais je suis quand même plus solide depuis).

On s'entend que moi vis-à-vis de moi, je suis OK ; quand je me regarde nue dans le miroir, mes seins, je les trouve ben corrects (compte tenu de tout ce que j'ai vécu, je veux dire). Donc moi par rapport à moi, ça va ; c'est moi vis-à-vis des autres qui ne va pas. Les femmes, c'est bien connu, on passe nos journées à se comparer. On aime ça se gratter la gale jusqu'à temps que ça saigne.

Avant, je trouvais ça beau, des seins. Mais là je me situe comme dans un *no man's land*. Des mamelons, j'en suis venue à trouver ça bizarre étant donné que moi je n'en ai pas et que je vois bien plus souvent des seins sans mamelons que des seins complets, parce qu'évidemment, je vois bien plus souvent mes seins à moi que ceux des autres filles. On dirait que mes yeux ne savent plus ce qui est la norme — des mamelons ou pas de mamelons ? C'est difficile à expliquer, j'ai pas l'impression de pouvoir vous faire comprendre par écrit ce qui se passe dans ma tête.

Je vous dis tout ça, tout ce drame-là que je vis, et en même temps, aussi *weird* que ça puisse sembler, je n'éprouve ni gêne ni complexe par rapport au fait que mes seins ne sont finalement que deux bosses de silicone sans mamelons. Je pourrais marcher torse nu sur Sainte-Catherine en plein centre-ville sans avoir aucun problème avec ça. De toute façon, c'est justement pas des seins que j'ai ; c'est juste deux bosses de silicone cachées sous ma peau. Je suis bien consciente que ça créerait un malaise (en dehors du fait qu'une femme se promène seins nus en public, lol) parce que mes seins, sans leurs mamelons, ne sont plus « comme des seins » et que ça me donne probablement un petit côté *freakshow* (surtout avec mes grosses cicatrices), mais moi, le *freakshow*, c'est fou, je ne le perçois pas. Je ne me sens pas dégueulasse, je ne me sens pas comme une bête de cirque. Premièrement c'est mon quotidien, je me vois tous les jours et j'y suis déjà parfaitement habituée ; et deuxièmement, j'imagine que le cancer m'a fait cadeau d'une capacité exceptionnelle à m'adapter — exceptionnelle et surtout rapide. Tant mieux, c'est dorénavant un atout de plus pour moi. Mais ça laisse quand même une drôle d'impression d'être toute mêlée de même.

As-tu des effets secondaires de ta première injection de T-DM1 ?
Oui. Mais en ce qui concerne l'humeur, eh bien je ne considère pas ça comme un effet secondaire. Je n'ai pas de sautes d'humeur, mais mon vague à l'âme pourrait être imputable au changement hormonal engendré par la ménopause, ou ça pourrait aussi être juste NORMAL parce que tsé, vivre tout ça, c'est quand même du stock… Mais ça pourrait également être la conséquence d'un changement de mode de vie. Tout le monde ici le sait, je pense : je suis née pour partager la vie des autres et je suis bien mieux quand je côtoie des gens et que je me sens utile socialement que quand je suis cloîtrée et inactive.

Sinon, à part l'humeur pas jojo, voici de façon objective mes effets secondaires :
- De gros maux de tête, mais faciles à contrôler avec un comprimé de Tylenol ou d'Advil ;
- Une perte d'appétit (mais ça je ne vais pas m'en plaindre ! Je suis à +14 livres, alors c'est correct d'avoir moins faim !). J'ai encore faim, je mange ; j'ai juste moins faim ;
- Des maux d'estomac. J'avais réduit ma dose d'antiacides à la fin de ma chimio ; je n'ai qu'à revenir à la dose initiale ;

- J'ai eu un mini mal de cœur une ou deux fois, mais ça pourrait être lié au point précédent ;
- Des douleurs au squelette de la main gauche et du bras gauche (on m'injecte à gauche, mais ça ne veut pas dire que ç'a rapport) ;
- Des engourdissements des orteils, mais passagers, et surtout à droite ;
- Une hypersensibilité passagère au niveau de la peau, surtout celle des seins (c'est déjà fini, et on est cinq jours post-injection) ;
- Une douleur exacerbée à l'intérieur des seins, c'est-à-dire que ça m'élance davantage et aussi plus fréquemment ;
- Moins de larmes (pas pour pleurer — ça je sais faire, malheureusement —, mais pour le port des verres de contact), et aussi moins de salive ;
- De la constipation (mais pas de pets par exemple, haha ;)).

Comment est administrée ta chimio ? Est-ce que c'est seulement intraveineux ou est-ce que tu as aussi des pilules à avaler ?
C'est seulement par intraveineuse, à raison de quelques heures une fois toutes les trois semaines.

Ce que j'avale à part, c'est :
- Du Tylenol ou de l'Advil au besoin, pour les céphalées ;
- Des laxatifs ;
- Des antiacides ;
- De la vitamine E, censée réduire les bouffées de chaleur (euh, sérieux là… ça marche pas fort) ;
- De l'Ativan une à deux heures avant mon injection (ça non plus ça marche pas fort) ;
- Du Nutricap, censé favoriser la pousse des cheveux (aucune idée si ça marche vraiment).

Voilà.

Par contre je sais que certaines chimiothérapies s'administrent par voie orale. Malheureusement je ne suis pas tombée sur l'une de celles-là. Mais encore là, je considère que j'ai eu de la chance, parce que certains traitements sont donnés par injection comme les deux chimios que j'ai reçues cet hiver et comme celle que je reçois présentement, mais à la différence que ce sont les patients qui doivent se piquer eux-mêmes (*eeeek!*). Pauvres eux autres ! Moi je ne serais jamais capable de faire ça, chapeau les copains cancéreux qui le font, vous avez toute mon admiration ! Mais si je ne me trompe pas, ces chimios-là se donnent par injection sous-cutanée plutôt que par intraveineuse. Astie, ça serait ben l'boutte !

Cum On Feel the Noize...[10]

Je vous laisse sur des photos prises samedi ; Chrystian et son *band* faisaient la première partie du show de Quiet Riot. Comme d'habitude, l'association « caméra iPhone et show live » n'a pas été concluante pour moi et je m'en excuse, mais c'est quand même mieux que rien.

Tiens, une anecdote aussi… Ils ont joué un *cover* pour moi et mon cancer, et ça m'a beaucoup touchée, en partie à cause des paroles : *Gimme the beat, boys, and free my soul / I wanna get lost in your rock'n'roll and drift away*[11]… Tsé, moi ça fait des mois que mon iPod me sert à m'évader, des mois et des mois que j'ai passés à vous écrire plein d'affaires des fois *high* et d'autres fois *down*, mais toujours-toujours soutenue à bout de bras par de la musique… Ça fait que oui les *boys*, c'est en plein ça, *you gave me the beat and freed my soul*. Merci… merci. <3

Maude

W.R.C.K. en première partie de Quiet Riot

10. Slade, *Cum On Feel the Noize*, 1973.

11. Mentor Williams, *Drift Away, Reunion*, 1972.

Chéri, c'est le meilleur guitariste du monde ;)

N° 65. L'importance de s'impliquer

23 juillet 2013

Salut tout le monde,

Je vous écris aujourd'hui un courriel différent de ceux que vous avez l'habitude de recevoir et qui s'adresse en particulier à mes *troopers* du Québec. Je vous propose d'assister à un gala-bénéfice[12] auquel j'apporterai moi aussi ma (maigre) contribution : j'ai donné une entrevue

12. Pour les besoins du livre, les détails de l'événement ont été retirés du texte.

vidéo pour expliquer à tous les donateurs l'aide que ma famille a reçue de cet organisme-là.

On s'entend que pour survivre au cancer, ça prend bien plus que des traitements ; ça prend trois repas par jour pour le patient et ses enfants, même si on ne peut pas toujours se les préparer ou se les payer, dans certains cas ; ça prend un moral qui tient la route, autant pour le malade que pour ses proches ; ça prend un minimum de forme physique et ça prend aussi un sérieux soutien psychologique. Tout ça, on peut le trouver dans différents organismes, mais il faut se rendre à l'évidence… Ces services-là ne peuvent tout simplement pas exister sans soutien financier — ils ne reçoivent pas un sou du gouvernement — ni sans aide concrète, et il faut bien que le *cash* **et** le temps viennent de quelqu'un quelque part, tsé…

Faque demandez-vous donc si vous ne seriez pas capables d'offrir un petit 2 h de bénévolat ou un gros chèque de 100 $ qui vous reviendra en impôts…

Eille… merci. ;)

Maude

N° 66. *Tell 'em I'm Coming and Hell's Comin' With Me*
30 juillet 2013

Devinez ce que j'ai fait aujourd'hui? J'ai envoyé des petits bouts de mes courriels de cancer à UNE MAISON D'ÉDITION ! :D Ostie qu'chuis fière de moi ! ! !

Vous souvenez-vous, l'hiver passé, il m'arrivait de danser en *sweatpants* et *hoodie*, musique

Ça y est, je l'ai fait !

au boutte, *headset* sur les oreilles, avec mon iPod dans la poche ventrale de mon chandail ? Eh bien aujourd'hui, pour fêter mon grand accomplissement, j'ai remis ça, mais vu que l'occasion était vraiment spéciale, j'ai ajouté quelque chose : J'AI DANSÉ DEHORS AMANCHÉE D'MÊME, hahaha ! Sérieux, je vous niaise même pas ! Voici ce que j'entendais (et que les voisins qui m'ont peut-être aperçue n'entendaient pas — *oh boy*, si y a quelqu'un qui m'a vue aller sans fond sonore, il a dû rire un bon coup, lol !)

On va se le dire, là : après presque un an de cancer, après des mois de réflexion sur la vie et après des semaines à me demander si vraiment je voulais envoyer tout ça à un éditeur, *I've come a long way.*

FAQ

Comment sont tes ongles ?

Ils ont été un peu abîmés par la chimio cet hiver, mais en gros la surface touchée a poussé pas mal et j'en serai bientôt débarrassée. Les ongles de mes doigts se sont dédoublés, mais dans tous les sens, pas juste horizontalement comme on a l'habitude de voir ; ils sont craquelés en lignes verticales, horizontales et obliques, et si je ne fais pas attention, tout ça se désagrège et ça risque de me faire mal.

Les ongles de mes orteils, eux, ne se dédoublent pas mais ont pris une coloration parfois noire, parfois blanche et opaque (qui pousse de plus en plus vers le haut de l'ongle alors tant mieux). Sur la photo vous aurez l'impression que mon ongle est long, mais non, c'est pas ça ; il est juste blanc, c'est sa nouvelle couleur (*anyway* j'haïs ça les ongles d'orteils longs, faque vous pouvez compter sur moi : mes ongles sont courts !). Désolée de vous envoyer des photos d'orteils, mais moi j'aurais voulu en voir quand je me demandais comment allaient devenir mes ongles, faque je les envoie — après tout, je fais ça pour aider des gens à s'informer, faque *go* pour les photos d'ongles d'orteils !

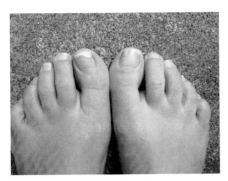 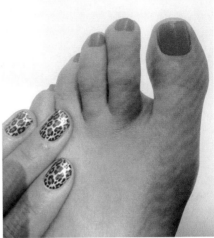

Les traces de la chimio sur mes ongles   Je cache tout ça avec un look
de *Barbie girl* grâce à Sue

Heureusement que Sue m'a offert un joli vernis ; ça me permet de cacher tout ça, en plus de prévenir d'autres dommages à cause de ma nouvelle chimio. Merci Sue ! <3

Comment tu te sens ?
Épuisée, mais ce soir je tenais à vous écrire parce que c'est une grande journée pour moi et que je voulais partager tout ça avec vous. :)

Bonne nuit !

Maude

N° 67. Pour Nina

5 août 2013

Je dis « Pour Nina », mais en fait c'est aussi pour vos enfants à vous, ceux qui ont de jeunes enfants de 4 à 8 ans environ. Un courriel pour Rémi et les enfants un peu plus vieux suivra dans les prochains jours. Ceux qui n'ont pas d'enfants voudront peut-être passer directement à la FAQ, je ne sais pas. Mais juste avant d'embarquer là-dedans, je veux vous dire comment je vais : pas très bien, malheureusement. :/

Ce qu'il y a, c'est que je considérais l'un de mes effets secondaires comme bénin et que je me suis peut-être trompée : le T-DM1 m'occasionne des brûlements d'estomac très intenses… Tsé, je veux dire, à première vue, y a pas mort d'homme ; c'est très inconfortable et ça me donne mal au cœur, mais en même temps, même si ça mine mon quotidien (c'est *24/7* et c'est vraiment, mais *vraiment* intense), je n'ai jamais pensé que ça pouvait être *grave*.

Vendredi, n'en pouvant plus d'endurer ces maux-là, j'ai décidé d'envoyer un courriel à l'hôpital en me disant naïvement qu'ils augmenteraient ma dose d'antiacides ou encore qu'ils remplaceraient ce médicament-là (Pantoloc) par un autre. Mon médecin relax est en vacances, alors normalement c'est quelqu'un d'autre qui devrait prendre la relève en son absence… mais là non, pas cette fois ; il s'en est occupé personnellement. Et vite à part ça, puisque mon téléphone a sonné deux secondes après l'envoi de mon courriel :

— *Good morning, I am calling from Gastroenterology. Dr. Relax has requested a gastroscopy for you, and we need to schedule you as soon as possible.*

Évidemment j'ai été surprise. Mais ma plus grosse réaction m'est venue en raccrochant : de la peur, de la vraie de vraie peur !
1. Coudonc, ça doit être grave finalement, vu la rapidité de la réaction et l'ampleur de l'examen prescrit ;
2. QUOI ? ! Ils vont me pousser une caméra DANS LA GORGE jusque DANS L'ESTOMAC ? ! HAN ? ! ! (Minute, là, ça se peut pas, ça doit être contre les Droits de l'homme cette affaire-là ? !)

Anyway ils m'ont bookée pour le 13 août à 13 h :

— *Don't eat anything after 8am* (inquiète-toi pas pour ça, madame ; avec la grosse boule que j'ai dans la gorge quand je pense au test, je risque de pas être capable d'avaler quoi que ce soit d'ici là *anyway*).

Et là je me suis mise à réfléchir : ma prochaine injection de T-DM1 est le 12 août, la veille de la gastroscopie (crisse de belle semaine…). Si cet effet-là du T-DM1 est réellement dangereux, est-ce que c'est pas risqué d'avoir une injection *avant* la gastroscopie ? Je veux dire, s'ils trouvent quelque chose de *bad*, il va être trop tard ; une injection, c'est pas comme des pilules, tu peux pas arrêter ça n'importe quand — c'est dans ton sang, il est trop tard pour juste dire « bon, on arrête la médication tout de suite » (la demi-vie de l'Herceptin, et donc possiblement du T-DM1, est de 21 jours ; ça veut dire qu'après l'injection, le médicament reste dans mon sang pendant 42 jours avant que mon corps ait réussi à le métaboliser complètement).

Comme d'habitude, monsieur Miyagi m'a sorti le meilleur conseil du monde : « Lundi, première heure, tu appelles ton médecin extraordinaire. Il va pouvoir te dire si ç'a de l'allure ou pas de faire ça dans cet ordre-là, pis en plus, il pourra soit repousser ton injection pour qu'on reçoive les résultats de la gastroscopie avant, soit faire devancer ta gastroscopie pour qu'elle ait lieu avant l'injection. » Pas fou ! OK, on fait comme ça !

Ce matin, donc, j'attrape le téléphone à la première heure pour appeler la secrétaire extraordinaire de mon médecin extraordinaire. Mais le problème, c'est que j'ai pas eu le temps de composer le numéro parce que le téléphone a sonné…

— *Good morning, this is the Gastroenterology Department. You are scheduled for a gastroscopy on August 13*, **but we would like you to make it for tomorrow instead**. *Same time. And don't eat anything after 8am.*

OH MY GOD OH MY GOD OH MY GOD OH MY GOD

Faque c'est ça : demain, je m'en vais faire un *remake* de *Deep Throat* pis avaler la caméra d'un technicien (ça valait-tu vraiment la peine de me forcer à pas vomir pendant ma chimio si c'est pour me faire lever le cœur par un tuyau de je sais pas combien de pieds qu'ils vont me rentrer par la bouche jusqu'au fond de l'estomac, viarge ?!). Ah oui pis jeudi j'ai un examen du cœur, aussi. Mais ça, pffff, y a rien là.

Bon, ben je vais prendre mon courage à deux mains pis je vais faire ma belle fille. Je vous raconterai comment ça s'est passé… Ça risque d'être un courriel haut en couleur (et en haut-le-cœur).

* * *

Quand on a annoncé mon cancer aux enfants, Nina avait 5 ans. C'est pas mal jeune pour entendre que ta maman va peut-être mourir, tsé.

Mais en même temps, à cet âge-là, on réalise plus ou moins les conséquences de cette nouvelle-là ; c'est à peine si on comprend la mort et son aspect permanent. À 5 ans, le mot « maladie », ça veut bien plus dire « vomi », « toux » ou « mal aux oreilles » que « mort », « fini » ou « capoute ». Sauf qu'à cet âge-là, on se fie énormément aux réactions des gens autour de nous pour ajuster notre propre réaction. Alors quand on n'a jamais vu papa, maman et notre grand frère pleurer tous les trois en même temps, et que là ça explose de partout tout d'un coup, quand on voit qu'ils partagent tous la même douleur avec la même intensité, ben là on se met à *badtriper* pas à peu près parce qu'on catche que ça va pas ben — ça va pas ben pantoute. On comprend en un quart de seconde qu'il se passe quelque chose de super ultra méga grave, quelque chose qui ne s'est jamais passé chez nous avant pis qui touche *toute la famille*. On a juste 5 ans mais on réalise que même notre petite vie d'enfant va être bouleversée pour de bon, sans pourtant qu'on sache exactement ce qui se passe de pas correct au juste.

Pour Nina, la façon d'échapper à cette angoisse-là a été de verser une larme — une seule — puis de se lever immédiatement et de prendre le premier jouet qui traînait à côté d'elle. C'était un ballon.

— Papa, viens ! Lance-moi le ballon ! Tu vas voir, je vais être super bonne pour l'attraper !

Alors ça peut paraître étrange, mais Chrystian et Nina se sont mis à se lancer le ballon dans la salle de séjour pendant que Rémi et moi, à deux pieds de là, partagions une douleur aiguë et pleurions comme des Madeleine en se serrant mutuellement dans les bras l'un de l'autre.

Plus tard elle n'a pas bronché non plus. On lui a expliqué tout ce qu'on a pu, et puis *that's it*, c'était assez, pour elle c'était réglé : elle avait désormais une maman qui avait le cancer et elle s'est composé un genre de carapace de blindé : « C'est ben beau, on passe à autre chose, mais non j'ai pas mal voyons donc, arrêtez de m'achaler avec vos histoires de moumounes, tu penses-tu vraiment que je vais me mettre à pleurer pour ça, je suis bien plus forte que ça. » Orgueilleuse, oui...

... Mais insensible, non.

Un mois plus tard, alors qu'on soupe en famille un soir de semaine et qu'on se raconte des détails du quotidien, elle interrompt tout le monde et là on réalise qu'en fait elle ne suivait pas du tout la conversation qui se déroulait à table, mais qu'elle était plutôt en pleine réflexion toute seule dans sa tête :

— *Rémi :* ... faque c'est ça, je trouve ça difficile de faire la différence entre l'imparfait et le conditionnel, mais ma prof dit que...

— *Nina :* Maman, est-ce que tu vas perdre tes cheveux à cause du cancer ?

— *Moi (qui avais encore mes cheveux longs à l'époque) :* Oui ma chérie, c'est exactement ça. Mais c'est pas le cancer qui fait ça par exemple ; c'est les traitements. Tous mes cheveux vont tomber, ma tête va devenir lisse-lisse-lisse.

Et POUF, elle a éclaté en sanglots sans prévenir. Je peux vous dire qu'on a été pas mal surpris... On ne l'attendait pas, celle-là.

Ç'a été la première fois (et l'une des très rares fois, en fait) où elle s'est montrée vulnérable à propos de mon cancer.

Ensuite j'ai fait ma chimio, elle m'a fait plein de cadeaux, etc. ; je passe vite là-dessus parce que ce que je vous raconte depuis le début du courriel d'aujourd'hui, vous le savez, j'en ai déjà parlé[13].

Et là on arrive au 25 juillet, il y a une semaine et demie :
On est encore à table, encore tous les quatre à discuter de tout et de rien, à se raconter notre journée. Je parle de la soirée-bénéfice qui s'en

13. Dans le tome 1.

155

vient. Et là bam, Nina se met à pleurer super fort, pis on voit bien que c'est pas du *fake*. Elle a mal pour vrai.

— *Moi*: Aujourd'hui j'ai parlé à la madame qui s'occupe des bénévoles pour le cancer ; ils organisent un gala-bénéfice, et pour l'occasion…

— *Nina, interrompant mon élan*: MOUAAAAA-AAAAaaaaaaaa (elle pleure).

— *Moi*: Ben voyons, Nina…? Qu'est-ce qui se passe? Est-ce que tu t'es fait mal, t'es-tu mordu la langue ou la joue en mangeant?

— *Nina*: Bouhouhou, dyjdrfaughjliè, bouhouhou (elle était incompréhensible entre ses sanglots).

— *Moi*: Attends, je n'arrive pas à bien comprendre ce que tu me dis. Viens dans mes bras, on se parlera après ; en attendant on va juste se faire un câlin, viens.

Elle quitte son assiette et vient s'asseoir sur moi. Je l'ai serrée jusqu'à ce qu'elle se calme :

— *Moi*: Est-ce que t'aurais envie de me répéter ce que je n'ai pas compris? Parce que moi j'aimerais beaucoup savoir ce que tu essayais de me dire tout à l'heure…

— *Nina, avec un mini filet de voix toujours entrecoupé de sanglots*: **On a eu des difficultés quand t'as eu le cancer** [sic], bouhouhou.

Ouf… Ouf, ouf, ouf… J'ai eu le cœur serré pas à peu près. J'ai répondu par des questions :

— *Moi*: Tu as eu des difficultés avec mon cancer, hein? Ben moi aussi, ma chérie. Pis t'as eu raison d'avoir des difficultés, parce que c'était vraiment pas facile… Nina, est-ce que tu as eu peur que je meure? Parce que tu sais, moi, j'ai *vraiment* eu peur de mourir. Alors peut-être que ça se peut que t'aies eu peur toi aussi…?

Elle a fait oui de la tête, on s'est collées encore plus et on a pleuré ensemble. Ensuite on en a parlé tous les quatre pour faire sortir le méchant jusqu'au bout. Et puis :

— *Nina*: Moi je le sais pourquoi t'as eu peur de mourir : parce que si t'es morte, tu peux pas voir comment je suis en adulte [sic].

Ce que je vous raconte là, ça s'est passé exactement 11 mois après l'annonce de ma maladie, à un moment où j'ai retrouvé un aspect normal (mes cheveux ont poussé) et où tout le monde, y compris moi-même, me perçoit comme hors de danger de mort. Comme quoi ça rumine en masse dans la tête de nos enfants, et que ça peut parfois prendre bien du temps avant de sortir. Et ça veut aussi dire que l'année qui a passé, eh bien elle l'a vécue avec plein d'angoisses qu'elle a tenues secrètes, et ça l'a certainement empêchée de vivre une vie normale d'enfant de 5-6 ans : l'école, les copains, etc. Plein de fois elle a été inquiète de me perdre pour toute la vie, plein de fois elle a été triste ou a vécu des frustrations parce que je n'étais pas disponible pour elle ; comment ça que ma mère, elle est toujours couchée au lieu de jouer avec moi et de m'aider à faire mes devoirs ? Comment ça qu'on mange pus de bonbons ensemble ? Comment ça qu'on peut pas aller au théâtre ensemble ?

Entre-temps, il y a eu quelques questions impromptues, genre :
— *Nina, sur le bord de la piscine :* Regarde-moi, maman ! Je vais sauter en piquet dans l'eau !
— *Moi :* Oui, OK, vas-y, je te regarde !
[Plouf]
— *Nina :* Pis, mon piquet ? Je suis bonne, han ? Je suis restée droite-doite !
— *Moi :* Oui, mets-en que t'étais droite, c'était parfait, un gros 10 sur 10 !
— *Nina :* Est-ce que t'as encore des chances de mourir avec ton cancer [sic] ?

Bref, en plus d'être pas mal concentrés sur nos problèmes d'adultes et nos propres inquiétudes face à la maladie, aux traitements et à la mort, eh bien il faut garder une oreille très attentive pour pouvoir relever chaque indice dans le comportement ou le discours de nos enfants (ici j'ai énuméré des choses très évidentes, mais il arrive que ça soit beaucoup plus subtil). Le cancer, c'est pas une raison pour foxer ou botcher sa job de parent (même si on file pas pantoute à ce moment-là). C'est très important ce que je vous dis là, et je le dis même si c'est une évidence.

L'autre jour j'ai entendu une vieille toune dans mon iPod. Une chanson d'amour qui m'a fait verser une larme parce qu'en fait, ce que j'y ai entendu, c'est le cri d'amour de Nina pour sa maman. Je mets le lien pour ceux qui filent fleur bleue aujourd'hui et pour ceux qui ont des enfants, mais attention de ne pas vous laisser distraire par le visuel — je vous avertis, c'est pas facile parce que c'est vachement rétro et que ça fait même un peu rire, ce qui n'est évidemment pas mon but dans un courriel comme celui-ci.

 Voici donc la chanson que j'écoute en pensant à ma fille, parce que j'ai compris son message : elle veut sa maman *pour toute la vie* ; pas juste pour aujourd'hui et demain (en passant, Nina, moi aussi je te veux pour toute la vie… et c'est en plein pour ça que je fais tout ce que je peux pour survivre au cancer — c'est pour rester avec toi).

Et voici ce que moi j'entends à travers ces paroles-là et à travers mon propre reflet dans les yeux de ma fille : j'entends la responsabilité d'être parent pour toute sa vie à elle, peu importe ce qu'il se passe dans la mienne.

« Reste là pour toujours, va-t'en pas tout de suite… va-t'en *jamais* / avec toi je sens que je peux être moi-même et je me l'autorise rarement avec d'autres, alors si tu pars… / protège-moi, rassure-moi… dis-moi que tu ne vas pas mourir pour de vrai / emmène mes dessins dans ton sac de chimio, comme ça je serai avec toi même à l'hôpital / prends-moi dans tes bras maman, j'ai besoin de te dire ce qui se passe en dedans pis je trouve ça difficile / dis-moi ce que tu penses de ce que je suis, de ce que je vais devenir, je veux me voir à travers tes yeux / ton point de vue est important pour moi et je m'en sers pour former ma personnalité / ça me fait du bien quand tu comprends pourquoi j'ai mal et de quoi j'ai peur / dis-moi que pour toi je suis ce qui compte le plus au monde / je veux sentir que je peux me blottir dans tes bras n'importe quand, mais si tu meurs je ne pourrai plus jamais le faire… Serre-moi fort pour me faire sentir la vie courir dans ton corps / j'haïs ça me montrer faible… mais j'ai besoin de sentir que je peux le faire en cachette dans tes bras / Reste avec moi jusqu'à la fin du monde — je sais que papa est en santé, mais je vous veux *tous les deux* à mon chevet, et de savoir que je pourrais perdre l'un ou l'autre me fout la chienne ; sur qui vais-je compter, sinon ? Qu'est-ce je pourrais donner, et à qui, en échange de la garantie que vous allez rester là **tous les deux** et **pour toujours**? Je me sens minuscule et complètement impuissante parce que je n'ai aucun contrôle sur le moment de votre mort, et ça me terrifie.»

Nina, je t'aime. Ta force m'épate tout autant que ta fragilité m'attendrit. J'espère que tout au long de ta vie tu sauras choisir sur ta route des gens qui pourront comprendre la complexité de l'être éclatant que tu es, mais j'espère aussi qu'un jour tu sauras reconnaître qu'être triste n'est pas être faible; la vulnérabilité est un sentiment que tous éprouvent tôt ou tard, et que bien peu savent pourtant assumer. Que ta vie soit longue et belle, ma chérie.

Maude

Quelques jours après ma chirurgie, alors que j'étais coincée sur le dos, Nina a décidé de venir faire ses devoirs de lecture à côté de moi dans le lit pour qu'on puisse quand même passer du temps ensemble. Quand Chrystian est monté dans la chambre, il nous a trouvées main dans la main, endormies <3

Oh well, je ne peux pas la renier, celle-là ;
elle va être une vraie cow-girl…

… Et une cow-girl *tough*, à part ça !

La semaine dernière, à un camp de jour artistique, Nina a présenté une pièce de théâtre... J'ai l'impression que le fait d'explorer la danse, le jeu d'acteurs et l'expression de soi en général l'a beaucoup aidée à mettre des mots sur ce qu'elle ressentait et à cracher enfin le morceau à propos de ma maladie et de ses peurs.

FAQ

Est-ce qu'ils vont te geler avant de pousser la caméra dans ta gorge pour faire la gastroscopie ?

Crisse oui, sinon, j'me présente même pas ! Au téléphone, la fille m'a dit qu'ils allaient me donner du Versed, un médicament super le fun. Ça n'empêche pas d'avoir peur, ni d'avoir mal ou de sentir la caméra passer, mais ça fait en sorte qu'après coup, tu ne te souviens plus de rien et tu trouves ça ben ben drôle, leur histoire de caméra. Donc sur le coup tu te rends plus ou moins compte de ce qui se passe, mais après, t'as juste quelques flashs du plafond pis tu ris tout le temps (tout en faisant rire les autres, parce que t'es pas mal *high*).

Pourquoi t'as choisi ce titre-là pour ton livre (*Ah shit, j'ai pogné le cancer*) ?

Pour trois raisons :

- Je voulais un titre un peu rentre-dedans pour donner une idée de la teneur de mes textes. Je ne veux pas choquer les gens qui le liront, alors en affichant tout de suite mes couleurs, je suis sûre de ne m'adresser qu'aux gens que je ne choquerai pas. Par ailleurs, je pense que ça montre aussi que je ne fais pas partie des patients plus âgés, alors ça laisse entrevoir des préoccupations différentes de celles que peuvent avoir les cancéreux plus vieux que moi.

- Je voulais un titre franglais (d'où le mot « shit ») pour que les gens s'attendent à lire du joual franglais, toujours dans le but de ne pas choquer.

- Je voulais un titre qui annonçait que ce livre-là ne décrivait pas un cheminement de croissance personnelle à travers la maladie mais plutôt qu'il était concret tout en abordant le côté émotif de l'affaire (et pas juste le côté médical). Je ne voulais rien savoir d'un titre qui fasse référence à la détermination, au courage, à la sagesse ou à « comment le cancer a changé ma vie »; tout ça, on l'a déjà vu, et d'autres le font mille fois mieux que moi. Tsé, il fallait que ça me ressemble (et je pense que ça y est).

À combien de maisons d'édition as-tu envoyé les extraits de tes courriels?
Deux, grâce à des références de *troopers* que je ne nommerai pas. ;)

Par contre je vais nommer mon ami Éric, parce que c'est grâce à lui si j'ai persévéré dans ce projet-là, alors je lui dois un câlisse de gros **MERCI** de m'avoir poussée à croire que c'était pas juste un projet fou, mais un projet réalisable.

Ça se pourrait que j'envoie tout ça à un troisième éditeur dans les jours qui suivent, je vous tiendrai au courant!

**Pourquoi tu n'envoies pas tout simplement ton projet
à tous les éditeurs en même temps?**
Parce que je crains qu'ils ne le regardent même pas. Mon histoire tombe dans la catégorie « Témoignages », et j'ai l'impression très nette que les maisons d'édition doivent recevoir des milliers de manuscrits par année... J'imagine que tout le monde trouve sa propre expérience inté-ressante et digne de publication (exactement comme moi d'ailleurs! Je ne suis pas mieux que les autres, mouahaha!); j'imagine que les éditeurs, en recevant mes affaires, pourraient facilement se dire « Bon, encore une histoire de cancer et de « Comment le cancer a changé ma vie », pffff... Enwèye, dans le bac à recyclage! » C'est pourquoi je préfère m'adresser à des gens avec qui j'ai une relation quelconque,

un contact, même flou. Je ne dis pas que ça me donne plus de chances d'être publiée; mais en tout cas ça me donne probablement plus de chances d'être lue et de ne pas finir au fond du bac avec la circulaire de Jean Coutu dans les 15 premières secondes, et ça, ben c'est déjà un début.

Je suis consciente, par contre, que ça prend une sacrée paire de couilles pour accepter un projet comme le mien; langage vulgaire, bitchage, franglais, photos (ça coûte plus cher à imprimer), un million de pages… Je ne suis pas naïve, je sais bien que ça peut en rebuter plus d'un. Mais tsé, *take it or leave it*, moi je ne vais pas changer le ton ou la teneur de mes courriels pour autant. J'ai un message à faire passer — tant pis si personne est *game* d'embarquer, je vais bien finir par me trouver une tribune quelque part!

Nᵒ 68. Pour Rémi

7 août 2013

Avant de vous parler de la réaction de mon fils et de ce que le cancer a signifié pour lui, je… vais me mettre les tripes sur la table et vous raconter ma gastroscopie. Les moumounes, allez directement lire en bas des astérisques, ou encore passez tout de suite à la FAQ si jamais vous êtes moumoune de cœur en plus d'être moumoune de corps. ;)

Oh boy.

J'ai pas tripé.

Premièrement, j'ai pas beaucoup aimé l'accueil dans ce département-là. Plusieurs ont eu une attitude cavalière et je ne m'attendais pas à ça étant donné que j'ai visité à peu près tout mon hôpital en près d'un an (OK, pas l'Obstétrique, mais c'est à peu près le seul service auquel je n'ai pas eu affaire jusqu'ici, haha!) et que je n'ai vécu ça nulle part depuis que j'ai commencé mes traitements là-bas (j'exclus Ken et Barbie puisqu'ils ne sont pas médecins).

Deuxièmement, c'est dégueulasse c't'estie d'test-là.

OK, on y va :

Chéri et moi sommes arrivés à 12 h 50 (j'avais rendez-vous à 13 h). Quand ils m'ont appelée, je n'étais pas seule : ils ont appelé trois patientes en même temps. Ils ont donné une jaquette à chacune de nous et nous ont demandé de nous asseoir dans un mini corridor où il n'y avait que quatre chaises, dont une qui était déjà occupée par une patiente. On se change, on vient s'asseoir en rang serré.

Pis on attend.

Entre-temps, les portes des salles d'examen demeurent toutes ouvertes, et on entend des patients lâcher un cri de temps en temps pendant qu'ils subissent une colonoscopie derrière le rideau qui voile la porte d'entrée de la pièce où ils se font examiner l'intérieur.

Pas ben-ben rassurant, tsé.

À un moment, y a une petite dame clairement désorientée qui arrive escortée d'une réceptionniste. La réceptionniste l'aide à s'installer dans la petite pièce où on se change, puis repart. Par mégarde, la petite dame s'embarre toute seule dans son garde-robe. :s Elle a eu pas mal de difficulté à sortir de là, et quand elle a enfin réussi, elle a constaté qu'il n'y avait pas de place pour elle puisque toutes les chaises étaient occupées. Elle a dit :

— *Where is my husband? Have you seen my husband? Could someone please get my husband so he can wait for me while I'm in the procedure room…?*

Pas de danger que personne ne lui réponde, hein ; tout le monde fixe le plancher en faisant semblant d'être ben occupé dans sa tête. Moi je n'allais pas la laisser comme ça, pauvre madame :

— *You would like to see your husband? Oh, I doubt that he would be allowed in here, I'm sorry… Only patients or nurses go through that door.*

Et elle a commencé à s'inquiéter :

— *Who is going to help me afterwards, then?*

Alors j'ai parlé un peu avec elle et je lui ai cédé ma place — tout le monde faisait semblant de ne pas l'entendre ou la voir, et même la patiente plus jeune que moi n'avait pas levé le petit doigt ni fait mine de vouloir la laisser s'asseoir.

Bref, j'ai dû attendre debout pendant une bonne heure et demie, avec juste mon angoisse et mes chaleurs pour me tenir occupée. Ah oui, j'oubliais : avec aussi les cris des patients en salle d'examen ! Donc des cris de colonoscopie, de l'angoisse et des chaleurs, mais pas de vieux magazines passés date, pas de télé ni rien, *sweet fuck all*. J'ai faibli plusieurs fois, et plus ça allait, plus j'angoissais — non seulement pour l'examen lui-même, mais également parce que cette semaine, Rémi et Nina fréquentent un camp de jour équestre à un peu plus d'une heure de l'hôpital (une heure, c'est quand il n'y a pas de trafic). Là je commençais à me dire : « Mon Dieu, on sera jamais capables d'aller les chercher à temps si on sort d'ici à 17 h… » J'ai fini par aller voir une infirmière :

— Pardon, pourriez-vous me donner une idée du temps d'attente ? C'est que mes enfants sont dans un camp de jour loin d'ici et je commence à me demander comment on va faire pour aller les chercher ; il est déjà 14 h 30 et personne ne m'a appelée — personne ne m'a même *parlé* encore…

— Vous êtes avec quel médecin ?

— Ben je le sais pas, même que je ne m'attendais pas à voir un médecin, vous me l'apprenez ; je pensais que c'était un technicien qui faisait l'examen.

— Hhhhhhhh. Attendez, je vais chercher votre dossier.

[…]

— Bon, ça va prendre au moins 1 h encore avant qu'on vous appelle, et après il y aura au moins une demi-heure d'attente, puis il faut compter 2 h pour l'examen et le temps de récupération.

— Ben ça marchera pas d'abord. Je peux pas rester ici jusqu'à 18 h, c'est impossible, je ne peux pas laisser mes enfants là-bas jusqu'à 19 h 30, le camp va fermer… On fait quoi, on remet le rendez-vous ?

— Ben là ! Vous aviez juste à arriver plus tôt ! Pis à part ça, vous auriez dû dire à la réceptionniste de vous faire passer en premier !

— Han ? On peut demander ça ? Je savais pas… Moi, j'avais rendez-vous à 13 h, faque dans ma tête, c'est à 13 h que ça se passe pis un point c'est tout.

— Ben franchement, madame ! *Tout le monde ici* a rendez-vous à 13 h, qu'est-ce que vous pensez ?!

— Ben euh, je le sais pas ce que je pense… En fait oui, je le sais ce que je pense : je pense que j'avais rendez-vous à 13 h pis que c'est pour ça que je me suis présentée à 13 h…

— Ben ceux qui sont arrivés à 12 h ou à 12 h 30 sont passés en premier, voyons donc ! On appelle tout le monde pour 13 h, pis après ça, c'est premier arrivé, premier servi !

— Ah. Ben c'est super, ça. Bonne idée, bonne idée. Ça fait que si jamais j'ai à subir une deuxième gastroscopie *(please, no!)*, à l'avenir je saurai qu'il faut que je me présente à 9 h le matin pour mon rendez-vous de 13 h l'après-midi, sauf que là, concrètement, je fais quoi pour mes enfants ?

— Bon, vu que vous n'avez rien dit à personne et que là on est mal pris, ben on va vous faire l'examen sans sédation, c'est ça qu'on va faire, ça va raccourcir le temps de récupération.

— *HEY WAIT!* NON ! Je serai jamais capable !

— Ben oui vous allez être capable, c'est pas long *anyway*. C'est juste le temps de récupération qui est long.

— J'M'EN SACRE SI C'EST PAS LONG ! Y a personne qui va me faire ça sans sédation, *no way!*

— Ben y a pas d'autre solution, madame.

— OUI y a une autre solution : monsieur Miyagi ! Attendez-moi, je reviens dans une minute.

— Mais là vous pouvez pas sortir d'ici comme ça, madame !

Sauf que j'étais déjà sortie.

Comme d'habitude, monsieur Miyagi a été à la hauteur :

— Es-tu correcte pour m'attendre ici toute seule ? Parce que si tu te sens capable de m'attendre toute seule même longtemps après ton examen, moi je vais aller chercher les enfants tout de suite ; ils vont juste manquer la dernière heure de leur journée d'équitation, c'est pas la fin du monde. Je vais revenir te chercher avec les enfants après, mais seulement à condition que tu sois correcte avec ça. J'en ai pour deux ou trois heures avec le trafic. Es-tu à l'aise avec ça?

Alors on a fait comme ça. Chéri est parti, mais ça ne changeait pas grand-chose pour moi étant donné qu'on n'aurait pas été ensemble de toute façon; y a juste moi qui avais le droit d'entendre les patients crier derrière le rideau, pas lui.

Je suis retournée attendre avec ma super ambiance sonore, mais cette fois j'avais des magazines (j'ai repris le sac que j'avais laissé à Chrystian quand ils m'avaient appelée, mais je n'avais pas apporté mon iPod de la maison parce qu'on ne peut pas le porter dans la salle d'examen *anyway*. J'aurais donc dû, câlisse!).

Et là, une infirmière est arrivée et a commencé à piocher dans les dossiers en parlant à haute voix:

— *All right*, j'me tape quoi, là? Un côlon ou un estomac? Hmmmm, avec quoi je vais finir ma journée, voyons voir… Colono… Gastro…. Je file pour faire quoi, moi là…? Ah, enwèye donc, on va prendre un côlon… OK, faque laquelle je choisis… Elle… Ou elle… Hmmmm… C'est juste des filles… Euh… *AH! This one! It's this one that I want. Mrs. SoAndSo, follow me please!*

Sacrament! Je ne pense pas me tromper ben gros si je vous dis que tout le monde dans le corridor d'attente s'est senti comme une petite merde. Et la pauvre Mrs. SoAndSo est partie la queue entre les jambes et le regard *scotché* au plancher pendant que tous les autres se sont dit: « *Eeesh*, la pauvre… colonoscopie… elle s'en va crier comme les autres… » :(

Après il s'est passé d'autres affaires pas le fun (je passe vite; faut bien qu'on en arrive à *Deep Throat* un moment donné), et finalement un infirmier auxiliaire super cool m'a appelée et m'a demandé de m'allonger sur la civière, ce que j'ai fait. Quand j'ai été installée, fouille-moi pourquoi, mais il m'a regardée droit dans les yeux. J'en ai profité pour lui parler, juste trois petits mots:
— J'ai peur.

Il a été super gentil et a fait rouler ma civière en chantant « *I don't like reggae, I love it*[14] », et ça m'a fait du bien, puisque depuis que j'étais arrivée là-bas, c'était ma première interaction agréable et civilisée.

Là, enfin, ça s'est mis à mieux aller parce que le médecin était vachement sympathique. Jeune, drôle, du type nerveux/volubile/hyperactif sur les bords, il faisait des jokes sans arrêt. Mais bon, ça n'allait pas siiiiiiiii bien que ça non plus, faut pas se leurrer hein ; premièrement, il avait beau être gentil, il allait quand même me pousser sa caméra dans la gorge, et deuxièmement, l'infirmière dans la salle d'examen, ben c'était celle qui fouillait dans les dossiers en nommant à haute voix les noms des patients pendant qu'elle cherchait « un côlon » parmi les dossiers. Dr Speedy m'a posé une série de questions sur mes symptômes, l'infirmière a capoté quand elle a su pour ma phobie, et finalement on m'a dit « Fais AAAAAHHH » en m'envoyant plein de pouche-pouche dans la bouche pour me geler la gorge. Après ça, on est passés à l'injection. Mais l'infirmière n'a pas pu la faire toute seule parce que ma phobie la rendait trop nerveuse, alors c'est Speedy qui m'a injectée. Et moi je me disais : « C'est bon, Maude, ils n'injectent pas beaucoup de liquide, juste quelques millilitres. Tiens le coup, *anyway* dans 2 secondes tu décolles pis t'es même pus ici avec eux autres. »

Oh la naïve !

C'est à peine si j'ai été un peu plus molle que d'habitude. Pas d'hilarité, pas d'incohérence, pas de désorientation. Juste un cerveau pas mal alerte pour un gars sur le Versed, un cerveau qui implorait « Aaaaaaaaaaaaaargh ! Pas une caméra dans l'fond d'la gorge ! Sacre ton camp, Maude ! Pousse-toi ! On s'en va d'icitte pis ça presse ! » :/ Par après (en salle de « réveil » même si j'étais pas vraiment *frostée*), l'infirmière m'a dit : « Ben je t'ai quand même donné 3 mg, mais peut-être que t'étais trop sur l'adrénaline pour que ça te gèle. » Ouan, OK, ben justement ; à l'avenir, donnez donc plus de drogue à vos patients ! Je dois pas être la seule à être sur le gros nerf pis l'adrénaline, calvaire !

---

14. 10cc, *Dreadlock Holiday, Bloody Tourists*, 1978.

(Pis tant qu'à faire un petit effort pour vos patients, fermez donc les portes de leur salle d'examen, HAN?!)

Speedy m'a demandé de tourner la tête vers lui (donc j'étais couchée, la tête du lit était un peu surélevée et j'avais la tête tournée vers la gauche), d'ouvrir la bouche, puis il y a installé une patente en plastique vert gazon pour ne pas que je puisse la fermer (c'est bien connu : j'ai toujours eu du mal à me la fermer ;)). Cette affaire-là était assez élémentaire et comportait plusieurs trous, avec un orifice circulaire en plein milieu (pour passer le tube de la caméra). Heureusement, mon gastro-entérologue porte bien son nom (sérieux son nom c'est pas Speedy, évidemment, mais quand même, son vrai nom fitte avec sa personnalité, c'en est surprenant) : ça n'a pas pris un quart de seconde qu'il m'installait déjà le tube. *Ugh.* Et ça n'en finissait plus d'entrer toujours plus creux — j'ai eu deux *gag reflexes*, dont un assez violent mais, à ma grande surprise, deux choses horribles n'ont pas eu lieu :
1. Je n'ai pas vomi
2. Je n'ai pas senti le tube plus creux que la gorge

Une seule fois j'ai eu mal (d'ailleurs j'ai encore mal), c'est quand il a forcé un peu sur le tube. Ça m'a fait comme si le tube était resté coincé au lieu de descendre, et qu'il s'était cambré dans le fond de ma gorge vu que ça bloquait ailleurs. Eurk.

Après mettons 10 minutes, je sais pas, il a enfin retiré sa *hose*, a rempli des papiers et me les a tendus en me disant :
— Ton estomac est normal, mais je pense que les nerfs qui l'entourent occasionnent de la douleur ; ils sont probablement abîmés par la chimio. Tiens, voici une requête d'échographie, on prendra pas de chance. Et parlant de pas prendre de chance, je t'ai aussi fait une biopsie tantôt, tsé tant qu'à être là (ah bon ? T'as ben faitte en estie de pas m'en parler avant ! Oui c'est vrai que c'était écrit dans le consentement que j'ai signé, mais tsé j'ai naïvement pensé que ça ne concernait pas mon cas à moi... *Anyway* je le répète : t'as bien fait de ne pas m'avertir parce que je serais partie en courant, tu connais bien ta job, *buddy*! ;)). Je change ton Pantoloc pour du Dexilant pis du Sulcrate quatre fois par jour. Pis viens me revoir dans deux mois.

— Euh… ben moi je vais revenir te voir seulement si tu me promets de garder tes mains dans tes poches ! Parce que sérieux, c'était pas cool pantoute ton affaire !

Ça fait que voilà, c'est à ça que ressemblent une gastroscopie et une biopsie de l'estomac. Après tu peux manger normalement, mais tu dois attendre 45 minutes pour éviter de te brûler ou de t'étouffer parce que ton palais et ta gorge sont gelés. Le soir, tu sens juste un petit quelque chose dans la gorge ; mais le lendemain matin tu n'as plus de voix et tu te sens comme si tu avais un bâton tout au fond de la gorge, c'est inconfortable. Ah oui pis tu tousses un peu aussi, parce que ça fait remonter des sécrétions dans l'œsophage.

C'est dégueulasse, hein ? Pis pas juste ça : c'est traumatisant, aussi.

Depuis le début de mon cancer, vous êtes nombreux à m'avoir dit que j'étais brave, courageuse, que j'avais du *guts*. Avec ce qui s'est passé hier dans cette salle-là, je me dis que vous aviez peut-être raison, finalement : *it seems like I DO HAVE SOME GUTS AFTER ALL, lol*. Pis j'espère bien que c'est la dernière fois qu'on venait fouiller dedans.

* * *

Rémi vient d'avoir 10 ans.

Si vos enfants ont entre 9 et 12 ans, j'imagine qu'ils pourraient peut-être vivre le cancer de la même façon que lui.

Donc Rémi, lui, venait tout juste d'avoir 9 ans au moment de l'annonce de ma maladie. Il comprenait très bien ce qu'était la mort, même si jusqu'ici ça ne signifiait pas grand-chose pour lui étant donné qu'il nous percevait comme la plupart des enfants perçoivent leurs parents : invincibles et immortels. Mais là pouf, toutes ses certitudes se sont envolées en une seule petite minute qui a fait basculer sa vie parce que Rémi, tout ce qu'il connaissait du cancer, eh bien il l'avait appris à travers l'expérience de Renatan, sa camarade de classe qui a vu mourir sa mère d'un cancer du sein l'an dernier. Et je rappelle qu'en plus, il a eu à dealer avec le spectre de l'intimidation quand il a vu un enfant traumatiser la petite Renatan ; il a certainement eu peur de faire rire de lui ou de se faire écœurer parce que «ark, ta mère a le cancer», en fait il a évoqué cette peur-là quelques fois.

Pas besoin de vous dire que quand il m'a entendue prononcer «cancer» pour la première fois, il a entendu «je vais mourir demain matin»; le choc a été terrible pour lui, et il l'a pleinement vécu tout de suite plutôt que de le vivre à retardement comme sa sœur. Il s'est pris la tête à deux mains en criant «OH NOOOOOON» et s'est mis à pleurer et à trembler. Il était complètement effrayé (et nous aussi, mais bon fallait pas trop que ça paraisse non plus, étant donné que les enfants ajustent souvent leurs réactions par rapport à celles de leurs parents — «si maman et papa paniquent, alors c'est qu'il faut paniquer et j'ai toutes les raisons du monde de paniquer»).

Il a posé plein de questions, auxquelles on a toutes répondu au meilleur de nos connaissances:
— Vas-tu mourir?
— T'as le cancer de quoi, au juste?
— Ben tes seins, ils ont juste à les enlever pis tu vas être guérie, non?
— Qu'est-ce qu'ils vont faire pour te soigner?
— Tu vas être malade combien de temps?
Et plein d'autres questions aussi, toutes les mêmes questions que vous m'avez posées, au fond. Sa réaction n'était pas très loin de celle d'un adulte, en fait.

Quand l'atmosphère est redevenue plus calme, on a demandé aux enfants ce qu'ils voulaient faire cette journée-là. On leur a dit: «N'importe quoi, go, pitchez-nous vos idées; qu'est-ce qui vous tente? Voulez-vous aller au cinéma, voir des amis, aller au resto, jouer à un jeu de société, juste rester collés avec nous? Qu'est-ce qui vous ferait le plus de bien en ce moment?» Rémi et Nina ont tout de suite dit qu'ils voulaient inviter des amis à se baigner, ce qu'on a fait. Ça leur a permis de sortir du trou noir pour respirer un peu, et aussi de dépenser le trop-plein d'énergie amené par la mauvaise nouvelle.
Pas très longtemps après, j'ai commencé ma chimiothérapie. Et Rémi, contrairement à Nina, a rapidement été très, TRÈS conscient de la lourdeur de mes traitements. Il était désemparé, il voulait m'aider…

Rémi vit la fièvre des séries avec son papa

Mon joueur étoile

et il a réussi à le faire. Plein de fois, même. :) Il a eu besoin de se sentir utile et a posé plusieurs gestes concrets pour faire plus de choses dans la maison. Pour vous donner un exemple, voici la note manuscrite que j'ai trouvée sur un petit bout de papier déchiré, un matin, près de la cafetière à mon réveil (je laisse les petites fautes parce que c'est encore plus *cute*) :

« Recto-verso

Surprise ! j'ai fais les « lunchs » j'ai mi des cerises il ne vous reste qu'à faire le dîner et les bouteilles, (les bouteilles : je ne savais pas si il fallait les remplir tout de suite)

Rémi »

(Eh non, les enfants ne faisaient pas leur lunch eux-mêmes avant cette journée-là.)

Rémi a aussi été très à l'écoute et m'observait beaucoup. Dès qu'il me sentait fatiguée, il parlait moins fort, demandait à sa sœur de faire moins de bruit dans ses jeux, et il me caressait le dos ou m'apportait des couvertures pour me réchauffer. Il a été formidable, et chacune de ses petites attentions était spectaculaire pour moi ; il m'a dessiné des BD pour me changer les idées, m'a offert patience et écoute plus d'une fois au moment du coucher, etc. Bref il s'est toujours montré très compréhensif et j'ai souvent eu l'impression de discuter avec un ami plus qu'avec mon enfant. Il a tout fait pour ne pas être un poids supplémentaire, c'était vraiment très attendrissant. Jamais il n'a semblé accablé, jamais il ne s'est découragé — pour lui c'était évident que j'allais vivre ; il savait qu'on lui donnait systématiquement l'heure juste sur mon état de santé et n'a jamais douté de ce qu'on lui disait. Il s'impliquait, s'informait, posait des questions et proposait des solutions. Et il a été très heureux de savoir enfin qui s'occupait de moi quand on lui a présenté mon médecin extraordinaire.

Je vais vous montrer des exemples des dessins qu'il m'a offerts ; c'est ben trop *cute* pour que je garde ça pour moi…

En gros, une fois le choc de l'annonce passé, Rémi est toujours resté en modes « action » et « solution ». Il a calqué son attitude sur la nôtre et n'a jamais cessé de se demander « OK, qu'est-ce qu'on fait pour se

Au printemps, Rémi m'avait dessiné des BD de son cru (notez qu'à l'époque, j'avais très mal aux dents et aux mains à cause de la chimio). <3

Franchement, avec des messages encourageants comme ça, comment est-ce qu'on pourrait perdre le moral ?!

sortir de là ? » plutôt que de cultiver les « Et si jamais ça ne fonctionnait pas ? ». Faut dire que c'était sûrement plus facile pour nous que pour plein d'autres, étant donné l'optimisme de mes médecins quant à mon pronostic.

Anyway le temps a passé… jusqu'au *breakdown* de Nina à la fin du mois de juillet. Je ne sais toujours pas si c'est parce que sa sœur a craqué ou si c'est simplement le temps qui a fait son œuvre, mais en tout cas Rémi a cheminé pour en arriver à un constat terrible : *si ma mère peut mourir… **ça veut dire que je pourrais mourir moi aussi**.* En réalisant que je n'étais pas immortelle, il a réalisé qu'en fait personne ne l'est, pas même lui. Méchant *reality check*, ça l'a frappé en pleine face.

Il s'est mis à craindre un paquet de choses tour à tour : un soir ce sont les crashs d'avion, et le lendemain, les voyages en bateau ; rien n'y échappe, et son plus récent *badtrip* est à propos des « voleurs d'enfants » (notre terme à la maison pour désigner les pédophiles et les réseaux de vente d'enfants ; c'est la meilleure image qu'on avait trouvée à l'époque où nos enfants semblaient bien jeunes pour comprendre le phénomène mais qu'il fallait pourtant les mettre en garde). Bref, ces temps-ci mon grand Rémi est figé par la peur et pétrifié par les « s'il fallait qu'un jour ». C'est sûr qu'au départ c'est dans sa nature ; il est prudent, plutôt casanier… carrément allergique au risque, pour tout vous dire. Donc c'est vite fait pour lui d'en arriver à « la vie est bien trop dangereuse, mieux vaut rester tranquillement chez soi plutôt que de mettre le nez dehors, c'est bien trop risqué »… Et c'est en plein ce à quoi je me refuse de consentir.

Je comprends aisément que l'image de sa propre mort soit terrifiante pour Rémi — enfin, je veux dire, je suis bien placée pour parler de ce sentiment-là —, mais n'empêche, je veux à tout prix éviter qu'il en vienne à systématiquement hésiter à sortir de son confort, qu'il en arrive à se refuser de vivre les plus belles expériences comme les plus incertaines, et qu'il finisse carrément par craindre tout ce qui lui est étranger. C'est pas compliqué : je veux qu'il *vive*. Pas question qu'il devienne un vieil ermite parce qu'il a peur de ce qu'il y a dehors, ni qu'il en vienne un jour à nourrir des idées homophobes, racistes, ou n'importe quoi qui finit en «phobe» parce qu'il a peur de ce qui pourrait se trouver dans la tête de l'Autre.

Pour lui, je veux une vie ouverte sur l'Ailleurs, sur l'Autre et sur le Là-bas; pour lui, je veux une vie *pleine*. Et la peur, à mon avis, ne pourrait qu'empêcher tout ça. Alors on travaille là-dessus ces jours-ci à la maison; *anyway* c'est en plein à ça que ça sert, des parents. On veut qu'il ait confiance en lui et en ses capacités, mais aussi qu'il apprenne à *faire confiance*. Monsieur Miyagi et moi, on va le sortir du trou. :)

Comme j'ai dit dans l'entrevue tournée pour la soirée-bénéfice: c'est peut-être le fils ou la fille d'un patient actuellement en traitement qui découvrira un jour la solution à l'énigme du cancer, ça se pourrait; mais pour ça, il faut fournir à ces enfants-là de 6 ou 10 ans un environnement sain et sûr dans lequel ils pourront s'épanouir et développer leur plein potentiel. Et on n'y arrive pas toujours seuls; c'est pas facile, comme parents éplorés par le cancer, de continuer à offrir à nos enfants un milieu propice à l'épanouissement quand on a soi-même peur de disparaître ou de voir notre conjoint souffrir/mourir. Si je vous dis ça, c'est pour insister sur le fait qu'il vous faut demander de l'aide quand vous n'y arrivez pas; il est de *votre responsabilité* de demander de l'aide à vos proches ou à des organisations, parce que si vous ne le faites pas, eh bien vos enfants pourraient souffrir encore plus que vous, et pour bien plus longtemps. On ne sait jamais ce que deviendront plus tard les blessures de l'enfance, et une petite vie hypothéquée, ben c'est juste pas ce qu'on veut laisser à nos enfants, et c'est pas non plus ce qu'on souhaite pour la génération qui sera un jour au pouvoir (parce qu'on s'entend qu'ils seront nombreux, après-demain, les enfants qui auront vu le cancer passer chez eux.)

Ce que j'ai envie de dire à Rémi, c'est que la vie, c'est pas si grave que ça au fond. Je voudrais lui donner le courage de vivre ce qui se présentera à lui sous une forme ou une autre… Aucune décision n'est irréversible, et quand on y pense, y a pas grand-chose qui soit *vraiment* la fin du monde… Tiens, un bel exemple de «Ben ça doit pas être si pire que ça finalement, *let's go*, on essaie pour voir»:

Je voudrais laisser à mon fils une chanson d'amour des années 80, comme je l'ai fait pour Nina la dernière fois. Sauf que celle-ci m'amène des réflexions différentes, parce que bien sûr mes deux enfants sont complètement différents et qu'ils abordent la vie complètement différemment.

Rémi, fais ton chemin, avance, et ne te retourne pas. Les peurs et les regrets sont des boulets terriblement lourds à porter, et j'aimerais que tu réalises tout de suite qu'ils ne servent à rien ni à personne. Ils te ralentissent, c'est tout, parce qu'ils te donnent le sentiment d'être impuissant face à ta propre vie. Ferme les yeux s'il le faut, mais vas-y, fais un pas en avant même si t'es pas sûr du sol que ton pied touchera. T'as même pas besoin d'aller si loin que ça pour être heureux — fais juste un pas. Après le premier, tu verras, les autres sont tellement plus faciles… Vas-y, moi je le sais que tu peux te l'autoriser. Fais confiance un peu, ça va y aller tout seul. Ne deviens pas ton pire ennemi en t'empêchant toi-même d'essayer des choses. Premièrement, tu risques de te tromper bien moins souvent que tu ne le crains, et deuxièmement, quand on dit que chaque jour est un cadeau, eh bien ça veut aussi dire qu'il ne faut pas transformer chaque journée en une sorte de cage ; une vie plate, ça peut vite ressembler à pas de vie du tout, au fond. Va dehors et découvre le monde, pis reviens en dedans pour partager ce que tu as vu à l'extérieur ; ta vie n'en sera que plus riche… Alors à *go*, vas-y, fais sauter tout ce qui te retient tellement tout le temps, et envole-toi sans regarder derrière.

Parce que sérieux, Rémi, je pense que si je ne devais te laisser qu'une chose, eh bien il faudrait que ça soit ces mots-là : *If you leave, don't look back*[15] — vis ce que t'as à vivre aujourd'hui et maintenant, pis le reste, les risques, les « si jamais », les « j'aurais donc pas dû », ben *fuck it*, tant pis, laisse faire. Mieux vaut vivre heureux jusqu'à 40 ans que de rester replié sur soi jusqu'à 100 ans ; fonce, mon amour. Fonce. Pis *don't ever look back*.

---

15. Orchestral Manoeuvres in the Dark, *If You Leave, Pretty in Pink*, 1986.

Que ta vie soit trépidante et qu'elle t'offre le courage de la vivre à fond, mon amour — cesse aujourd'hui de compter les jours qu'il reste après demain.

Maude

FAQ

Que penses-tu des parents qui cachent la nouvelle à leurs enfants ?
Je pense que tous doivent prendre la décision qui convient le mieux à leur famille. Les personnes qui sont les mieux placées pour connaître et comprendre leurs enfants, ce sont souvent leurs parents, *obviously*. Par ailleurs, chaque parent sait ce qu'il est prêt à vivre ou non en plus d'avoir à dealer avec sa propre maladie. En fonction de tout ça, je pense qu'on ne devrait jamais juger de l'extérieur, parce que chaque famille est particulière. Nous, on n'était pas prêts à vivre ça en cachette, alors que d'autres ne sont pas prêts à vivre avec la douleur de voir leurs enfants souffrir tous les jours avec leur parent malade. Bref, mon avis est que c'est chacun pour soi, et que ça vaut mieux ainsi.

Qu'est-ce que ça donne quand tu pognes la pluie avec une perruque ?
Haha, je le sais pas ! Je le sais pas parce que j'ai jamais été *game* d'essayer ! J'ai tellement peur de me ramasser comme un toutou rose qui sort de la laveuse à *Spin*, que chaque fois qu'ils annoncent des averses, soit je sors sans perruque, soit je prends un parapluie ou un imperméable à capuchon. Ou les deux. ;)

De quoi souffres-tu en ce moment ?
Avant de vous énumérer ça, je veux bien souligner que ce n'est rien en comparaison de ce que j'ai vécu l'automne et l'hiver derniers. N'empêche que des fois je craque et qu'il m'arrive de manquer d'endurance. Mais ne vous en faites pas, ça va revenir, je me fais confiance. ;)
- De très gros maux de tête, mais ça vient par vagues (genre trois jours consécutifs par semaine, et heureusement ça n'était ni hier ni aujourd'hui) ;
- Zéro salive. Ç'a l'air bénin dit comme ça, mais en réalité c'est pénible parce que manger est parfois difficile pour cette raison-là.

Que je boive de l'eau ou non, ça ne change rien. Toute ma bouche colle sur mes dents et j'ai la langue épaisse. D'ailleurs, il m'arrive de m'enfarger dans mes mots à cause de ça, j'ai l'air d'une mémé qui a de la misère avec son dentier, lol;

- Des brûlements d'estomac *hardcore*, mais Speedy est allé au fond des choses et il a checké ça ben comme faut (*burp*);
- Une très grande fatigue, qui est apparue avant même que je commence le T-DM1. Selon ce que je lis, ça pourrait être soit un effet de l'Herceptin (biothérapie), soit l'effet rebond de la chimio que j'ai subie durant l'automne et l'hiver;
- Parfois des douleurs au squelette et aux articulations (en particulier aux mains et aux genoux);
- Encore et toujours mes problèmes de terminaisons nerveuses dans les mains et les pieds.

N° 69. XXX

9 août 2013

Jugez-moi pas trop vite pour la joke du titre, là…!

Sérieux, j'ai pas fait ça pour rien, je peux me justifier! C'est pour vous avertir du contenu un peu *raunchy* du courriel d'aujourd'hui (c'est ben pensé pareil, han?! Pis je vous envoie ça un vendredi pour bien partir le week-end, en plus!).

Vous l'aurez compris: si vous êtes le moindrement sainte-nitouche, passez tout droit sur celui-là et attendez l'arrivée du N° 70 pour continuer à me lire. ;)

(Not So) Frequently Asked Question

T'as déjà dit qu'il y avait des restrictions au lit quand on est en chimio, mais t'as jamais dit lesquelles… On veut savoir!
OK d'abord, je vais être plus précise. Vous savez déjà pourquoi il faut faire attention, je vous l'ai expliqué plein de fois. En gros c'est simple:

l'idée est de ne pas se retrouver infecté par des virus ou des bactéries. Là, gardez en tête qu'il y a des médecins plus prudents ou plus sévères que d'autres, donc ce qui suit est à vérifier avec le vôtre, ça se peut que vous n'ayez pas à prendre toutes ces précautions-là ; mais pour ça il vous faudra surmonter votre gêne (et la sienne), puisque évidemment tout le monde reste vague à l'hôpital au sujet de la baise (pis crisse qu'ils ne devraient pas). Ça fait que voici les mises en garde les plus prudentes — je vous en mets plus que moins — selon l'info à laquelle moi j'ai eu accès (par les recherches indépendantes de Chéri).

Mieux vaut éviter :

Tout ce qui est oral, n'oublions pas que la bouche est densément peuplée de bactéries et que ses parois sont fragiles ;

Tout ce qui est anal, parce que le rectum est lui aussi peuplé de bactéries, et parce que ses parois sont encore plus fragiles que celles de la bouche ; un petit accroc peut évidemment mettre le patient en danger, *mais une simple irritation aussi peut mal tourner*, d'autant plus que tout guérit moins vite quand on est en chimio ;

Tout ce qui est à partenaires multiples — ça n'inclut pas que l'échangisme, mais également l'adultère (oui je sais, *kinda retro* comme terme, mais c'est le seul mot que je trouve en ce moment pour désigner le fait de baiser à gauche et à droite, ou simplement avec quelqu'un d'autre que votre partenaire habituel). En temps normal, si vous êtes exposé à une ITS, ça se pourrait que vous soyez en mesure de combattre l'infection. Mais si vous êtes en chimio, alors là, c'est la cata. Le foie est déjà fragilisé, alors l'hépatite, mettons que c'pas le temps, tsé. C'est juste un exemple, mais *toutes* les ITS sont menaçantes pour vous en ce moment.

Tout ce qui est considéré comme des pratiques à risques, par exemple une grande partie de pratiques SM et le *piercing* (je ne parle pas de vous faire percer le clitoris en plein traitement de chimio ; ça, c'est absolument hors de question évidemment. Je parle de baiser, par exemple, avec un gars qui dévoile fièrement son *ampallang* ; un *piercing*, si c'est mal entretenu, ça peut devenir un méchant nid à bactéries, et en plus, certains bijoux peuvent infliger des blessures microscopiques aux muqueuses sans même qu'on s'en rende compte, alors c'est un *no-go*. J'en profite pour souligner l'importance de bien entretenir le vôtre, si vous en avez un). Donc attention aux cordes, aux bijoux, aux jouets et aux accessoires de tous les types ; choisissez-les judicieusement et nettoyez-les méticuleusement.

En résumé, vous pouvez juste retenir que c'est pas le moment de triper à fond, c'est préférable de garder ça pour plus tard. Mettons qu'il vaut mieux vous trouver un autre exutoire pendant les quelques mois qui viennent.

Par ailleurs, je vous avais dit (genre en octobre) qu'il fallait éviter les aliments crus, mais je pense que j'avais oublié de préciser quelque chose : ça inclut même les légumes ! Donc il vaut mieux les consommer blanchis, mais tsé, ça c'est comme le cul, han : des fois t'es *game* de prendre plein de précautions, pis d'autres fois, plus c'est cru, plus t'aimes ça. Faque dans les deux cas, à vous de doser les écarts et de vous assurer que tout est bien lavé avant consommation, hehe. Vous souvenez-vous de la pub télé des Amputés de guerre, « *Jouez prudemment* » ? Ben c'est en plein ça. Ça, ou alors un déménagement en Virginie : www.lapresse.ca/international/etats-unis/201307/23/01-4673545-un-aspirant-gouverneur-veut-interdire-le-sexe-oral-et-la-sodomie.php

Bon, c'est tout. J'ai rien d'autre de pas propre à vous raconter aujourd'hui.
J'espère que vous n'êtes pas trop déçus… ;)

Maude

Nº 70. J'ai des nouvelles d'éditeurs !

10 août 2013

OMG!

OMFG!!!

Vous l'aurez compris, je suis folle comme de la marde : j'ai déjà des nouvelles à propos du projet de faire un livre avec mes courriels ! :D

Après avoir reçu les courriels où je vous racontais mes démarches auprès de deux éditeurs, ma *trooper* Marie-Eve m'a dit : « Maude, envoie-moi tes extraits, je travaille en édition et je peux peut-être t'aider à faire avancer ton projet. » Donc je lui ai envoyé tout ça, et elle l'a refilé à sa patronne… Eh ben sa patronne, elle lui a répondu : « Ç'a l'air écœurant c't'affaire-là ! Mais je ne veux pas lire juste des petits extraits ; je veux lire *tous les courriels dans l'ordre* sinon ça va me décevoir d'en manquer des bouts. Demande-lui de m'envoyer tout ça ! » YAAAAAAAAAAA-HOOOOOOOOOOU ! (C'est moi qui ai crié yahou, pas elle ! Mouahaha !)

Bref j'ai tout envoyé : Ken, Barbie, le gros trip de 36 heures à Vegas, la pôle sur Saint-Laurent, les douleurs de la chimio, le magasinage de char, le *badtrip* vaginal, les *shots* en bikini après la double mastectomie, la croisière, le *breakdown* après la mort de Clara, les louanges interminables à propos de mon médecin extraordinaire, les FAQ, le concours de perruques[16], *L'histoire de Pi*, la commande d'un numéro 4 pour 2 chez le chinois, les photos d'orteils, les cris d'amour pour Chrystian et les enfants, la caméra dans les entrailles pis les millions d'autres affaires qu'on a vécues ensemble vous et moi depuis 2012 — toutte, toutte, TOUTTE ! On s'entend que ça ne veut pas dire qu'ils vont me répondre que ce projet-là tombe dans leurs cordes ou qu'ils ont envie d'embarquer pour autant, faut pas trop s'exciter tout de suite. Mais quand même, je tripe très fort à l'idée que cette fille-là aime mes textes, et ça me rassure qu'elle ait l'ensemble dans les mains ; comme je vous l'ai déjà expliqué, le cancer, c'est un peu *awkward* comme sujet — ça peut vite sonner larmoyant ou puer le déjà-vu —, mais là, en ayant tous mes textes, elle aura au moins l'occasion de juger *pour de vrai* le contenu pour ce qu'il est, c'est-à-dire original, franc et complet. :)

---

16. Faute d'espace dans le tome 1, il a fallu couper le concours de perruques dans le cadre duquel tous les *troopers* avaient été invités à voter pour leur perruque préférée en décembre 2012. La perruque gagnante se trouve à la page 153 du premier tome.

Merci Marie-Eve pour ta magie! Et jamais si les Éditions de Mortagne n'embarquent pas, eh bien le projet ne sera pas capoute non plus, puisque non seulement je peux aller frapper à d'autres portes, mais en plus, j'ai le meilleur ami du monde: mon *trooper* Éric!

Ouep, Éric m'a proposé quelque chose d'HALLUCINANT: si jamais je décide de publier à compte d'auteur, il va me faire toute ma conception graphique!!! :D Crisse que c't'un vrai chum! Ensuite bien sûr il me faudrait débourser le gros *cash* chez l'imprimeur, mais si jamais je me rends jusque-là on verra bien, je m'organiserai pour trouver une solution; et après ça, ben mon ami Éric me mettrait en contact avec une de ses connaissances qui s'occupe de relations publiques en édition. :D Parce qu'on s'entend que se publier soi-même, ça se fait, et c'est même agréable parce que ça laisse la liberté de le faire complètement à son goût; sauf que quand vient le temps de promouvoir ton livre, là ça se corse un peu... Tsé ça donne rien pantoute d'avoir un beau livre tout neuf dans les mains si personne n'est au courant qu'il existe et que tu n'arrives pas à faire ton chemin jusque dans une librairie ou une bibliothèque!

Merci Éric pour ton amitié tellement précieuse et pour ton appui inconditionnel. <3

Fait qu'on est allés fêter ça en famille hier soir et on a passé un super beau moment au resto Misto, merci Dominic. :)

Maude

T'es auteure, qu'il m'a dit en souriant... <3

Moi j'ai toujours su qu'elle réussirait,
qu'il a ajouté, re- <3

Ils m'auraient dit ça il y a un an
et je ne les aurais jamais crus

COOL! On mange au resto!
On fête quoi déjà?!

On fête que je suis en vie
et très fière de moi,
ma chérie! :)

Nᵒ 71. *What's My Name?*¹⁷

12 août 2013

 OMFG!!! Les Éditions Big Shot m'ont appelée, ils veulent me rencontrer parce que mes courriels les intéressent ! *I got it goin' on, man!*
Now tell me, Barbie and Ken: What's my name again?!

Alors que j'étais ben gelée sur le Triazolam ce matin (j'ai remplacé l'Ativan par ça, ça dure bien moins longtemps et ça gèle bien plus efficacement, *yes sir*), un troisième éditeur s'est manifesté : la directrice des Éditions Big Shot ! Elle m'a téléphoné alors que j'étais à l'hôpital et… j'étais tellement *frostée* et maladroite que j'ai raccroché avec ma joue sur mon iPhone, pouahaha ! Pas grave, on s'en fera pas avec ça ; je l'ai rappelée, et j'ai rendez-vous avec elle aux Éditions Big Shot jeudi à 10 h !

Pis comprenez-moi bien, là : c'est pas la même fille que l'autre jour, celle qui aimait mes textes et voulait tous les lire un par un dans l'ordre ! Nenon ! C'est une deuxième ! On dirait bien que la *puck* roule pour moi ! :D

L'injection
C'était un peu le bordel à l'hôpital ce matin : le retour de vacances des médecins a causé un méga embouteillage sur tous les étages parce qu'il y avait genre 40 fois plus de patients qu'à l'habitude. J'étais ultra nerveuse pour l'injection, mais en fin de compte tout a été pour le mieux. Je vous énumère ça vite fait :
- Ces femmes qui aiment trop m'a fait passer en priorité — on était de retour à la maison à 15 h, du jamais-vu je pense !
- Mon infirmière *full* professionnelle était en vacances alors j'ai eu une infirmière-surprise, mais pas n'importe laquelle : celle dont j'étais tombée amoureuse l'hiver dernier, vous en souvenez-vous ? Vachement cool, j'aurais pas pu souhaiter mieux. :)

---

17. Kid Rock, *3 Sheets to the Wind (What's My Name?)*, *The Polyfuze Method*, 1993.

- L'infirmière qui *spark* les partys de Noël et pour laquelle je dois d'urgence trouver un surnom est venue me voir en me disant : «Il paraît que ta prochaine injection est prévue pour ton anniversaire ?! Eille, pas question qu'on te voie ici ce jour-là, promis ? Je vais faire déplacer ça au lendemain, et c'est moi-même qui m'en occuperai.» <3 Ça fait que je m'attends à un beau party de Noël pour ma fête, hehe !
- On a croisé mon médecin extraordinaire par hasard (en fait c'est pas vraiment par hasard, on a presque couru après comme des groupies dans le corridor, hahaha !), et on a jasé du projet de livre ensemble. Premièrement, il est très content pour moi, et deuxièmement, il est toujours *willing* de me faire une préface et une révision scientifique. :)

Tsé, ce matin j'ai quitté la maison avec un air d'enterrement parce que j'étais terrorisée par l'injection qui s'en venait, et finalement ç'a été une journée formidable grâce à la drogue, au personnel de mon hôpital et à celui des Éditions Big Shot (et cette journée-là n'est même pas finie d'ailleurs, j'aurai peut-être d'autres belles surprises, qui sait ?!) ; c'est dire à quel point la vie décide toujours à notre place pis que c'est ben mieux de même…

Le cancer sur deux roues

Y a quelques jours, on est allés à un événement de moto Chrystian et moi, et pour la première fois, on a emmené les enfants. L'ambiance était super conviviale et très familiale : BBQ, shows de boucane, motos splendides (y avait peut-être juste 200 ou 250 motos, mais déjà c'était plus varié qu'à Laconia, hahaha !), et on a profité de l'occasion pour sortir nos enfants un peu… Tsé quand t'habites en banlieue, des fois ça te donne un p'tit côté «chus jamais sorti d'che-nous, j'ai jamais rien vu, pis tout ce que je sais, je l'ai appris dans ma tsivi», ça fait que c'était l'occasion parfaite de leur faire voir autre chose que des pelouses bien tondues et des abris Tempo. Ils ont été très impressionnés par les *smoke shows*, par les odeurs de caoutchouc brûlé et d'essence en combustion, par le bruit, par la quantité de motos et par l'exubérance de plusieurs de celles-ci (*badass choppers*, jobs de peinture à faire pâlir Dali, etc.)

À voir la face de Rémi, on comprend qu'il était temps
qu'on lui fasse voir autre chose, lol !

Nina, par contre, était tout à fait dans son élément avec ses bottes de rockeuse…
Just raisin' 'em right, haha!

Je le dirai jamais assez : mon Dieu que j'aime cet homme… <3

Si je prends la peine de vous parler de ça, c'est parce qu'on a eu la chance d'assister à un événement vachement émouvant ce soir-là : un hommage à une femme décédée du cancer il y a quelques mois. Cette femme-là n'avait jamais manqué une seule édition de l'événement — elle en était la doyenne —, et cette année, quand ses médecins lui avaient dit « *That's it*, prépare-toi, tu n'as plus que quelques mois devant toi », elle leur avait répondu : « *No way*, il faut que je tienne jusqu'au rassemblement de motos. Ça sera mon dernier, d'accord ; mais pas question que je le manque, quitte à y aller en rampant. » Au fond, c'était pour elle un peu ce que la croisière avait été pour moi, alors moi j'ai connecté pas mal vite avec ça ; j'ai tout de suite compris la détermination de cette femme-là et l'importance que l'événement avait pour elle. Tsé, je m'étais tellement accrochée à ça à l'époque de mes deux premières chimios…

Malheureusement (et c'est avec beaucoup d'émotion que je vous écris ça), la vie ne lui a pas accordé la faveur de s'y rendre. Elle est morte quelques mois avant le jour qu'elle attendait avec toutes les forces qu'il lui restait.

Donc cinq minutes après notre arrivée sur le site vers 19 h 30, un gars a commencé à faire fumer son pneu arrière, et comme d'habitude tout le monde s'est rassemblé autour de lui. Sauf que là, c'était différent; sa blonde était assise à cheval sur lui (face à lui, accotée sur ses *handle bars*), et elle a brandi une boîte circulaire en métal noir avec le logo Harley Davidson vers le ciel (c'était une urne funéraire). Y a eu du bruit (beaucoup!), de la boucane (pas mal!), des cris, de longs silences émus, et le couple s'est embrassé aussi longuement que tendrement entre deux séances de *burn*; ils ont ensemble dit adieu à celle qui fut leur mère et belle-mère. *Man...* Nina et moi, on a parlé avec ce gars-là plus tard dans la soirée. Il avait les yeux dans l'eau sous sa carapace de cuir... pis moi, j'ai braillé cachée dans ma perruque...

Maude

FAQ

À quoi voit-on que quelqu'un porte une perruque?
Comment on fait pour les spotter?
C'est vrai que c'est pas toujours évident de le deviner au premier coup d'œil (quand c'est pas rose fluo et blanc, je veux dire, haha), mais il y a quand même des indices qui ne trompent pas.

SAUF QUE... Ici je vais faire ma graine et ne pas vous dévoiler ces indices-là, par respect pour mes *cancer sisters* qui ne sont peut-être pas toutes aussi à l'aise que moi avec l'idée que tout le monde sache qu'elles portent une perruque, celles qui souhaitent passer inaperçues avec leur cancer. Je le sais que c'est poche comme réponse — après tout je vous ai habitués à une transparence absolue —, mais dans ce cas-ci, ça ne concerne pas que moi, pis tsé je me sentirais pas mal traître d'enlever à ces femmes-là le seul moyen qu'elles ont d'avoir l'air «normales» et pas malades. Ça fait que zip, shhh, motus et bouche cousue; je respecte ça à 100 %.

Ça te fait quoi de voir des t-shirts avec des têtes de mort partout?
Ouin, c'est vrai qu'il commence à y en avoir pas mal, hein?! On peut trouver ça quétaine… On peut aussi trouver que c'est déplacé d'en voir partout quand on se sent soi-même pas très loin de la mort… J'imagine que ça dépend des gens. En tout cas chez nous, tout le monde a au moins un vêtement ou un accessoire avec une tête de mort, pis honnêtement, on se sent tout à fait à l'aise de se promener avec ça, parce que sérieux, je sais pas pour les petites filles de 12 ans qui ont acheté leurs *skulls* en boucles d'oreilles chez Ardène, mais nous autres, on a jasé pour de vrai avec la mort tous les jours pendant un bon boutte, ça fait que les crânes, chez nous, ils ont du *meaning* pis ils ne sont pas quétaines (même si les miens sont parfois un peu bling-bling).

Tête de mort   Tête de mort à   Tête de mort à la maison
à l'hôpital aujourd'hui   la maison aujourd'hui   un soir *random*

Qu'est-ce que le doc a dit pour ton estomac?
Eh bien premièrement, comme mon médecin relax est en vacances, j'ai vu un résident (pas mal moins relax, en passant). Ce qu'il dit, c'est qu'il n'est pas très étonné et que l'hypothèse des nerfs abîmés par la chimio a beaucoup de bon sens. Comme Speedy vient tout juste de changer ma médication pour l'estomac, on va attendre un peu; mais si ça ne se tasse pas, eh bien ils vont soit me faire voir un neurologue, soit me prescrire eux-mêmes quelque chose pour essayer d'atténuer les signaux de douleur envoyés à mon cerveau par mes nerfs (et aussi pour m'épargner d'avoir à trouver un nouveau surnom pour un nouveau doc, lol).

Tousses-tu encore (après la gastroscopie)?
OSTIE que j'ai toussé! *Fuck!* Pis de la grosse toux, à part de ça! Mais là ça se calme un peu. C'est pas fini, mais ça s'atténue de jour en jour. Par contre je n'éprouve plus du tout de douleur au fond de la gorge, yé.

Comment va ton cœur? T'avais pas une échographie récemment?
Oui, j'ai eu un examen du cœur avec un gars que j'adore et que je connais depuis les premiers jours d'octobre 2012. Il est hyper, hyper *sweet*, et on était restés en contact parce qu'à l'époque il planifiait faire un deuxième enfant et que lui et sa conjointe cherchaient une sage-femme; je lui avais donc refilé les coordonnées de celle qui était venue à la maison pour faire naître Nina. Eh bien maintenant sa douce est enceinte! :) (félicitations!) Et ils ont réussi à obtenir une place en maison de naissance alors qu'il y en a très peu, re- :) et re-félicitations!

Bref je suis allée voir Cúchulainn — si vous trouvez ça difficile à prononcer, c'est que ça se dit seulement avec l'accent irlandais —, et puis, comme d'habitude, il a été ultra délicat. Premièrement il est accueillant, pas gênant ni quétaine, et c'est agréable de discuter avec lui; mais deuxièmement, il prend toujours plein de précautions *cute* pour ses patients, comme par exemple de dire: «Attention, je dois faire tomber une petite partie de la civière et ça va donner un coup, mais je te promets que tu ne tomberas pas.» D'ailleurs, j'ai trouvé ça pas mal touchant quand il m'a avoué qu'il lui arrivait souvent de s'inquiéter pour des patients puisqu'en général il les voit juste avant leur chimio, mais qu'il n'a plus de nouvelles d'eux ensuite (parce qu'ensuite les examens du cœur se font souvent par *MUGA scan* en médecine nucléaire, et pas en échographie avec lui). Dans mon cas c'est différent, je viens d'obtenir ma carte *Mile High* de *frequent flyer* avec Cúchulainn, parce que comme il faut me faire de nombreux tests du cœur à cause du protocole, ils privilégient les échographies plutôt que les *MUGA scans*, parce que de m'injecter du *stuff* radioactif dans les veines chaque fois serait dangereux pour ma santé — et pour ma santé mentale aussi, vous vous en doutez bien. ;))

Donc voici le verdict: mon cœur se maintient, la capacité d'éjection de son ventricule gauche est à 50%, exactement comme il y a un mois et demi (c'est environ 60 % chez une personne « normale »). L'important, c'est surtout de s'assurer que je n'en perds pas. Donc c'est pas tellement le 50 % qui importe, mais plutôt le fait que ça demeure stable. Bref, je suis essoufflée plus facilement mais c'est correct, ça faisait partie du plan au départ.

Nᵒ 72. *That's the Kinda Sugar Mama Likes*[18]

14 août 2013

Well, mes amis, on dirait que c'est parti pis que ça va *flyer* en sacrament !

J'ai deux éditeurs qui sont intéressés au projet : l'un qui dit *go*, on part la machine tout de suite pour se glisser juste à temps dans le *lineup* du Salon du livre de Montréal à l'automne ; et l'autre, que je rencontre demain.

J'ai eu un super bon feeling avec l'équipe que j'ai rencontrée aujourd'hui, je les aime. :) Et devinez quoi ? Non, vous ne devinerez jamais, je vous le jure. Ça fait que je vais vous le dire tout de suite au lieu de vous laisser niaiser : quand je suis arrivée, une fille m'a accueillie : « Bonjour Maude, l'équipe est prête, les filles t'attendent dans la salle de conférences ; viens, c'est par ici », et puis elle a ouvert la porte sur… **QUATRE FILLES EN PERRUQUE !** *Man!* Je m'attendais à tout sauf à ça ! C'était tellement charmant ! Bref j'ai eu un super accueil, on a jasé comme des matantes pendant trois heures et elles m'ont donné carte blanche pour mon projet. :)

Ce qui m'enchante avec cet éditeur-là, c'est que mes nouveaux lecteurs pourraient vivre mon histoire au même rythme que vous et moi il y a un an ; si le livre sort en novembre, ben ça fitte avec mes traitements qui ont commencé en octobre (tsé, lire sur Noël au mois de mai, c'est un peu *off beat*).

---

18. Brian Setzer, *That's the Kind of Sugar Papa Likes*, Vavoom!, 2000.

… Ça fait que je pense ben qu'il faut que je prépare ma plus belle perruque pour *Tout le monde en parle* pis *Deux filles le matin*! ;)

Maude

FAQ

Est-ce qu'il y aura une soirée de lancement pour le livre?
You bet, qu'il va y avoir un lancement! Un ostie d'gros party, à part de tsa! Pis j'vas toutte vous inviter! :D Moi je veux une grande fête — un genre de «Chus quasiment guérie, j'vous aime pis j'veux toutte vous avoir autour de moi» —, avec du Jim Beam, de la musique au boutte, pis toutte pis toutte. Je veux danser, je veux vous écrire que je vous aime sur la première page de votre exemplaire, pis je veux qu'on fasse du bruit ensemble parce que j'aime ça quand ça brasse. :)

Idéalement y aurait un DJ qui pourrait faire jouer le *soundtrack* de mon cancer, mais y aurait aussi de la musique *live* (W.R.C.K.? Catherine A.? Florence K? Et si j'avais tendance à exagérer un peu je nommerais même Blackberry Smoke, mais vu que je ne suis pas du tout le genre à beurrer épais (pouahaha! Menteuse!), et vu surtout qu'on n'aura pas le budget pour ça pantoute, eh bien je ne les nommerai pas!). Là j'extrapole, mais tsé y aurait moyen d'emmener des X-Stages… pis évidemment les pitounes qui vont avec (un X-Stage pis les pitounes qui viennent avec, ça ressemble à ce que vous verrez en scannant le code QR juste ici) — Zoé, Valérie, Judith, Prana, Mélyna,

 Chantal aka Lise la bête, Sabrina, Krystel, Nadia, Roxane, Isabelle L.: oui, c'est bien de vous que je parle —, et je pense aussi bien sûr à Michael (que je n'ai pas nommé parce qu'il ne fitte pas dans la définition de «pitoune» (ben tsé, c't'un gars!).

Tout ça pour vous dire que je sais pas encore exactement comment ça sera, mais qu'en tout cas quand le projet verra le jour, ben préparez-vous pis sortez votre beau linge (pis vos 'tites shorts de pôle!), parce que moi je veux fêter ça comme du monde. Pis tsé si je dois danser toute seule parce que personne se pointe à mon party, m'en câlisse, j'ai juste à mettre mes *sweatpants* pis mon *hoodie* pis à danser *fucking* tsu-seule sur le trottoir avec mon iPod, tsé moi chus d'même. ;)

Ch'toutte énarvée !

Maude

Nº 73. *Happy Endings Just Don't Write Themselves*[19]

21 août 2013

C'EST *FUCKING* SIGNÉ, mes *troopers* ! On va sortir un livre, vous et moi ! :) Ça vous tente-tu ? Chus sûre que oui ! Ça va être *full* excitant, pis on va triper tout le monde ensemble ! :) AaaaaaAAAAAAAaaaaaaAAAAAH, J'CAPOTE !

Aussi, hier avait lieu la grande soirée-bénéfice dont je vous ai déjà parlé et pour laquelle j'étais porte-parole. Chéri s'est mis sur son trente-six pis y était ben beau je trouve. Je vous envoie des photos. :) Ils ont diffusé une vidéo qui comportait une entrevue avec moi (avec moi et avec mon accent gros comme le bras aussi, hehe), je suis montée sur la scène avec le pianiste Daniel Clarke Bouchard pis toutte pis toutte, pis Chrystian a braillé tout le long assis à notre table en regardant mes extraits. <3 Tsé, mon Outlaw, y a l'air ben *tuff enuff* mais faut pas juger trop vite ; il a ses sensibilités, et y a rien comme un cancer pour faire remonter tout ça…

By the way, mon Chéri, quand il porte un nœud papillon, eh ben il porte un nœud papillon, c'est-à-dire qu'il en porte un vrai et qu'il le noue lui-même plutôt que de faire le *cheap* et d'opter pour un nœud tout fait. Tsé on fait peut-être de la moto, pis on écoute peut-être du ZZ Top pis du Kid Rock, mais on n'est pas si crottés que ça non plus. ;)

Et devinez quoi ? On a mangé avec Oliver Jones, puisqu'il était assis juste à côté de Chéri. Et devinez quoi encore ? Oliver Jones est l'un des

---

19. Ty Stone, *Anywhere's Better, American Style*, 2012.

Un vrai mâle avec un vrai nœud papillon ;)

En route

On était pas mal *swell*

(pas si nombreux) héros musicaux de mon musicien de mari, alors vous pouvez imaginer la belle soirée que Chéri a passée ! :)

De mon côté, j'ai placoté avec plein de gens évidemment. Beaucoup semblent avoir été touchés par mon histoire ; plusieurs sont venus me confier qu'ils avaient pleuré en m'écoutant me raconter (pourtant la vidéo ne durait que quelques minutes). Bref, c'était pas facile de manger parce qu'il y avait souvent des gens qui venaient me remercier, me féliciter, et me dire que je les avais inspirés, pis tsé c'est ben correct parce que ça fait partie du *deal* quand tu t'affiches publiquement… sauf que, euh, un serveur est venu m'enlever mon assiette (pleine) alors que je me tenais debout près de ma chaise pour discuter avec quelqu'un qui était venu me trouver de l'autre bout de la salle avec ses « félicitations ! » et autres bons mots ! Pis ça, me semble que c'était pas dans le *deal* au départ, lol ! Faque tsé, la bouffe était *fuuuuull* bonne, mais j'ai pris juste deux bouchées avant qu'on m'enleve le pain de la bouche, faque j'ai eu faim toute l'astie d'soirée, pouahaha !

Par ailleurs faut que je vous dise que ce fut une soirée magnifique. C'était dans une salle superbe, ça m'a fait du bien de mettre une belle robe et d'aller changer d'air un peu. :) Et puis ouf, on y a entendu des témoignages vachement émouvants.

Mon mot d'esprit de la soirée : avant que ma vidéo soit présentée, une femme est venue me trouver pour me dire à quel point elle aimait mes cheveux — à la fois leur couleur et leur coupe. Elle n'avait aucune idée que j'avais le cancer, puisqu'elle n'avait pas encore vu mon entrevue… donc :

— Elle : *OMG, who did your hair? You look so pretty! I need to meet your hairdresser! Please tell me who did your hair!*

— Moi, avec un grand sourire sincère et assumé : *CHEMO did my hair, darling! I had no cut or colour whatsoever!*

:) :) :)

Faque ça y est, astheure je peux me prendre pour une star avec mon contrat d'édition, mon entrevue vidéo pis mes beaux cheveux, lol ! ;)

Maude

FAQ

Avec quel éditeur ça sera?
Avec les Éditions de Mortagne.

HAN?! Pourquoi t'es pas allée avec Les Éditions Big Shot?! Pourquoi t'as levé le nez là-dessus?!
Premièrement, les nerfs, lol!

Deuxièmement, je n'ai pas levé le nez là-dessus. J'y ai beaucoup réfléchi, ça n'a pas été confortable du tout comme questionnement. Choisir un éditeur soulève un paquet de questions pertinentes et mérite qu'on s'y attarde, parce que tsé, m'as dire comme on dit : les paroles s'envolent, alors que les écrits, eux, restent. Une fois que t'as fait ton *move*, ben ça devient public pis y é trop tard pour avoir des regrets.

Troisièmement, j'avais des priorités bien arrêtées — vous me connaissez, je suis pas mal entière et fidèle à mes convictions. Voici donc (pas forcément en ordre d'importance) les raisons de mon choix :

J'écoute mon *gut feeling*. Je ne m'étendrai pas là-dessus, je vous ai déjà dit qu'elles m'avaient reçue en perruque chez de Mortagne. :) :) :) Mais tsé je sais pas, je me sentais juste bien, je ne me sentais pas menacée, j'étais *ben* — comme dans « *Crisse chus ben*[20] ». Comment je vous dirais ben ça... J'ai connecté tout de suite avec eux autres.
Je ne cherche pas à m'associer à la maison d'édition la plus en vue. Mes textes, je les aurais écrits de toute façon, publication ou pas ; ils me servaient à me faire du bien et à vous renseigner — pas à gagner ma vie. Ce que je cherche, c'est un éditeur qui acceptera sans censure le projet tel qu'il est. Pour ce qui est du côté prestigieux des Éditions Big Shot, honnêtement, c'est peut-être pas pour moi. Parce que sérieux là, on va se le dire franchement : mon « œuvre », elle est loin d'être intello. Ce que j'ai pondu, c'est *full* accessible, *full* « grand public ». Faque ça me donnerait quoi de chercher du prestige? Rien, à mon avis. Mettons que je m'enligne pas pour le Goncourt, haha! ;)

---

20. RBO, *Le Journal de Mourial*, 1994.

Je cherche à obtenir un maximum de visibilité parce que mon but est d'informer le plus grand nombre de gens possible. Les Éditions Big Shot ont des tas et des tas de gros noms parmi leurs auteurs, et je crains que les efforts de promotion soient mis surtout sur eux plutôt que sur moi, qui suis totalement inconnue des lecteurs et des libraires. Je ne dis pas que c'est comme ça que ça marche ou qu'ils ne feraient pas d'efforts pour promouvoir mon livre à moi, mais si jamais ça m'arrivait, je serais déçue (et pourtant je comprendrais tout à fait qu'on mise plus sur un auteur à succès que sur la petite fille de Laval qui a le cancer). En gros, même si la boîte est plus petite, ça ne veut pas dire que leurs stratégies de communication et de diffusion ne sont pas aussi efficaces.

D'emblée, elles m'ont dit « On a le goût de te donner carte blanche », pis pour une *Crazed Country Rebel*[21] comme moi, ben c'est tripant en estie d'entendre ça ! Et ça rassure quant au contenu ET à la forme de ce qui sera publié. :)

Dès le début de la rencontre, la fille de la gang qui s'était rendue le plus plus loin dans la lecture de mes textes (vous souvenez-vous d'elle ? Celle qui voulait recevoir tous mes textes pour les lire dans l'ordre, là ?) m'a demandé, avec un vrai de vrai besoin de savoir : « Pis ?! Tu l'as-tu faite, ta croisière, en fin de compte ?! »

Quelqu'un qui s'y connaît très bien n'avait aucun doute là-dessus et m'a dit : « Commençons donc par les Éditions de Mortagne, puisque t'as eu un aussi gros coup de cœur. » (Voir la prochaine question, plus loin.)

… Bref, les maisons d'édition, c'est pas comme les perruques afros : *bigger is **not necessarily** better.* ;)

Cela dit, ç'a été super aux Éditions Big Shot. J'ai même pleuré pendant la réunion avec ces filles-là (elles me posaient des questions sur ce que j'ai vécu et j'ai fini par pogner le motton en me racontant, surtout dans le boutte « j'ai pus de mamelons » — *by the way* j'aurais jamais pensé qu'un jour je pitcherais une phrase de même en pleine réunion

---

21. Hank III, *Crazed Country Rebel*, *Straight to Hell*, 2006.

dans un bureau chic, mais faut croire que quand t'as le cancer du sein tu finis par parler de tes boules sans retenue à tout le monde, tout le temps, pis n'importe où, mouahaha!).

Donc voilà, les filles ont été vraiment très accueillantes et agréables, et la boss m'a même dit, en me regardant droit dans les yeux : « Si tu signes avec nous et qu'on finit par travailler ensemble, **je te promets que j'essaie la pôle** avec toi. » Tsé c'est pas rien quand même ! C'est venu me chercher *big time* ! Pis *let me tell you* que ça fesse fort dans le cœur d'une pôleuse qui n'a pas mis la main sur sa pôle depuis des mois. Ça montrait aussi qu'elle était pas une moumoune, qu'elle n'avait pas peur de grand-chose et qu'elle était le genre de personne avec qui j'aurais pu très bien m'entendre éventuellement. Les autres, je les ai adorées aussi, même si elles n'avaient pas de projets qui impliquaient une pôle (lol). Elles étaient toutes les trois vraiment le fun et très douces, j'ai beaucoup aimé leur attitude et leur délicatesse par rapport à moi en général et à ma maladie en particulier.

Il paraît que t'as pris *un AGENT?!* T'exagères pas un peu, là ?
Haha, yes I did, and yes j'exagère !

Sérieusement, c'est la meilleure décision que j'ai prise dans toute cette folie-là qui a commencé à pogner en feu lundi de la semaine dernière. J'ai vite été dépassée, et j'ai vite eu peur que ça gruge ma santé ; je ne dois pas oublier que ma responsabilité principale en ce moment, c'est de guérir. Je suis fatiguée et je ne veux pas m'occuper de quoi que ce soit de stressant, alors j'ai décidé de mandater quelqu'un.

De toute façon j'y connais rien en édition de livres, alors j'avais besoin de conseils. J'aurais pu consulter un avocat, sauf que là y aurait fallu que je fasse le reste moi-même après, et c'était juste trop gros pour moi. Donc j'ai choisi de prendre un agent au lieu d'un avocat, et c'est génial parce qu'il fait tout à ma place.

Donc oui j'ai pris un agent, pis si vous trouvez que ç'a pas d'allure, ben *talk to my agent, lol!*

Ça coûte combien, un agent ?
Talk to my agent, LOL!

Qu'est-ce qui se passe si quelqu'un de notre gang *forwarde* **tes textes ou les «poste» sur le Web? Ou s'il en reproduit juste des petits bouts?** Eh bien il va recevoir une brique sur la tête, malheureusement, puisque tous mes textes sont protégés.

Et si jamais c'était quelqu'un que tu connais pas qui rendait public un de tes textes? Genre ma belle-sœur à qui j'avais envoyé un de tes courriels? Même chose. Ça finirait par des procédures légales dans lesquelles personne n'a envie de s'embarquer. :(

N° 74. Plus pâle... mais plus mince!

26 août 2013

Salut!

Êtes-vous en santé, êtes-vous heureux? Moi je vais pas pire et, y a aussi le livre qui avance bien chez de Mortagne, et ça me rend heureuse. :) Faque si vous êtes d'accord, je vais vous mettre un peu à jour dans mes histoires de malade, lol.

Santé
En ce moment je fais très attention à moi, je fais des siestes et je prends ça cool. J'ai restreint mes activités au strict minimum pour récupérer, et Chéri m'emmène derrière lui en moto quand j'ai besoin de sortir de la maion. Est-ce que mon estomac va mieux? Pas beaucoup, malheureusement. C'est très épuisant, mais j'ai fini par m'y faire. Le bon côté de l'affaire, c'est qu'avec les nausées que ça me donne, eh bien je mange moins, forcément... Et là vous me voyez venir, han? J'ai perdu quelques livres, HOURRA! D'ailleurs vous l'avez peut-être remarqué sur la photo *black tie* que je vous ai envoyée l'autre jour (qui était faussement flatteuse pour la taille par contre, parce que tsé je portais un corset, mouahaha! *I did anything I could to fit in that goddamn skirt!*). Je ne pense pas pouvoir remettre mes jeans préférés la semaine prochaine (tsé, quand même!), mais en tout cas ça commence à s'en venir pas pire. :) Je remets des vêtements

qui ne me faisaient plus, et je peux juste pas vous dire le bien que ça me fait. Sauf que je souffre pas mal côté estomac, faque c'est pas gratuit non plus. :/

Chouchou

Ah la la, je capote ! Mon médecin extraordinaire a travaillé fort pour moi, ou plutôt pour mon projet. <3 Avant que la maison d'édition prenne mes courriels pour en faire un livre, il les a relus en entier (en genre quatre jours !) afin de s'assurer que je ne disais pas n'importe quoi sur le plan médical, et devinez quoi ? Il paraît que

Viens donc prendre l'air
babe, t'es toute pâle ;)

j'avais presque pas fait de fautes ! :P Il a dit : « Sérieux, si je vous faisais passer un examen, à Chrystian et à toi, vous auriez une meilleure note que plusieurs de mes résidents, c'est assez impressionnant de voir à quel point vous avez digéré l'info que vous avez obtenue et à quel point vous êtes allés en chercher encore plus. » :) En tout cas, merci ben gros, Dr Extraordinaire.

Maude

N° 75. Combien tu veux ?

30 août 2013

Sérieux, *dude*. Combien tu veux ? Je te donne ton prix. N'importe quoi. Demande-moi ce que tu veux, je te le donne. *Man*, choisis une autre adresse. S'il te plaît. Je suis à genoux, là, pas de jokes : je te le demande gentiment, avec une toute petite voix. Je te dis que je suis prête à me saigner à blanc.

… Nina a une tumeur.

pleurs

Maude

FAQ

C'est quoi, sa tumeur?
Quelque chose qui dans 99 % des cas n'est rien : un nævus bleu. Sauf que le sien grossit anormalement et à une vitesse qui n'augure rien de bon. Généralement ça n'inquiète personne, sauf quand c'est sur la tête ou sur la fesse et que ça évolue vite. Dans son cas, c'est sur une fesse et ça évolue très vite.

Est-ce que c'est un cancer?
Peut-être. Ils vont l'opérer le 13 novembre ou avant, si une place se libère. Ensuite, l'analyse pathologique nous dira si c'est bénin ou malin.

Vous savez ça depuis quand?
Depuis le printemps. Jusqu'à maintenant elle a vu trois médecins, et celui d'hier a dit : «Euh, on enlève ça *right now*. Pas au point de la faire entrer d'urgence pour une chirurgie la semaine prochaine, mais au point de lui donner la prochaine place disponible en salle d'op.»

Explique-nous, parce que là, on est perdus.
Ouin, moi 'si, chus perdue. Je capote en sacrament.

- Il y a quelques années, on a remarqué l'apparition d'un point bleu sur sa fesse. On en a parlé au pédiatre, qui a dit: «Pas de trouble. Sauf que si ça bouge le moindrement (forme et/ou grosseur), vous me la ramenez tout de suite. »
- Ç'a grossi très vite cet hiver. On l'a ramenée. Il a dit: «Ouin, c'est pas cool, faut surveiller ça. Rendez-vous dans six mois pour voir où on en est, faut suivre ça. »
- Je me suis dit *no way* que j'attends six mois. Ç'a grossi trop vite. Et qui sait si c'est pas dans la famille, même si pour le moment la science est formelle: aucun rapport entre mon cancer et son nævus. On a montré ça à mon médecin extraordinaire (une photo sur mon iPhone) parce qu'il a travaillé pas mal en cancer de la peau. Il a dit: «Fais-lui voir un dermato dès maintenant, je ne vois pas bien sur la photo. Faut examiner ça avec une grosse loupe. »
- On a vu un dermato qui a regardé sans loupe: «On dirait que c'est rien pantoute, mais j'aimerais mieux que vous la fassiez voir par quelqu'un en pédiatrie parce que c'est pas pareil du tout chez l'enfant que chez l'adulte. »
- Hier elle a vu une dermato spécialisée en pédiatrie: «Bon, premièrement c'est très creux son affaire, j'aime pas ça. Avec ma loupe je ne peux pas voir comme il faut parce que c'est pas assez près de la surface de la peau. On enlève tout de suite et on fait analyser. Ça m'agace pas mal que ça ait grossi vite à ce point-là (4 mm x 3 mm). Si c'est positif à la patho, alors on réopère tout de suite pour enlever les tissus environnants. »

Est-ce qu'elle pourrait devoir subir de la chimio ou de la radiothérapie?
Il n'est pas question de ça pour le moment, *thank God*. Mais tsé… mais tsé.

Sauvez ma fille. Dites-moi que c'est correct, dites-moi que *ça va être correct*. Dites-moi que ma petite Nina, qui vient enfin de sortir le méchant de «Maman a le cancer» 11 mois plus tard, dites-moi qu'elle ne va pas vivre ça. Dites-moi qu'elle ne sera pas chauve, elle qui a eu si mal quand elle a su que je perdrais mes cheveux. Dites-moi qu'elle va pouvoir vivre son enfance comme une vraie petite fille de 6 ans. Dites-moi qu'elle ne fera pas ses devoirs à l'hôpital avec une jaquette bleue pis un cathéter dans la veine.

Dites-moi que vous ne viendrez pas me la chercher.
Dites-moi que ça se peut pas.

Dites-moi que je vais mourir avant elle.

Promettez-le-moi. Je veux l'entendre. *Je veux le croire.*

*Oh, man… Leave us alone… Please…? What's it gonna take? Tell me and I'll manage. I'll find a million dollars overnight. I'll suffer. I'll die if you want me to. I'll do anything, really. **Any-fucking-thing.***

N° 76. *Keep Calm and Call SAMCLO*

2 septembre 2013

Vous le savez, han, que mon chum a le tour de me remonter…? Mais vous savez pas à quel point, ça je vous le jure.

Dans notre nouveau drame, monsieur Miyagi a réussi, comme si c'était possible, à se surpasser. :) Voici comment il a réussi son tour de force :

Le jeudi, on a eu la mauvaise nouvelle pour la tumeur de Nina.

Le vendredi, j'ai braillé toute la journée et j'ai fait la marmotte. Je me suis cachée dans mon lit et je me suis dit : « Vas-y Maude, vis-le, ton drame. Gratte ta gale tant que tu veux pendant que Nina est à l'école. Mais dès qu'elle va revenir ce soir, par exemple, faut que ça soit fini. Pas une larme, pas rien ; faut pas que tu lui transmettes ta panique. Pas question de la propulser dans un état de peur et de dévastation alors qu'elle va très bien ; ça serait impardonnable, elle n'a pas besoin de ça. »

Alors on a recommencé à vivre normalement, et tout s'est bien passé.

Mais comme c'est ma fête ces jours-ci, eh bien Chéri a sauté sur l'occasion. Il était allé magasiner avec les enfants et avait tout préparé avec eux en secret. <3

Ça fait qu'un soir, on s'est tous rassemblés dans mon grand lit conjugal, et les trois piliers qui forment avec moi la base de notre abri nucléaire m'ont présenté chacun un sac-cadeau. Dedans il y avait

Keep calm and call SAMCLO; on est allés souper au resto
avec les copains pour fêter mon anniversaire

plein de cadeaux *hot* — bien trop de cadeaux *hot* —, mais en plus des cadeaux *hot*, y avait exactement ce qu'il fallait pour que je reprenne mes esprits, c'est-à-dire trois trucs imprimés sur mesure pour moi :

Dans le premier sac, j'ai trouvé une camisole qui disait « *Outlaw's Old Lady* » ; ça, c'était mon mari qui me disait : « T'es MA femme, et ensemble on fait toute une équipe, oublie pas ça. Tu peux compter sur ton Outlaw, je suis ton grand *tough* et c'est justement quand ça va pas que tu dois compter sur moi. » Mettons que ça partait bien. :) Moi j'ai trouvé ça ultra *sweet*.

Dans le deuxième sac, j'ai trouvé un t-shirt qui disait « *Fuck keeping calm, they killed Opie* » (ça fait référence à la fois au fameux *tag* qu'on voit partout depuis plusieurs mois — « *Keep calm and carry on* » — et à une série télé que j'adore, *Sons of Anarchy*.) Moi j'ai trouvé ça plein d'humour et, comme vous savez déjà, l'humour est pour moi un excellent moyen de revenir sur terre quand ça tourne trop vite dans ma tête.

Dans le troisième sac, j'ai trouvé un t-shirt qui disait « *Keep calm and call SAMCLO* ». Ah ben là ! <3 C'est en plein ça qu'il fallait que je fasse, c'était ÇA la réponse à mon *badtrip* : rester calme et compter sur la solidité de nos amis proches, c'est-à-dire la gang de SAMCLO. Ça fait que j'ai mis mon t-shirt pis on est allés manger au resto avec SAMCLO. Moi j'ai trouvé ça vachement rassurant et ça m'a fait réaliser que si j'avais réussi à traverser mon cancer, c'était grâce à mes proches (ça, c'est pas juste SAMCLO ; c'est VOUS aussi !) ; et là, ben j'ai fait un plus un : l'histoire de Nina, je vais la traverser grâce à mes proches. Ouep.

Faque c'est ça. Je *keep calm* et je *call SAMCLO*, pis toutte va ben aller. Facile de même, pas besoin de grosses solutions compliquées ; compte sur tes chums pis sur ton monde, t'es pas tsu seule. *Period.*

Merci Chéri, merci SAMCLO. :)

Maude

FAQ

Comment réagit ton chum face à la tumeur de Nina ?
Je vais carrément le citer : « Moi, je suis dans le déni total et je vais y rester. C'est important pour moi d'y rester. » Voilà. Et c'est exactement

ça qui lui permet de me calmer, parce que ça lui permet de lui-même garder son cool. Chéri est un cool professionnel, il sait y faire. ;)

Comment Nina réagit à sa tumeur ? Lui avez-vous tout dit ?
Évidemment on en parle le moins possible à la maison, histoire de ne pas la faire paniquer (et de ne pas devenir fous nous-mêmes). Elle sait qu'elle a quelque chose et qu'il faut l'enlever ; elle est consciente qu'il ne faut pas laisser ça grossir tout seul. Mais de là à dire qu'elle réalise le lien que ça pourrait avoir avec un cancer, ça je ne crois pas. Pourtant la doc a parlé librement devant elle et a même prononcé le gros mot, « cancer » ; mais ça se peut que Nina ait cru que ça s'appliquait à moi et non à elle, puisque ça fait un an qu'elle entend « cancer » mille fois par jour. Moi je n'étais pas dans le cabinet du médecin avec Chéri et Nina, je ne pouvais pas y aller. Donc je ne l'ai pas vue réagir, mais honnêtement, je pense que c'est assez flou dans sa tête (et c'est tant mieux).

On va garder ça comme ça, sauf que si jamais elle se met à poser des questions, alors on ne lui mentira pas. L'idée n'est évidemment pas de lui expliquer tous les risques dans le détail ni d'y aller avec des grosses déclarations *full* épeurantes, mais pour Chrystian et moi, l'honnêteté est une valeur capitale. Alors on va certainement pas se mettre à lui inventer des grosses menteries, puisque c'est pas ça du tout qu'on veut transmettre à nos enfants comme éducation. Et n'oublions pas non plus que *c'est de sa santé à elle qu'il s'agit*, hein ; elle a bien le droit d'obtenir des réponses convenables aux questions qu'elle pose. Moi, quand j'ai posé des questions aux médecins à propos de mon cancer il y a un an, je ne l'aurais pas pris du tout s'ils m'avaient menée en bateau. Eh ben c'est la même chose pour ma poulette — qu'on ait 6 ou 66 ans, on a tous les droits de savoir ce qui se passe dans notre propre corps.

Est-ce que c'est vrai que tu vas passer à la télé et à la radio ?
Oui.

Combien de pages aura ton livre ?
Ouf, beaucoup ! Je sais pas combien, mais beaucoup, ça je sais !

Comment va ta santé ?
Côté cancer : bien, je pense.

Côté effets secondaires : moyen, ben moyen.

- **Mon cœur** a pris une bonne *drop* avec la biothérapie et la chimiothérapie, mais il se maintient toujours exactement au même niveau, et ça, c'est très, très rassurant pour mon médecin relax et pour ceux qui dirigent la recherche du protocole expérimental dont je fais partie. D'ailleurs, la semaine dernière j'avais une échographie cardiaque au programme, mais ils m'ont appelée pour l'annuler étant donné que mes derniers résultats étaient identiques à ceux de la fois d'avant. :) Alors j'ai pas eu de *date* avec Cúchulainn. Prochaine fois !
- **Mon estomac :** eurk. Ça va pas mieux. Mais c'est pas pire qu'avant non plus ; ça aussi ça se maintient.
- **Mes pieds** sont encore engourdis et enflés, mais la bonne nouvelle, c'est que ça part et que ça revient (et le fait que ça ne soit pas constant est très bon signe). Si je marche le moindrement, j'ai mal pendant 12 à 24 h.
- **Ma salive :** *&%$%#$@ ! Je pense que je ne vous en ai pas beaucoup reparlé, mais *fuck*, je n'ai plus de salive depuis décembre. Manger est parfois difficile (le pain, on oublie ça), et parler l'est encore plus si je dis quelques phrases d'affilée. Y a pas de solution magique, malheureusement. Tout ce que je peux faire, c'est prendre des petites gorgées d'eau constamment, mais en fait ça ne règle rien du tout. Dès que j'avale l'eau, pfuit !, c'est comme si ma bouche était un buvard. Et quand je bois une gorgée, j'ai pas du tout l'impression de boire de l'eau ; une fois dans ma bouche, le liquide me fait l'impression d'être un sirop épais. C'est poche en sacrament, j'ai hâte d'en finir avec ça. Mais c'est pas demain la veille, et ça je le sais. Faque je prends mon mal en patience.
- **Mes seins :** encore des élancements et des sensations d'aiguilles, mais à cette injection-ci, ç'a été beaucoup moins pire que la dernière fois, et en plus je n'ai ressenti ça que dans le sein droit. Faque c'est bon signe, je trouve.
- **Ma constipation :** câlisse.
- **Mon corps de jeune fille :** sacrament.
- **Mes maux de tête :** *oh boy*, ça c'est vraiment poche. Je dirais qu'avec les maux d'estomac, c'est ce qui m'incommode le plus en ce moment, malgré que ça ne soit qu'épisodique (contrairement aux maux d'estomac qui, eux, sont constants).

Es-tu bien certaine que ça vaut la peine d'endurer tout ça et de te taper encore plusieurs mois de chimio ?

Oui. *Absolutely no doubt about that.* Et encore plus maintenant que ma fille présente une tumeur (qui n'est pas forcément cancéreuse, je le répète… et je m'y accroche). Je suis l'une des rares à pouvoir tester le médicament dans le monde, rappelons-le. Si moi je dis non à cette étude-là, et si toutes les filles comme moi disent non aussi, voulez-vous ben me dire où on va s'en aller dans la recherche de nouveaux traitements contre le cancer, hmm ? Et puis y a aussi l'argument massue : s'il me reste des cellules cancéreuses, ce qui est fort probablement le cas, eh bien j'ai pas du tout envie de les laisser se faire un party dans mon corps. *Bam.*

Mais est-ce que ça ne retarde pas ton retour au travail, tout ça ?

Pas forcément. Dans ma tête à moi, il est clair que je vais retourner au travail avant d'avoir terminé ma chimio. Je vous tiendrai au courant. Oui je devrai m'absenter pour les injections, et sûrement aussi parfois à cause des effets secondaires, et encore (forcément) pour subir ma reconstruction mamelonnaire à Toronto et mon tatouage de mamelons et d'aréoles à New Orleans, mais tsé c'est mieux de s'absenter des fois que de ne jamais être là, il me semble. Non ?

C'est quoi les prochaines étapes côté santé ?

- Cette semaine : injection de chimio + rendez-vous avec le psychiatre pour lui dire que cette fois ça y est, on a trouvé la bonne *dope* (Triazolam) + rendez-vous avec le gynéco spécialisé en oncologie pour voir s'il peut régler le problème de mon cœur de jeune fille emprisonné dans un corps de vieille peau. **fingers crossed**
- J'attends des nouvelles de la star du mamelon à Toronto ; l'hôpital là-bas devrait m'appeler sous peu pour me donner un rendez-vous pour ma première consultation (une évaluation, finalement).
- Vers la fin du mois : rendez-vous avec mon Breast Man pour voir l'évolution de mes cicatrices externes et de ma cicatrisation interne (aucune inquiétude à ce sujet-là, tout va bien pour le moment et la phase critique est passée à mon avis).

- Gosser tout le monde à l'hôpital pour qu'ils me retournent au bureau. Je suis même prête à « googler » le concierge pour l'appeler chez lui à soir, lol.

Des mercis, plein plein plein de mercis.
Tous les *troopers*, merci pour votre appui hallucinant et vos nombreux *replies* extrêmement touchants quand je vous ai annoncé la nouvelle pour Nina. Mon Dieu que je ne suis pas seule… Et ça, c'est parce que *chacun de vous y met du sien*. C'est une vraie mine d'or — un puits dont je ne semble jamais toucher le fond — qui se trouve au bout de mon Gmail. M-E-R-C-I.

N° 777. *Lucky Seven*²²

8 septembre 2013

 *I'm lucky as a seven*²³. Ouep, exactement comme dans la toune de Blackberry Smoke. :)

Vous souvenez-vous, je vous disais que j'étais la seule à pouvoir tester la nouvelle chimio au Canada ? (En passant, je suis la seule Canadienne tout court dans la recherche, c'est-à-dire qu'il n'y a même pas une autre patiente qui en fait partie et qui aurait été « randomisée » dans le groupe qui sert de témoin en continuant avec le traitement « standard », c'est-à-dire l'Herceptin, pour qu'on puisse comparer les effets du nouveau médicament aux effets de l'ancien médicament.)

Eh bien cette semaine j'ai appris qu'il n'y avait que 6 patientes aux États-Unis qui participaient à l'étude. Je ne sais même pas combien, de ce nombre, testent le nouveau médicament plutôt que d'être dans le groupe témoin (tsé y en a peut-être juste 1 ou 2, ou même 0, ou alors 6 — c'est décidé au hasard par un logiciel), mais on s'entend-tu

22. Blackberry Smoke, *Lucky Seven*, *The Whippoorwill*, 2012.

23. Ibid.

que 6 Américaines sur une population totale de 313,9 millions, ça commence à s'appeler des perles rares?!

Faque c'est ça, je vous la ramène: *Baby, I'm a star!*[24]

En France, ils ont 4 patientes; en Italie, 1; en Israël, 1; en Autriche, 1; en Irlande, 2. En tout, 64 dans le monde entier (sur 7,2 milliards d'êtres humains. Je rappelle que les gens de la compagnie Roche cherchent 1 484 patient(e)s pour mener leur étude — ils vont y arriver avec le temps, à mesure que des patientes qui fittent dans le protocole se déclareront et accepteront de participer à la recherche; donc éventuellement il y aura moi + 741 autres patient(e)s sur le T-DM1, et 742 patient(e)s sur l'Herceptin).

Faque si jamais vous voulez un autographe de la Cancer Chick, je vous arrange ça pas-cher-pas-cher, mouahaha. ;)

Les nouveaux dans mon équipe

Dr Touchette, gynécologue

Hahahahaha! Je me trouve super chanceuse d'avoir l'occasion d'utiliser l'excellent gag des Cyniques, faque je vais certainement pas passer à côté: le gynécologue qui travaille sur mon problème de vagin chimiothérapé, on va l'appeler «Dr Touchette, gynécologue» (même si c'est évidemment pas son vrai nom, on s'entend!). Je l'ai rencontré la semaine dernière. Il est comme tous les autres médecins de mon équipe, c'est-à-dire ultra compétent, très-très-très au fait des percées scientifiques dans son domaine, et ceci même s'il est plus âgé que les autres qui travaillent dans mon dossier. Il est vraiment très *up-to-date*, c'est hyper rassurant. J'avais beaucoup de mal à suivre ce qu'il me disait par contre, puisqu'il ne parle pas assez fort (en tout cas pas pour moi — je suis peut-être devenue sourde à force d'écouter mon iPod dans le tapis quand je danse en *sweatpants* devant la porte-patio, haha!), et en plus il a la délicatesse de parler en français à ses patientes francophones; c'est adorable! Mais en même temps, je suis certaine que j'aurais mieux compris s'il m'avait parlé en anglais. ;)

---

24. Prince, *Baby I'm a Star, Purple Rain,* 1984.

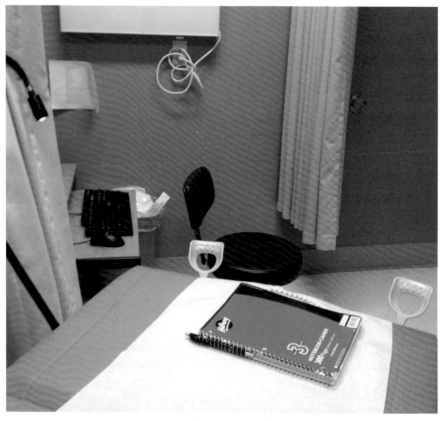

Dr Touchette, gynécologue

Bon, *cut the crap* astheure : on va y aller direct avec ce qu'il pense de mon vagin.

« *Je vois un vagin âgé*, qu'il a dit (!), la tête plongée entre mes jambes ; *je vois un vagin qui n'est plus rouge du tout.* » Voilà. C'est pour ça que j'ai mal quand je baise. Parce que la chimiothérapie a eu comme conséquence de limiter de façon dramatique l'irrigation sanguine de mes organes génitaux. Et ça, ça joue d'abord sur le plaisir (je pense que tout le monde sait ça : des organes génitaux gorgés de sang, qu'ils soient féminins ou masculins = un maximum de plaisir sexuel), mais également sur la souplesse des tissus. Donc mon vagin ne s'étire à peu près plus et n'a plus ce qu'il faut pour faire sa job quand moi j'ai le goût de baiser. Tout ce qu'il sait faire maintenant, c'est de crier OUCH.

— Mais ça va revenir, hein ? que j'ai demandé.

— Non, qu'il m'a dit avec un air désolé. Il comprenait très bien mon désarroi. On peut essayer d'améliorer un peu, mais il ne faut pas s'attendre à grand-chose. Ces changements-là ne seront pas réversibles. On peut améliorer votre condition, mais vraiment à peine, juste un tout petit peu. Je suis désolé, il ne faut pas que vous ayez trop d'attentes… Et je comprends très bien que c'est dramatique chez une patiente de votre âge… Mais malheureusement c'est la réalité.

— … Qu'est-ce que je peux faire, alors ? Baiser plus, j'imagine ? Pour amener régulièrement un maximum de sang vers mon vagin ?

— Exactement, qu'il a répondu. Vous allez faire l'amour le plus souvent possible [ici j'interromps mon récit pour vous dire que Chéri aime beaucoup le Dr Touchette, haha ;)] et utiliser du Replens au moins deux fois par semaine, mais idéalement plus souvent, pendant deux à trois mois. Ensuite on se reverra, et là peut-être que je vous prescrirai des hormones en comprimés à insérer dans le vagin.

— HEIN ? ! Mais là j'avoue que je suis un peu réticente [pas à baiser plus souvent, mouahaha !, mais à fournir des hormones à mon cancer qui, disons-le une fois de plus, utilise les hormones pour croître et éventuellement récidiver]… Vous le savez, han, que mon cancer est hormonodépendant ? Vous l'avez lu dans mon dossier, han ? Juste pour être sûre, là…

— Mais oui, je le sais. Bien sûr que je le sais. Mais aucune étude n'a encore pu démontrer de risques à utiliser des hormones en traitement local dans les cas de cancers hormonodépendants, et le bénéfice est évident pour les patientes. La vie sexuelle, c'est important ; surtout à votre âge. Donc si les hormones peuvent aider, c'est tant mieux, et ne craignez rien ; il n'est pas question d'action systémique du tout, ça reste local. Tout le monde s'inquiète à propos des hormones, mais sérieusement, il ne faut pas tout confondre. Quand on regarde les études, c'est clair qu'il y a un bénéfice important pour les patientes, tout en maintenant les risques au minimum. Je ne vois pas pourquoi on s'en passerait si ça ne présente pas de risques documentés. Venez me revoir dans deux ou trois mois.

Bon ben Chéri… *It's the doctor's orders…* Viens-t'en, on a du pain sur la planche. ;)

Mister Big Stuff

Tiens, un autre nouveau ; un résident qui a remplacé mon médecin relax l'autre jour pour superviser mes traitements de chimio. Je veux dire un petit mot sur lui parce que c'est important. Normalement j'adore les résidents, ils sont souvent très ouverts, avides d'expérimenter enfin une vraie relation avec un vrai patient, parce qu'en général ils ont très hâte de se trouver enfin sur le terrain plutôt qu'à l'école. Contrairement aux autres, Mister Big Stuff, lui, ne se considère plus à l'école et ça me gosse.

Ce qui me gosse, c'est qu'il manque d'écoute, comme les médecins des années 50. Il est correct, là ; *don't get me wrong*. Il est qualifié et tout. Et en plus, c'est le genre de gars dont les filles raffolent : *clean-cut*, sûr de lui, prrroprrre et pas laid du tout (mais moi je baiserais pas avec un gars de même ; en 40 ans, j'ai eu le temps de constater qu'en général, les gars qui manquent d'écoute tout habillés manquent encore plus d'écoute une fois tout nus). Mais il a tendance à agir avec ses patientes (ou plutôt avec moi, mais j'extrapole et je me dis que son attitude ne doit pas être très différente avec les autres patientes) comme un médecin de la vieille école : il s'imagine que je ne sais rien de ma maladie, me dicte presque mes effets secondaires au lieu de m'écouter les lui décrire, me regarde un peu de haut (probablement parce que j'ai l'air d'une insignifiante avec mes *games* de perruques, comme si je ne pouvais pas jouer les *bombshells* et être *bright* en même temps), et il essaie toujours très fort de me prescrire davantage de pilules totalement optionnelles chaque fois, même si je refuse et que je lui explique pourquoi (mais je parle toute seule parce qu'encore une fois : il ne m'écoute pas).

Nenon, Mister Big Stuff, nenon. T'as pas bien compris, là. Chuis pas une petite conne ; je me suis renseignée sur mon cancer pour de vrai, je sais prendre de bonnes décisions et j'aimerais bien que tu arrêtes de parler plus fort que moi quand j'essaie de t'expliquer mes affaires, parce qu'*anyway* t'es dans le champ dans mon cas, mais tu le sais même pas parce que tu m'entends pas avec tes beaux souliers qui *shinent* pis ta ceinture qui matche. Tsé t'es ben bon, tu pourrais même foxer tes cours ou ton stage si tu voulais parce que t'es calé en masse, mais *please, learn to listen to your patients. You ain't goin' nowhere in 2013 if you don't.*

Han ?! Jessica Rabbit, c'est en rouge? T'es sûr de ça? C'est pas en bleu, vraiment?
Eille, Mister Big Stuff : même en talons hauts pis en perruque, je suis encore
capable de réfléchir (*by the way*, la photo date de deux bons mois, mais à l'époque
j'avais pas osé vous l'envoyer parce que je la trouvais un peu trop *over-the-top*, lol!)

Les infirmières de recherche

Je vous ai déjà parlé de Ces femmes qui aiment trop (qui gère mon dossier dans la recherche) et de Mon party de Noël (qui gère le côté éthique de tous les protocoles de recherche auxquels mon hôpital participe), mais je ne vous ai pas encore parlé de The real McCoy, qui œuvre elle aussi uniquement dans les dossiers de recherche (mais je ne connais pas son rôle exact). Eh ben elle, tenez-vous bien : elle a déjà connu le vrai de vrai drame, celui d'une catastrophe nucléaire. Faque tsé, du monde qui a mal pis qui panique, elle en a vu en masse ; du *hardcore* pis du risque, elle est capable d'en prendre un char pis une barge. Je l'aime au boutte, comme les deux autres d'ailleurs, puisque comme elles, elle a une empathie incroyable. Elle est très-très douce, toujours bien mise (mais je ne l'ai jamais vue en *kit* blanc et rouge avec le petit chapeau pis les bas *ti-hi* qui matchent — d'ailleurs je commence à me demander QUI porte ça au juste, puisque jusqu'à maintenant j'ai pas eu la chance d'en voir une seule amanchée de même, *darn*), et elle fait systématiquement preuve d'un professionnalisme irréprochable.

La recherche dont je fais partie est si compliquée et si étendue qu'elle nécessite que ces trois infirmières-là se consacrent à peu près exclusivement à mon cas quand je suis à l'hôpital (et probablement pendant la journée qui suit aussi). Elles me font des prises de sang (la dernière fois, j'en ai eu quatre dans la même journée) et doivent les faire analyser, puis transmettre ensuite les résultats de mes analyses en Allemagne, d'où est dirigé le projet de recherche. Elles font aussi plein d'autres affaires, genre gérer l'info que je leur donne sur mes effets secondaires, et plein de choses encore, dont j'ai aucune espèce d'idée, mais en tout cas elles travaillent fort en crisse à voir à ce que VOUS puissiez bénéficier d'un traitement *full hot* qui vous évitera la chirurgie (et idéalement la mort) si jamais vous pognez le cancer du sein ou de la prostate HER2+ dans 10 ans — *God forbid*. Ça fait que *respect*, svp ; pis on leur fait une belle ovation debout, parce qu'elles le méritent À FOND (en plus d'être fines avec moi).

Scotty

On va appeler Scotty le dermatologue qui s'occupe de réduire mes vilaines cicatrices postmastectomie ; « Scotty » comme dans « *Beam me up, Scotty* », parce qu'il travaille à faire disparaître mes cicatrices avec un laser V-Beam (mais je pense pas qu'il arrive jamais à me faire disparaître au complet comme dans *Star Trek*, capotez pas avec ça, je ne risque pas de réapparaître un lundi soir à côté de la tsivi dans votre salle de séjour, hehe).

Il ne fait pas vraiment partie de « mon équipe » puisqu'il ne travaille pas à l'hôpital avec le reste de ma gang, mais on va l'inclure quand même dans l'équipe puisqu'il s'occupe de moi, et très bien à part ça. Donc je le paie pour qu'il me fasse des traitements de laser au privé, pis savez-vous quoi, je me serre la ceinture pour ça et je considère que ça vaut totalement la peine, puisque effectivement ça marche ; j'ai eu trois traitements jusqu'à maintenant (aux six à huit semaines), et mes cicatrices sont déjà beaucoup plus pâles et plus *smooth* qu'avant. :) Scotty a même espoir qu'une fois mes mamelons refaits, les sections de cicatrices qui dépasseront à gauche et à droite de chaque mamelon devraient être complètement blanches et passer tout à fait inaperçues. :) :) :) *Beam me up*, enwèye ! Continue ! Pis *crank*-moi ça à 10, c'te laser-là !

On change de thème pour les Geneviève !
Ça commence à bien faire, tout ce coton ouaté-là. Voici un signe que je suis physiquement mieux qu'avant : j'ai troqué mon « mou » pour des accessoires. :) Je vous propose donc de *switcher* de thème et d'y aller avec des foulards — j'en ai plein parce que je croyais m'en couvrir la tête alors que finalement je n'ai pas vraiment fait le trip « foulard-sur-la-tête-parce-que-je-suis-chauve ». Alors je vais me les mettre dans le cou — tsé faut ben que ça serve calvaire —, qu'est-ce que vous en pensez ? Ça vous tente ou pas ? J'attends même pas votre réponse et je vous mets tout de suite des photos, au risque que vous n'aimiez pas l'idée (mais tsé n'oubliez pas non plus que c'est moi qui tiens la caméra, haha ! Je vous laisse évidemment un droit de parole — c'est vous mon public, après tout ! —, mais je vous préviens : je vais rejeter tous les thèmes qui se rapprochent de « *nude* », « *naked* », « *barely legal* » et autres « *hospital-horny cancer chick* », LOL !)

Le look *'Merica*

Le look jeune fille en fleur

Le meilleur fils du monde, c'est MOI qui l'ai
(encore là : *I'm lucky as a seven*[25])

Le matin de mon traitement de chimio la semaine passée, comme d'habitude on déposait Rémi en voiture à l'école avant de partir vers l'hôpital. Et comme d'habitude j'étais dans un état assez bof, en fait pour tout vous dire je pleurais un peu parce que je voyais venir mes longues heures d'injection avec appréhension. On se souvient que Rémi me fait toujours un *speech* pendant qu'il met son sac sur son dos en descendant de la voiture, hein ? Eh ben cette fois-ci, c'est ça qu'il m'a dit (en faisant référence au fait que je testais un nouveau médicament) :

— Sois courageuse, maman. Pense que tu vas sauver des vies, ça va te donner du courage. C'est très important ce que tu fais en ce moment ; c'est important pour tout le monde.

Mon Dieu ! Est-ce vraiment *mon fils à moi* qui est si formidable et si mature ?! Si sensible, si conscient des enjeux qui comptent pour de vrai dans le monde ?! Ayoye, je capote ! <3

Et pourtant, je l'ai *rough* en crisse ces jours-ci

Ouin, c'est pas facile ces temps-ci. Faut dire qu'il y a eu toute une série d'événements qui m'ont jetée à terre, amplifiés par un contexte assez explosif… Je pleure beaucoup et souvent, c'est pas cool du tout. Je pense que l'idéal est de vous mettre ça en *point form* :

- Mes traitements me rentrent dedans. Je suis de moins en moins en forme.
- La peur-panique à propos de l'état de santé de Nina a ajouté au malaise général.
- Je me réveille systématiquement à 4 h du matin. Tous les jours. Évidemment ça engendre de la fatigue.
- En donnant mes courriels à la maison d'édition, j'ai revu l'automne 2012 et l'hiver 2013 en accéléré, et ça n'a pas été désagréable du tout, au contraire. Un genre de pèlerinage, je dirais. :) Par contre il y a un truc qui m'a complètement soufflée, et ça, je ne m'y attendais pas du tout. C'est venu en surprise. J'ai regardé les photos de moi seins nus que Darren Keith avait prises à Las Vegas l'automne

---

25. Blackberry Smoke, *Lucky Seven, The Whippoorwill*, 2012.

dernier. Ouf… J'ai éclaté en sanglots sous le regard désolé de mon homme. Comme ça, sans avertissement. Ouch.

Moi qui me sentais tout à fait solide avec mes cicatrices et mes ballons de silicone sans faux mamelons cousus dessus, bam, je me suis écroulée en deux secondes et quart. Et pourtant, ces photos-là, je les ai regardées mille fois tout au long de l'année, avant *et après* ma double mastectomie. Mais là, je sais pas… *It hit me. It hit me hard.*

Qu'est-ce qui s'est passé? Je ne sais pas, honnêtement. Je répète que je me sens bien avec mes «seins»; ça n'a pas changé pour deux cennes. Mais ce soir-là, je me suis écroulée sous la douleur du deuil et de la perte.

Et devinez qui m'a consolée en me prenant dans ses bras? Non, pas Chéri; mon fils.

Je dis «pas Chéri», mais qu'on se comprenne bien; c'est pas parce qu'il ne voulait pas ou qu'il ne pouvait pas, ça je pense que vous le savez parce que vous le connaissez bien maintenant. Non; c'est juste que Rémi, qui était couché pour la nuit, est redescendu par hasard dans la salle de séjour pour ajouter quelque chose dans son sac d'école en prévision de sa journée du lendemain. Et ça l'a beaucoup touché de me voir en pleurs, alors il est venu me serrer. Je lui ai dit que j'avais de la peine d'avoir perdu mes seins.

Ma foi, je pense que personne d'autre n'aurait pu me consoler avec autant de brio à ce moment précis. Personne d'autre que celui à qui mes seins perdus ont pratiquement sauvé la vie il y a 10 ans — Rémi était un grand prématuré et son allaitement a été une étape cruciale dans son développement —, absolument personne d'autre n'aurait pu si bien tomber. Encore une fois, je vais me répéter: je ne sais pas ce que j'ai fait de bien pour que la vie me fasse un aussi beau cadeau que mon garçon, mais *my God*, mon fils compte clairement parmi mes plus grandes richesses.

- La blessure est cependant demeurée ouverte, je ne suis toujours pas passée par-dessus au moment où j'écris ce paragraphe. Et elle est venue s'ajouter à celle de mes problèmes vaginaux, à la douleur très vive que j'éprouve maintenant à chaque pénétration (oui, ç'a empiré depuis que je vous en ai parlé), ainsi qu'à la douleur tout aussi vive que j'éprouve quand je pense que je dois faire une croix définitive sur mon plaisir d'avant, sur la vie sexuelle que j'avais avec mon mari, celle-là même qui nous rendait tellement heureux, tellement amoureux.

- Dans ce contexte-là, qui n'est pas super pour la féminité on s'entend, deux autres choses sont venues zigner dans ma plaie avec un *timing* d'une précision presque chirurgicale. En premier, y a eu une remarque anodine de ma fille à propos du fait que je ne pouvais plus me faire de chignons étant donné que je n'ai «plus de cheveux». Ouf, ça m'a fait mal (même si c'était pas du tout l'intention et que ça s'est fait dans un contexte tout à fait naïf), parce qu'on s'entend que des cheveux longs, ça m'aiderait à m'accrocher à un petit bout de féminité. Laissez faire les perruques, là. Je ne suis pas dans le ludique du tout ici, je n'ai pas le cœur à m'amuser; je suis dans le *core* de la douleur d'avoir perdu **un à un tous les éléments** qui me faisaient sentir féminine. J'aurais tellement besoin de me sentir une fille, une vraie… N'importe comment, avec n'importe laquelle des caractéristiques des vraies filles: seins, vagin et utérus fonctionnels, menstruations, cheveux coiffés, *whatever*.
- C'est drette ce moment-là que la vie a choisi pour m'envoyer le deuxième «vlan-dans-les-dents», le coup de poing direct dans le ventre: des remarques blessantes, misogynes, qui sont venues m'attaquer directement dans la féminité que je n'ai même plus. Je ne vous raconterai pas tout ça, je ne m'étendrai pas là-dessus; mais je tiens quand même à en parler parce qu'à mon avis, ce que je ressens en ce moment même, toutes les patientes qui ont eu un parcours semblable au mien finissent par le ressentir tôt ou tard. Me faire rejeter parce que *je ne suis qu'une fille après tout* — alors même que je ne présente plus une seule des rares caractéristiques qui permettent aux machos d'apprécier les filles (attention: là je vais être vachement vulgaire et crue parce que le contexte s'y prête et qu'il s'agit justement du mépris que j'ai besoin de souligner): j'ai pus d'plotte, j'ai pus d'totons; chus même pus bonne à fourrer à part dans le cul (et de toute façon on n'a même pas besoin d'une fille pour ça); bref, dans les yeux de ceux qui n'arrivent pas à apprécier la présence des filles autrement que quand ils ont besoin de se mettre, *je ne sers plus à rien* à part à élever des enfants. Pis je porte mes cheveux courts en plus — eh ben voilà, checke la *butch* qui se prend pour un gars.

Donc svp, faites très-très-très attention à ce que vous dites à des femmes qui ont perdu soit leur utérus, soit leurs ovaires, soit leurs seins, soit leurs cheveux, ou alors tout ça à la fois à cause du cancer (eh oui, boutte d'la marde, dans certains cas de cancer qui sont directement imputables à un facteur génétique, on doit aussi enlever les ovaires de la patiente en plus de ses seins — c'est une mesure préventive) ; ces femmes-là ont une faiblesse évidente par rapport à tout ce qui touche à la féminité, un genre de talon d'Achillette, et *my God* que c'est pas le moment de venir en rajouter.

J'ai mal, j'ai CRISSEMENT mal. Ça saigne beaucoup-beaucoup-beaucoup dans mon cœur. Mon corps était déjà déchiré, mais là en plus, mon esprit souffre terriblement aussi. Et dans un cas comme dans l'autre, j'ai aucune idée de quand ça va s'arrêter, je n'en vois pas la fin. :'(

Faque c'est quoi la solution, d'abord ? Ma solution à moi, c'est de m'organiser pour que les filles qui marcheront après moi dans le long tunnel souterrain du cancer puissent avoir une petite lanterne pour ne pas perdre pied dans le noir et risquer de se blesser encore plus. Tsé je le sais bien que je ne les empêcherai pas de souffrir, ça c'est évident. Mais par contre j'ai la certitude qu'après m'avoir lue, elles seront psychologiquement et physiquement mieux armées pour faire face à tout ça, et ça me soulage beaucoup de penser que la douleur que je ressens tous les jours, eh bien elle servira à quelque chose et à quelqu'un ; ça me fait du bien de croire que je ne traverse pas tout ça pour rien. Je vais me servir de ma douleur pour soulager les autres, et ça, ça me permet d'endurer mes petites souffrances plus facilement. Heureusement.

Cette fois je ne signe même pas, parce que je ne me sens plus moi-même et que j'ai l'impression d'avoir perdu beaucoup de mon identité. :'(

FAQ

Pourquoi tu divulgues autant de ta vie intime, et de façon publique en plus ? !
Parce que non seulement j'ai la conviction de pouvoir en aider d'autres alors que moi je n'ai pas eu cette chance et que Dieu sait à quel point j'en aurais eu besoin il y a un an, mais parce qu'en plus j'en ai eu la

confirmation tout récemment. Eh oui; sur ma liste, j'ai deux conjoints de patients qui viennent de commencer leur chimio, et mes courriels les aident pour de vrai à faire face aux problèmes du quotidien (entre autres, le fameux truc du sport tout de suite après l'injection).

Tout ça me montre que c'est la meilleure façon de m'y prendre pour faire ma part dans la lutte au cancer — je ne suis pas riche, je ne peux pas faire de don considérable à la Fondation du cancer du sein du Québec pour augmenter les fonds disponibles pour la recherche; je ne travaille pas dans un hôpital pour panser les blessures physiques de tous ces gens qui souffrent des suites de leur maladie; je n'ai pas de connaissances scientifiques, je ne peux pas faire avancer la recherche pour trouver de nouveaux traitements ou pour enfin éclaircir les causes du mal qui menace ma vie et celle de tant de personnes sur toute la planète, qu'elles soient jeunes ou âgées; je n'ai pas l'énergie qu'il faut pour faire du bénévolat pour soulager les blessures psychologiques et émotives des patients qui ont du mal à supporter la quantité inouïe d'épreuves apportées par le cancer et ses traitements…

Moi j'ai un don, un seul: celui de la communication. Je considère qu'il est de mon devoir de m'en servir pour transmettre l'information que nous avons acquise de peine et de misère mon mari et moi, et je considère aussi qu'il serait impardonnable que je laisse d'autres patients souffrir du même manque d'information qui m'a moi-même beaucoup nui.

Idéalement, je voudrais que personne n'ait à subir l'affreuse impression de ne rien comprendre et de ne rien savoir en plus d'avoir à dealer avec la méga blessure du cancer et de la peur de la mort qui vient avec. Faque je continue, je poursuis mon objectif. Et je vais me rendre au bout de ma démarche, peu importe ce que ça me coûtera comme efforts d'humilité ou de mise à nu. Peut-être qu'au bout du parcours, je regretterai d'en avoir autant dit, ça se peut; mais j'aurai au moins l'impression d'avoir apporté ma petite contribution dans la lutte contre ce fléau qui menace l'ensemble de la race humaine. C'est important pour moi, c'est important pour les autres. Si moi je ne le fais pas et que tout le monde continue de ne pas le faire, Dieu sait combien de patients (et combien de leurs proches) souffriront encore — inutilement, dois-je le préciser — d'un grave manque de renseignements et d'aide, puisque finalement on voit bien que rien ni personne n'existe pour diffuser l'information complète de façon massive.

Est-ce que ça fait mal, le laser sur les seins ?

Oui, en masse, et en même temps, non, pas du tout. Je m'explique : les nerfs de ma peau des « seins » (parce qu'on s'entend que j'en n'ai pas, de seins) n'ont pas fini de guérir complètement. Donc à certains endroits de mes cicatrices, je ne sens absolument rien puisque la peau est complètement insensibilisée en raison des nerfs qui ont été endommagés par la chirurgie ; mais à d'autres endroits, ouf, là c'est une tout autre histoire par exemple ! Alors ce que je fais, c'est que je prends de l'ibuprofène (Advil) une heure avant mon rendez-vous, et une fois étendue sous le laser de Scotty, je placote avec lui en m'interrompant moi-même de temps en temps par des « iiiiii ! » et des « ayoye ! » bien sentis.

Le traitement de mes cicatrices horizontales (celles qui traversent chacun de mes « seins ») est beaucoup plus douloureux que celui des cicatrices laissées par les drains qui ont percé ma peau ; je rappelle que je porte les six cicatrices des quatre drains qui ont permis d'évacuer le surplus de lymphe et de sang après ma chirurgie (donc deux trous du côté droit + deux trous du côté gauche + deux nouveaux trous du côté gauche, percés par le chirurgien esthétique quand il a déplacé les drains que son résident avait installés). Comme les cicatrices des drains sont plus petites que celles des mastectomies, leur traitement au laser est évidemment moins douloureux.

Scotty doit repasser au moins trois fois sur chaque centimètre de cicatrice. Mettons que rendue à la fin du rendez-vous, je commence à avoir pas mal hâte de crisser mon camp. Mais attention : Scotty, je l'adore. C'est juste la douleur qui me fait tiquer, pas celui qui me l'inflige. ;) Tsé, de la douleur aux seins, j'en ai eu pour mon argent avec la chirurgie ; et de la douleur en général aussi, j'en ai eu pour mon argent (et d'ailleurs j'en ai toujours) avec la chimio. Donc j'ai l'impression qu'en tant que patient cancéreux, on devient de moins en moins tolérant et que plus on avance, plus on a le goût de toutte sacrer ça là parce qu'on n'est juste pus capable de se faire gosser après et de souffrir à cause de ça.

Mais c'est pas si grave, je continue à endurer en serrant les dents parce que justement, si vous avez lu mon courriel comme il faut, vous voyez bien que j'ai profondément besoin que mes ballons de silicone finissent par ressembler un jour à des seins. Idéalement le plus tôt possible, parce que là ça commence à presser un peu plus qu'avant… :/

Nº 78. Limbo

10 septembre 2013

 How low can I go[26]?
Actuellement, je ne suis pas très loin de la dépression. La vraie, celle qui porte un grand D et qui vient avec l'étiquette « majeure ». C'est très, très, très difficile à la maison ces temps-ci.

La maladie ;
L'arrêt de travail ;
Les effets secondaires de mes traitements ;
La tumeur de Nina ;
La dyspareunie (douleur vaginale) ;
La perte d'identité féminine ;
Les remarques et attitudes misogynes blessantes et répétées ;
Le fait de ne me sentir ni bonne à travailler, ni bonne à baiser, ni bonne à accompagner les copains, ni bonne à quoi que ce soit, *pas même bonne à vivre, finalement,* puisque je ne saurais même pas survivre sans soins médicaux ;
… Tout ça, ça donne quelque chose en noir et blanc qui ressemble beaucoup à ça :

Oubliez le KY

Plusieurs d'entre vous me sont revenus avec des réponses de type « KY », ce qui me fait penser que je n'ai pas été assez claire dans mon dernier courriel. *Mon problème le plus important n'en est pas un de lubrification.* Mon vagin est atrophié (dixit Dr Touchette, gynécologue), et donc extrêmement douloureux dès qu'on fait mine de mettre quelque chose dedans, KY ou pas. Quand je dis « douleur », je ne dis pas « inconfort ». Je dis **DOULEUR**. De la

---

26. Jan Sheldon et Billy Strange, *Limbo Rock, Limbo Party*, 1962.

douleur genre viol. Même l'applicateur de Replens me fait mal. Et c'est pour toute la vie, ça ne reviendra plus jamais-jamais. Voilà, maintenant c'est clair.

Là les filles, ne vous mettez pas à *badtriper* sur la ménopause pour autant ; vous n'aurez pas mal comme moi, puisque vous n'aurez pas eu de chimiothérapie et que de toute façon votre médecin vous prescrira probablement des hormones le moment venu ; ça réglera votre problème facile-facile. C'est juste que moi je ne peux pas en prendre à cause de mon état de santé.

Tout le monde est tanné

Je suis tannée d'avoir le cancer et d'être en traitement. J'ai aussi bien moins d'endurance physique et psychologique qu'au début parce que ça fait un an que je vivote péniblement, je n'en peux plus.

Mon chum est tanné que j'aie le cancer et que je sois en traitement. Il a aussi bien moins d'endurance physique et psychologique qu'au début parce que ça fait un an qu'il me regarde vivoter péniblement tout en s'occupant de toute la famille. Il n'en peut plus.

Vous êtes probablement tannés de m'entendre parler de cancer (ben oui, c'est correct, on peut se le dire — je vous comprends, y a pas de honte. Sérieux, là). Sur le coup vous avez eu un choc (« *OMG*, ç'aurait pu être moi, j'aurais pu avoir le cancer ! »), vous avez été curieux, vous m'avez suivie dans tous les dédales du cancer. Et là je m'essouffle, et vous aussi, parce que finalement ben coudonc, on continue à vivre ; c'est-à-dire que moi je continue à faire ce qu'il faut pour avoir la vie sauve, et que vous, vous retournez au bureau ou ailleurs. Dans votre tête, je suis hors de danger maintenant, alors circulez, y a rien à voir, on peut enfin passer à autre chose.

Si au moins c'était si facile.

Nous quatre, on est encore complètement dedans, et ça personne ne s'en rend plus compte. Pire encore : personne ne réalise que ça nous demande encore *bien plus* qu'avant parce qu'on est en fin de course et qu'on est vidés, pus capables de se battre. On est à terre, vous comprenez ? À-t-e-r-r-e.

Je ne veux pas que vous vous sentiez mal à l'aise de lire ça, mais je dois absolument l'écrire parce que ça fait partie du parcours du cancéreux et de ses proches ; je veux que le monde sache qu'après la chimiothérapie, qu'après la chirurgie, quand *vous*, vous pensez que « c'est ben beau, c'est réglé », eh bien non, ça ne l'est justement pas, même que c'est loin de l'être. Ce qui suit ces étapes-là est affreux. Parfois il y a de la radiothérapie (et il paraît que c'est vraiment pénible, même si on a toujours tendance à penser que c'est bien moins pire que la chimio); parfois il y a une autre chimio (comme dans mon cas); parfois il y a la détresse de la dépression; parfois il y a l'horreur de *devoir vivre* après que tout le monde s'est justement acharné à nous sauver la vie; parfois il y a la douloureuse recherche de sa nouvelle identité.

Il y a peut-être plein d'autres «parfois», je ne sais pas; mais je sais qu'il y a presque toujours un grand trou noir.

Je viens de tomber dedans.

Maude

FAQ
OUI je me sens ni femme ni homme. À la limite de la race humaine, pour dire vrai.
OUI je ressens une pression énorme quand on me demande quand est-ce que je vais retourner travailler.
OUI j'ai peur de perdre ma job parce que j'ai accepté de tester un médicament et que ça va rallonger mes traitements de trois mois.
OUI je vais essayer de convaincre mon médecin de me retourner au travail au plus crisse même si je suis à terre et pas du tout en mesure de travailler.
OUI je souffre du fait que tout le monde est passé à autre chose alors que moi je suis encore pognée dedans.
Pis OUI, essayer d'en aider d'autres en publiant un livre est **la seule chose** qui me fait du bien en ce moment. Et je vous avertis, je vous l'écris noir sur blanc drette comme chus là: c'est même pas la peine d'essayer de m'en dissuader («Ben voyons, t'as le cancer, tu devrais dormir à la place!» — crisse, dormir, je ne suis même plus bonne à ça non plus, j'y arrive pas tout le temps). Faque vous allez perdre votre temps.

Ain't much left of me[27], really.

---

27. Blackberry Smoke, *Ain't Much Left of Me*, *The Whippoorwill*, 2012.

N° 79. Silence radio

14 septembre 2013

N° 80. Spécial cicatrices

9 octobre 2013

Hey my friends,

Certains le savent, d'autres le pressentent, tous l'imaginent ; ça n'allait crissement pas pendant les dernières semaines.

Vous êtes plusieurs à vous être inquiétés de mon « Silence radio » (N° 79) depuis le 14 septembre, et vous aviez bien raison d'être inquiets comme ça. Je vais vous dire, moi aussi je me suis inquiétée, à la fois pour ma santé mentale et pour le bien-être de toute ma famille. J'ai visité des coins pas mal sombres, je me suis demandé quoi faire pour retrouver l'instinct de continuer et comment me débarrasser de l'envie de trahir ceux qui avaient tout fait pour me garder en vie.

C'est lourd.

Ça fait qu'avec toutes mes grosses grafignes, je pensais à ça pis je me suis dit : eh ben je vais leur faire un « Spécial cicatrices ». Qu'est-ce que vous en pensez ? Moi je dis que ça tombe pile avec le *mood* du moment, je dirais même que je trouve ça *full* concept. Et comme je sais que mes cicatrices, plein d'autres patientes les portent aussi, eh bien *all of this seems very à propos* dans le tome 2 d'un livre sur le cancer.

Mais attention, hein : on ne parlera pas juste des bobos ; on va aussi proposer des solutions. Sinon, c'est trop déprimant. Pis côté déprime, on a assez donné dans les dernières semaines, il me semble… Ça commence à être le temps de relever la tête et de regarder en avant un petit peu.

Juste avant de commencer par exemple, je veux vous dire à quel point je suis contente de vous écrire aujourd'hui. Dans quelques semaines, mes courriels du tome 1 seront ouverts à tous et imprimés dans un livre, mais au fond, mon projet, c'est pas ça, c'est pas le tome 1, c'est pas un livre que les gens pourront bientôt acheter ; mon projet, c'est de VOUS écrire ce qui se passe.

Ce soir, donc, c'est un peu comme un retour aux sources. :) Je me suis sentie plus loin de vous récemment, et honnêtement, ça ne m'a pas réussi ben-ben… ;) Je me suis ennuyée de vous et de vos *replies*.

1. Les cicatrices de la chirurgie

Quand on a le cancer, les cicatrices les plus évidentes au premier coup d'œil sont bien sûr celles qu'on garde après l'opération. Il y en a plus qu'un type, ça dépend de la chirurgie qu'on a subie. Évidemment que quand on enlève seulement la tumeur, la cicatrice est bien moins grosse ; par contre, ça crée souvent une « dépression » dans le sein, un genre de trou, une irrégularité dans la rondeur du sein. Donc c'est moins joli qu'avant, mais tsé y a encore un sein quand même. Et un mamelon quand même. Et un deuxième sein intact quand même.

Celles qui subissent une mastectomie (ou deux, comme moi) vivent bien sûr avec de plus grosses cicatrices et un risque de plus grandes séquelles psychologiques. Il n'y a parfois qu'une seule cicatrice qui traverse le torse à l'horizontale ; on voit ça dans les cas où il y a eu double mastectomie sans reconstruction mammaire (c'est-à-dire sans prothèses). « Pourquoi ne pas faire de reconstruction mammaire », vous allez me demander ? Eh bien des fois c'est parce que la patiente préfère ne pas en avoir ; des fois peut-être que c'est pas possible médicalement parlant, je ne sais pas ; mais en tout cas des fois, c'est parce que la fille n'est pas assez riche et qu'elle n'a pas d'assurance maladie (je pense entre autres à de nombreuses femmes américaines). Il y a aussi les cas où on voit deux cicatrices comme les miennes, donc à l'horizontale aussi, mais sans reconstruction (prothèses), contrairement à moi.

Mon cas à moi je ne vous l'expliquerai pas, vous le connaissez bien : j'ai deux grosses cicatrices sur deux prothèses de silicone. Par contre je vais vous dire que je suis très satisfaite de mes cicatrices, et que c'est imputable à plusieurs facteurs (voir les solutions dans le deuxième paragraphe qui suit).

Enfin, il y a aussi des cas où on a des prothèses, mais où ça se passe mal. Je ne vais pas développer là-dessus parce que vu que ça ne m'est pas arrivé *(thank God!)*, je n'y connais rien. Mais je vais quand même mentionner trois problèmes qui peuvent survenir (et que j'aurais pu rencontrer — ça peut se produire chez n'importe quelle patiente) :

1. Le corps rejette les prothèses, un peu comme dans une greffe d'organe, et là il y a infection — il faut donc retirer les prothèses ;

2. Le corps fait du zèle et se met à produire trop de tissu cicatriciel ; à ce moment-là, il se forme une « coque » ou une « capsule » autour de la prothèse (ou des deux prothèses ; ça peut être seulement dans un sein ou dans les deux), et là ça donne un sein dur comme de la roche, avec un look pas joli du tout ;

3. La plaie s'infecte, en surface ou en profondeur ; si jamais l'infection s'étend trop, il faut carrément retirer la prothèse du sein infecté et reprendre le travail (une nouvelle chirurgie), mais avec cette fois de bien moins beaux résultats ; il faut enlever les portions de peau et/ou de tissus qui ont été infectées.

Ce qu'on peut faire pour diminuer les cicatrices : pour commencer, un bon plasticien qui travaille avec la plus petite incision possible, ça aide beaucoup. Ne pas fumer genre deux mois avant la chirurgie et deux mois après ça aide beaucoup aussi, j'en ai parlé précédemment. Enfin, faire bien attention à ses mouvements pendant la convalescence, c'est pas mal la base et ça me semble évident, mais je l'ajoute quand même. Parce que l'idée, c'est pas juste de bien cicatriser en surface, mais de bien cicatriser en profondeur également. C'est comme ça qu'on met toutes les chances de notre bord pour avoir le plus beau résultat possible, et ça permet en même temps de faire tout ce qu'on peut pour que les prothèses restent bien au niveau où le chirurgien esthétique les a placées — sinon on risque d'avoir un sein plus haut que l'autre. :s Donc on ne force pas, on ne lève pas les bras, etc.

Après la chirurgie, le laser fait une énorme différence pour l'apparence des cicatrices. On peut commencer les traitements dès que les cicatrices se consolident, genre six ou huit semaines après l'opération (avant, c'est plus une plaie qu'une cicatrice ; c'est mou, un peu comme du Jell-O) ; renseignez-vous. Faut être pas mal motivée aussi, parce que c'est vraiment un luxe quand on est en arrêt de travail ; ça coûte 220 $ chaque fois (donc autour de 1 000 $-1 500 $ au total) et ça n'est couvert par aucune assurance vu que « ça n'est qu'esthétique » et que j'imagine que les compagnies d'assurances ne voient aucun bénéfice immédiat à limiter les risques de dépression chez les patientes et à ainsi mettre toutes les chances de leur côté pour raccourcir leur arrêt de travail de cancer. Tk.

Plusieurs disent qu'au fond le laser ne change rien ; que si on laisse son corps faire lui-même le travail, on parviendra au même résultat, mais des années plus tard, genre 10 ans plus tard. Peut-être, je ne sais pas. Mais moi je ne pouvais pas attendre mes 55 ans pour enfin voir disparaître ou même seulement réduire les grosses barres bordeaux qui me traversaient les deux seins. Faque j'ai sorti le *cash* que je n'avais pas. Mais là, bonne nouvelle : à l'hôpital ils ont écrit à la RAMQ pour voir si y aurait pas moyen de me faire quelques traitements dans le système de santé plutôt qu'au privé, étant donné la gravité de mon cas et les séquelles psychologiques qui menacent. Réponse dans un ou deux mois, je vous tiendrai au courant.

Parallèlement au laser, ou alors sans laser du tout, on peut appliquer un gel de silicone (Dermatix, Hanson Medical) ou une crème à base de silicone (Cicaplast, LaRoche-Posay) matin et soir dès qu'on n'a plus de gales, ce que je fais ; ou encore, on peut porter des pansements de silicone 12 heures par jour (Estompe-cicatrices, d'Elastoplast) ; sauf que moi je ne tripe pas tellement là-dessus pour le moment, parce qu'au moment de les retirer il faut tirer très fort… et que ça m'a arraché un petit bout de peau qui était en train de se réparer il y a plusieurs semaines. :s Pourtant mon Breast Man m'avait donné le *go* pour les utiliser, je ne suis pas allée trop vite ni rien, j'ai suivi les recommandations du médecin. Ma peau est plus solide depuis, et j'ai réessayé (parce qu'il paraît que c'est plus efficace que le gel que j'utilise, donc j'aimerais bien faire le *switch*) ; sauf que ça me fait quand même mal quand je les enlève, et honnêtement, de la douleur aux seins, je n'en peux plus, je n'en veux plus. Quitte à retarder un tout petit peu la disparition de mes cicatrices… mais pas trop non plus, parce que ça presse en crisse pour ma santé mentale.

2. Les cicatrices de la chimio
Vingt-cinq injections reçues à date + neuf injections à venir. C'est là que j'en suis, pis sérieux, mon corps en a mangé une câlisse. Je n'en peux plus de souffrir comme ça mais je vais le faire, je vais continuer, c'est correct. C'est correct parce que je sais qu'un jour ça va cesser et que je vais finir par me sentir mieux physiquement, et que grâce à ma nouvelle chimio, j'aurai l'esprit un peu plus en paix peut-être (on

aura tué mon cancer partout dans mon corps, et pas juste dans mes seins) et j'aurai en même temps la satisfaction personnelle d'avoir fait mon petit bout de chemin pour la race humaine en testant le T-DM1. De toute façon, si je n'avais pas le T-DM1, j'aurais de la radiothérapie, et ça doit pas être tellement plus facile à supporter si vous voulez mon avis, surtout quand ça se termine en nouvelle chirurgie esthétique.

Mais la vraie cicatrice de la chimio, celle qui me fait le plus mal et que je vais porter jusqu'à ma mort, c'est la baise dont la chimio m'a privée.

Ici, le problème se divise en trois facettes :

1. La dyspareunie : « dyspareunie », ça veut dire « douleur ressentie lors des rapports sexuels », et ça peut survenir aussi chez les hommes, même si c'est bien plus fréquent chez les femmes. Selon Dr Touchette, gynécologue, la dyspareunie vaginale survient chez à peu près toutes les femmes qui ont subi de la chimiothérapie, mais j'imagine que c'est à des degrés divers selon qu'on a reçu 4 injections ou 34. En gros, le principe, c'est qu'il y a atrophie vaginale — donc le vagin rapetisse carrément. La chimio abîme ou fait disparaître des capillaires et des vaisseaux sanguins, alors le vagin et la vulve sont moins bien irrigués qu'avant, moins nourris en sang. S'ensuit une perte de souplesse des tissus, une atrophie et/ou des problèmes de lubrification. Dans mon cas, la douleur est semblable à celle de la coupure d'un couteau de boucher au moment de la pénétration.

   Ce qui me laisse complètement sans voix, c'est que personne — *FUCKING* PERSONNE — ne parle de cet effet-là de la chimiothérapie. Pourquoi ? Si ça touche toutes les patientes, voulez-vous ben me dire pourquoi on n'en entend pas parler ?! Tout le monde te prévient que tu vas perdre tes cheveux et que tu risques de vomir, mais à propos de ta vie sexuelle qui sera dévastée à jamais, là pas un mot par exemple. *Sweet fuck all.* Quand on réalise *en plus* que contrairement à l'alopécie et aux nausées, c'est un effet *permanent*, ben là on se demande en crisse comment ça se fait que tout le monde parle juste de cheveux pis de vomi.

2. La baisse de libido : évidemment, c'est la suite logique du point précédent ; est-ce que j'ai le goût, moi, de me faire pénétrer par un couteau ? *Wattyathink?!* Faque c'est rien pour aider à revenir à une vie sexuelle épanouissante, mettons. Sans compter qu'il faut bien sûr se sentir bien dans sa peau après avoir perdu ses seins et ses cheveux.

3. Le manque de lubrification vaginale : je classe ça en dernier, parce qu'honnêtement, je m'en crisse pas mal. Tsé y a tellement rien là quand on compare aux deux points précédents ! Sérieux là, c'pas grave pantoute. Y a plein de produits pour régler ça.

Ce qu'on peut faire : presque rien. C'est grave (dans le sens que c'est pas juste un petit changement dans les sensations, c'est vraiment un changement radical), et c'est pour toujours, touttes les crisse de jours jusqu'à ma mort. Ici, je vous rappelle le commentaire navré de Dr Touchette, gynécologue : « On peut améliorer la situation, mais juste un tout petit peu. Je suis désolé. Il ne faut pas que vous ayez trop d'attentes, ça ne reviendra jamais. »

On peut utiliser de façon continue — au minimum deux fois par semaine — un lubrifiant vaginal spécialement conçu pour aider à entretenir l'hydratation et la souplesse des parois vaginales (Replens), mais j'ai bien dit « entretenir », et pas « restaurer ». Bref ça ne fait pas de miracle, ça te ramène pas ton vagin d'avant. Mais ça aide.

On peut aussi utiliser des hormones en action locale ; il y en a en comprimés (Vagifem), et je crois qu'il y en a aussi en crème. Je viens tout juste de commencer le traitement, alors je ne peux pas vous dire si ça fonctionne bien ou pas. Deux fois par semaine, on insère à l'aide d'un applicateur un comprimé d'œstrogène qui va fondre et agir directement sur les parois du vagin pour lui redonner les hormones qu'on ne produit presque plus (parce que parallèlement à tout ça, rappelez-vous que la chimio provoque la ménopause, donc en plus d'avoir un problème d'irrigation sanguine du vagin et de la vulve, on n'a plus les hormones qui servaient entre autres à avoir un vagin de bonne humeur).

Ce traitement-là n'est pas systémique (donc il n'agit que localement, et pas sur le système entier de la patiente — le taux d'œstrogène n'augmente à peu près pas dans son sang), et c'est grâce à ça que les patientes présentant un cancer hormonodépendant peuvent le suivre ; ça serait bien trop dangereux pour elles de prendre les comprimés oraux qu'on donne aux femmes en ménopause, c'est absolument interdit parce que ça risque de finir en récidive de cancer. Par ailleurs, pour commencer le Vagifem, tu dois absolument être sous Tamoxifène, qui est un traitement antihormonal. Ça diminue de beaucoup les risques, étant donné que ça désactive les récepteurs d'œstrogène sur tes cellules ; même s'il y a de l'œstrogène dans ton sang, grâce au Tamoxifène, tes cellules n'arrivent plus à s'en servir du tout, et c'est comme ça qu'on s'assure de ne pas favoriser un nouveau cancer. Attention, par contre : le Tamoxifène n'est pas une garantie contre la récidive. Ça protège énormément, mais ça ne garantit rien.

On peut faire une rééducation vaginale pour essayer de retrouver un peu de la souplesse perdue. L'idée est d'utiliser le plus petit dildo possible au moins une fois par jour, et idéalement deux fois par jour. Belle façon de se désennuyer pendant son congé de maladie. ;) Je fais des jokes, mais sérieux, c'est même pas drôle, parce qu'en fait, ça n'a rien d'agréable ; ça fait mal en tabarnac.

On peut baiser le plus souvent possible — c'est un *no-brainer*, c'est même la meilleure recommandation (une recommandation à suivre en conjonction avec les solutions précédentes : Replens et Vagifem). Mais là encore, faut être motivée — tsé tu le sais que ça va te déchirer l'intérieur, *et ton chum le sait aussi* ; il sait que t'auras pas de fun, il se prépare à te voir pleurer, il sait qu'il va se sentir super mal d'entrer… Bref, en y pensant bien, y a peut-être pas le goût tant que ça lui non plus, finalement.

Enfin, on peut aussi accepter qu'on souffrira de dyspareunie toute sa vie et simplement choisir de ne pas essayer d'améliorer sa condition vaginale. Dans ce cas, voici ce qu'il reste comme options :
- On peut laisser tomber la pénétration vaginale et y aller avec les cunnilingus et les *blowjobs*. (Euh, je n'ai plus de salive depuis décembre 2012. Je m'excuse d'être aussi explicite, mais sérieux j'ai déjà fait des meilleures jobs que ça, mettons que c'est pas mon heure de gloire pis que chus pus dans mon *prime*.)

- On peut laisser tomber la pénétration vaginale et y aller avec la pénétration anale. Enfin une bonne nouvelle, haha !
- Il y a aussi la masturbation et... l'abstinence.

Voilà pour les solutions qui s'offrent aux patientes après leur chimio, mais ça reste du patchage. Cette cicatrice-là ne disparaît j-a-m-a-i-s. *Et pourtant on la tait.* Personne n'en parle. *By the way*, justement parce que personne n'en parle, je n'ai aucune idée quant à l'effet des autres chimiothérapies et à une éventuelle dyspareunie chez une patiente traitée chimiquement pour un cancer au larynx, mettons. Tout ce que je vous ai dit ici, je peux seulement en parler pour les chimiothérapies AC, Taxol et T-DM1 ; si votre belle-sœur a un cancer de la peau ou un lymphome, je ne sais pas si ça s'applique à elle... pis j'ai pas fait de recherches pour les autres cancers non plus, j'en ai en masse dans mon assiette avec mon cas à moi pour le moment.

Le conseil d'la Cancer Chick : vous connaissez une fille en chimio ? Eh bien ne perdez pas de temps et dites-lui tout haut ce que je pense tout bas : je pense qu'au lieu de ralentir au lit au moment où j'ai commencé à ressentir de la douleur, j'aurais dû au contraire être doublement plus active. Ce qui suit n'est pas scientifique, ça sort juste de ma petite tête (qui a quand même fait pas mal de cours de bio), mais tsé : *use it or lose it.* Plus tu forces l'irrigation sanguine de tes organes génitaux, moins le réseau veineux desservant tes organes sexuels risque de perdre en efficacité. Mais encore une fois, c'est pas scientifique — c'est juste mon hypothèse (et mon unique regret depuis que j'ai le cancer, en passant. J'en n'ai rien qu'un, mais il est énorme, malheureusement.)

Le mot de la fin à propos de la dyspareunie : réalisez bien que ça survient après toute une année de traitements, en plein au moment où un couple a toutes les chances du monde d'être fragilisé par un an de stress, de douleur, de changements *hardcore* dans son *beat* habituel... *Let's just say* qu'il faut être faits forts. Chrystian et moi, ça va, on est chanceux d'être aussi solides ; mais je pense à tous ces couples qui se défont à force d'usure et je me dis *eeesh*, le cancer, ça grafigne dans tellement plus de sens qu'on pense...

3. Les cicatrices de la féminité

Évidemment ça englobe aussi les points précédents. Faisons le tour de ce qu'une expérience de cancer comme la mienne laisse dans le corps, le cœur et la tête d'une patiente comme moi au chapitre de la féminité.

3.a Les seins

Je n'ai plus de seins. Pire que ça : je n'ai plus de mamelons. Ça donne un drôle de look visuellement, ça t'enlève évidemment un gros morceau de féminité dans la tête (et sur la poitrine, *duh*), mais ça change aussi les rapports que ton corps entretient avec le corps de ton chum. Sérieux, avoir les seins froids 24 heures sur 24, toujours un peu comme si tu venais de les sortir d'un Tupperware au frigo, c't'ordinaire. Et ça te rappelle tout le temps que tes seins à toi sont partis se faire congeler quelque part dans un labo d'hôpital et qu'ils sont froids eux autres aussi de toute façon. Pis quand tu te colles sur ton chum, bof tsé. Mettons que c'est moins chaleureux.

Ce qu'on peut faire : à part s'acheter deux bouillottes, ou se tripoter les boules à longueur de journée pour réchauffer un peu le gel de silicone des prothèses, je vois pas.

3.b La fonction reproductrice

Évidemment qu'on ne veut plus d'enfants Chrystian et moi, ça fait longtemps que cette question-là est réglée chez nous. On veut vivre à quatre pis c'est toutte. Sauf qu'au moment où mon sentiment d'être une fille s'évapore parce que je n'ai plus grand-chose pour me distinguer d'un gars (dans ma tête à moi, je veux dire), eh bien honnêtement, je ne me plaindrais pas d'être menstruée en échange de la possibilité de bénéficier de tout ce qui fait d'une fille *une femme*. Ça me donnerait par ailleurs un petit coup de pouce côté libido.

Ce qu'on peut faire : absolument rien, même que c'est un avantage santé d'être ménopausée et de ne plus sécréter autant d'hormones, puisque ça diminue mon risque de faire une récidive.

3.c Les cheveux

Looking back, j'ai quand même aimé faire le trip du crâne rasé. J'ai eu du fun avec mon tatouage, c'était correct pour moi. Couper mes cheveux, c'est quelque chose que je n'aurais jamais fait si je n'avais pas eu le cancer ; disons que ça m'a donné une occasion de voir comment c'était de se raser la tête et d'explorer un nouveau look.

Sauf que là je ne suis plus rasée et qu'on ne voit plus mon tatouage. J'ai les cheveux courts. Pis ça, c'est pas du tout correct pour moi. Je me sentais beaucoup mieux quand j'étais chauve. Là je le sais que vous allez m'envoyer des *replies* pour me dire que les cheveux courts, ça me va bien. Ben oui, merci, j'ai beaucoup de chance, j'en suis consciente. C'est vrai, toutes les patientes n'ont pas cette chance. De quoi je me plains, alors? Eh bien je me plains qu'à ce stade-ci de ma vie, j'avais fait pousser mes cheveux depuis des années et que maintenant, *I want my hair back as a sign of feminity and health.*

J'ai BESOIN de retrouver mes cheveux. Pas la semaine prochaine. Pas demain. *Right. Fucking. Now.*

J'étais *mindée* à être chauve, évidemment; quand on pense «cancer», on pense «pas de cheveux»; c'est même ce qui vient à l'esprit tout de suite après «mort», et juste avant «vomi». Mais, aussi drôle que ça puisse peut-être vous sembler, je n'étais pas *mindée* à vivre pendant des années avec les cheveux courts. *I mean*, je le savais que j'aurais à vivre ça, c'est sûr; mais je n'étais pas prête à ça, même si j'étais pourtant prête à être chauve momentanément.

Sans seins, sans utérus/ovaires/vagin/vulve fonctionnels, et sans cheveux en plus, entre vous et moi, *il me reste quoi, au juste?*

À quoi je peux me raccrocher pour sentir que ma féminité, je ne l'ai pas perdue? Attention à ce que vous allez me répondre si jamais ça vous tente de vous aventurer à propos de ça, parce que je suis vraiment très farouche et susceptible sur ce point-là. J'ai mal beaucoup-beaucoup, premièrement parce que j'ai perdu tout ça, et deuxièmement parce que quelqu'un est venu me faire de la peine et zigner direct dans ma plaie il y a un mois (voir plus loin le point 3.d). Et je répète que si je tiens à en parler dans mon livre, c'est parce qu'à mon avis, ce que je vis en ce moment, toutes les patientes le vivent probablement, à un degré ou à un autre.

Ce qu'on peut faire pour retrouver des cheveux: les faire pousser (*duh!*). À raison de 1 cm par mois, c'est long en sacrament; en attendant de ne plus avoir les cheveux courts, on peut porter des perruques. On peut se faire poser des rallonges (je ne suis pas certaine que je veux faire ça, moi: premièrement, avec le T-DM1, il y a un risque de 9 % de chute des cheveux, donc si le poids des rallonges fait tomber mes cheveux, je ne serai pas plus avancée, tsé. Deuxièmement, vu que j'ai de gros maux de tête, je pense pas que c'est tellement *winner* d'aller me faire poser des rallonges qui vont créer une grosse pression sur ma boîte crânienne). À part ça, ben coudonc, on peut essayer de trouver des façons créatives de placer joliment nos cheveux qu'on refuse de couper (donc j'ai pas de coupe dedans et pour le moment ça se gère bien, mais j'imagine qu'il y aura des *bad hair days* éventuellement), et on peut porter des tuques aussi ; ça tombe bien, c'est en plein la saison pour ça. :)

3.d Les « Moi les filles, j'haïs ça »
Évidemment que dans un contexte pareil, quand tu te sens pas trop solide dans ta féminité, c'est pas le temps de te faire dire plusieurs fois d'affilée que les filles ne servent à rien, qu'elles dérangent tout le monde, et qu'on ne veut pas les voir à part quand on a le goût de fourrer comme un bûcheron qui sort du bois après un contrat de deux ans. Ça grafigne beaucoup-beaucoup d'entendre des trucs sexistes ou misogynes de la part de l'entourage quand ça arrive au moment où t'es à terre physiquement après un an de traitements *hardcore*, et vulnérable psychologiquement après quelques mois d'ajustement à ta nouvelle identité de « j'ai pus de seins pis j'ai pus de vagin ni d'utérus qui fonctionne ». Tsé, si on te fait comprendre qu'une femme c'est juste bon à fermer sa gueule en s'écartant quand c'est le temps, qu'est-ce qui va t'arriver, à toi, vu que tu ne peux plus t'écarter quand c'est le temps ?

 Tu vaux quoi, tu sers à quoi ? Selon ce raisonnement-là, si je ne servais déjà pas à grand-chose avant, maintenant que je ne suis même plus une « vraie » fille, câlisse, ej'sers à quoi astheure, moi d'abord ? Ouch.

Y a de quoi se sentir comme un vieux vélo brisé.

Perso, j'allais quand même pas si mal malgré la mauvaise nouvelle de la tumeur de Nina et malgré mon propre cancer et mes traitements. J'allais pas si mal jusqu'à ce qu'on me fasse comprendre que j'étais indésirable parce que je suis une fille, que les filles ne servent à rien et qu'elles tombent sur les nerfs du *vrai* monde, c'est-à-dire sur les nerfs des garçons.

Ce qu'on peut faire : mettre son pied à terre pour se faire respecter et s'entourer de gens qui nous respectent.

Ce qui m'amène au point suivant.

4. Les cicatrices de l'amitié

Il y a un cliché qui dit que c'est dans les vraies épreuves qu'on reconnaît les vrais amis. Eh ben c'est pas un cliché pour rien, je viens juste de checker pis je peux vous le confirmer : *trust me*, c'est pertinent.

L'amitié souffre beaucoup du cancer, et en même temps, aussi paradoxal que ça puisse être, elle en bénéficie tout autant. Premièrement, c'est souvent l'occasion d'approfondir des amitiés dont tout le potentiel était déjà là avant, mais qui n'attendaient qu'une épreuve pour se solidifier ou se sceller. Deuxièmement, c'est aussi l'occasion de reprendre contact avec des gens qu'on a oubliés *God knows why* ; je vous en ai déjà parlé, pis sérieux, ça fait un bien fou ! Troisièmement, et c'est là la grande surprise, c'est l'occasion tout indiquée de développer de nouvelles amitiés ; ça peut être des gens que tu n'avais jamais rencontrés avant (genre devenir amie avec une autre patiente croisée dans une salle d'attente ou dans un groupe de soutien), ou ça peut aussi être des gens que tu connaissais un tout petit peu mais que le cancer te fait découvrir ; moi ça m'est arrivé, pis ouf, je peux vous dire que j'en reviens toujours pas ! J'ai découvert des gens d'une richesse incroyable, des gens dont je n'aurais jamais soupçonné la générosité et la grandeur d'âme ; autant de purs étrangers que des simples connaissances ou collègues (salut La Fée <3).

Quatrièmement, et fort malheureusement, il y a le cas des amitiés qui ne passent pas le test. À ce chapitre, il y a deux cas de figure : le premier est très courant, et c'est celui qui s'effrite à l'usure. On n'a pas envie d'avoir un ami malade, ou alors on n'a simplement pas la disponibilité qu'il faut pour entretenir des liens avec quelqu'un qui tout à coup disparaît de notre quotidien ; pas le temps ou le goût de lui envoyer un courriel, ou pas la présence d'esprit de réaliser que la personne vit toujours même, si ça fait longtemps qu'on l'a pas vue. C'est juste un désintérêt, pis c'est ben correct ; c'est pas grave. À chacun son chacun, comme disait ma regrettée Clara. Et à la limite, ça veut pas dire qu'on se retrouvera pas des années plus tard.

Le deuxième cas est heureusement moins courant, car c'est celui qui fait le plus mal. Je parle de l'ami qui blesse volontairement et de façon répétée quelqu'un qu'il sait malade et vulnérable, quelqu'un qui le considérait comme un allié. C'est ce qui m'est arrivé dans le courriel « *Lucky Seven* » (N°777).

5. Les cicatrices de l'image d'*avant*

J'en ai parlé tout à l'heure dans le paragraphe sur la féminité, mais je veux en reparler ici, parce que cet aspect-là a plusieurs facettes. Donc oui j'ai perdu mes cheveux, et une partie de ma féminité qui allait avec ; mais pas juste ça. J'ai également perdu l'image que j'associais à la personne que je suis aujourd'hui et maintenant.

Je veux mes cheveux longs. Comme *avant*. Avant le cancer, avant la peur, avant la douleur, avant le malheur ; je veux mes cheveux comme avant que je devienne quelqu'un d'autre qui ne se reconnaît plus dans le miroir.

Tous les jours, ce que je vois dans le miroir, c'est une fille qui a perdu ses cheveux à cause du cancer. Tous les jours mon reflet me dit : « T'as le cancer, Maude. T'as le cancer. Ça va te prendre des années (Cinq ? Dix ?) avant de retrouver tes cheveux, et des années (Cinq. Dix.) avant de pousser un grand soupir quand ils te diront "Ça y est, bravo madame, vous avez enfin réussi à franchir le fil d'arrivée de la Rémission Complète". » Tous les jours, je vois CANCER écrit en *all caps* dans le miroir. Pis j'ai ben de la misère à dealer avec ça.

Ce que je veux, c'est me reconnaître dans le miroir. J'accepte le fait que j'ai eu le cancer et que je l'ai encore ; je ne veux juste plus voir cette maladie-là dans le miroir.

Aujourd'hui, c'est mon premier anniversaire de chimio ; on est le 9 octobre, et il y a exactement un an, je recevais ma toute première injection. C'est assez, maintenant. Après un an, j'ai besoin de voir autre chose que du cancer dans mon reflet. J'aimerais voir Maude quand je me regarde, et je la cherche sans relâche. Mais je ne la vois plus.

Je ne sais pas si vous allez comprendre ce que je vais écrire, mais je m'essaie quand même : en ce moment, je suis une fille à cheveux longs qui a les cheveux courts. Y a bien longtemps qu'on a vu cette fille, plus personne ne se rappelle à quoi elle ressemble. Mais je sais qu'elle vit toujours. C'est juste que je m'ennuie terriblement d'elle. *Desperately Seeking Maude*[28]…

Récemment, je suis tombée par hasard sur deux photos.

Celle-là, prise en avril 2012 pendant notre croisière rock annuelle (donc trois ou quatre mois avant qu'on sache que j'avais le cancer). C'est assez troublant de voir à quel point je ressemblais à l'héroïne de *Love Story*[29], l'un des films les plus connus à avoir été tournés sur le sujet du cancer… Je n'avais jamais réalisé ça. Sur cette photo-là, je vois une fille heureuse, une fille en santé, une fille que rien n'inquiétait… et qui pourtant portait la mort en son sein (en ses seins, mettons ;)).

Love Story[30] — Tout était est prêt pour mon cancer, même les cheveux.

---

28. *Desperately Seeking Susan*, Susan Seidelman, 1985.

29. Erich Segal, *Love Story*, 1970.

30. Ibid.

Et cette photo-là, celle de la comédienne qui tenait le rôle principal dans *Love Story*[31] (scanner le code QR ou chercher le lien suivant dans Google) : www.blog.darryle-pollack.com/2010/10/love-story-with-ali-macgraw/)

Tout ça pour vous dire que maintenant, avec mes cheveux courts qui me vont pourtant « tellement bien », je me cherche partout et je ne me trouve pas. Et je redis que je me sentais beaucoup mieux avec ma tête rasée et mon serpent qu'avec mes cheveux courts en ce moment. Mais tsé, si je veux des cheveux un jour, ben j'ai pas le choix ; je ne peux pas me raser, je dois absolument passer par l'étape des cheveux courts.

Super Fly[32]

---

31. Erich Segal, *Love Story*, 1970.

32. Curtis Mayfield, *Super Fly*, *Super Fly*, 1972.

6. Les cicatrices de l'intimité

On entend parler de ça des fois, à quel point notre corps ne nous appartient plus quand on est en traitement pour un cancer (du sein, entre autres); on se met toujours tout nu devant n'importe qui, on se fait tripoter les seins à tout bout de champ, etc. Moi je n'ai pas eu de mal à dealer avec ça, mais je ne doute pas que d'autres puissent le vivre difficilement. J'en profite pour vous raconter deux choses.

La première est survenue hier, alors que j'étais au département de Dermatologie de mon hôpital pour faire examiner mes cicatrices afin que le dermatologue évalue si oui ou non j'étais un cas qui pouvait passer sur la RAMQ (sa réponse est oui, mais comme je vous ai dit plus haut, faut attendre de voir si le doc obtient l'approbation de la Régie pour traiter mes cicatrices au laser dans le système public).

Donc je suis dans la salle d'examen avec Chrystian et un résident. On explique mon cas au résident, qui nous dit, pendant que je suis en train de rattacher les agrafes de mon soutien-gorge : « Attendez, je vais aller chercher le Dr Skin ; c'est lui qui pourra nous dire si oui ou non on peut le faire. » Et là paf, il ouvre tout grand la porte de la salle d'examen pour sortir aller chercher le médecin en question. *Man!* Je suis en soutien-gorge de dentelle noire! Direct devant la salle d'attente!

Y a un patient qui attendait sagement son tour dans la salle d'attente qui a été pas mal surpris quand la porte s'est brusquement ouverte, alors son regard est tombé directement dans le mien juste avant que je ne referme prestement la porte — j'imagine qu'il l'a bien aimée, cette clinique-là, mouahaha! Eille, sérieux, heureusement que j'avais mon soutien-gorge! Je veux dire, je venais TOUT JUSTE de le remettre, j'étais en train de l'ATTACHER!!!

Pas de photo ici ; fallait juste se trouver dans la salle d'attente au bon moment, lol!

Et la deuxième chose, ben c'est (encore) des louanges pour mon médecin extraordinaire. Je ne vous ai jamais dit ça, mais il cogne toujours avant d'entrer dans la salle d'examen. :) Tsé ç'a l'air de rien, mais des fois tu peux rester une demi-heure dans cette salle-là avant que le médecin arrive ; donc quand la porte s'ouvre, évidemment que tu fais le saut parce que tu ne t'y attends plus (et que Chrystian est en train d'allumer toutes les *switches* qu'il trouve sur le mur et d'ouvrir toutes les portes d'armoires, lol). Faque c'est ça, un petit mot pour tous les résidents en Médecine qui liront peut-être mon livre un jour : c'est vraiment une belle attention et une marque de considération pour votre patient que de cogner avant d'entrer dans la salle d'examen où il attend votre arrivée.

7. Les cicatrices du cancer

Il est là pour toujours, ça je le sais depuis longtemps (août 2012). Mais quand il a vu que j'arrivais à vivre somme toute assez bien avec lui à mes côtés, il s'est dit qu'il n'y était pas allé assez fort encore. Alors il est venu pour ma fille. Ça j'en reviens pas, j'en reviens pas du tout. Une tumeur par année par famille, me semble que ça devrait être pas mal le quota. Me semble que plus que ça, euh, sérieux là, ça fait juste comme trop, tsé. Ben nous autres on en a eu 14 pis on est juste 4 dans la maison. J'espère qu'on va au moins gagner un beau prix spécial à la fin, genre « Le bonheur jusqu'à la fin de nos jours » ou « L'éternité jusqu'à la fin de notre bonheur », je sais pas (ou encore un vagin *refurbished*… je dirais pas non ! ;)).

Le cancer, je vais avoir peur de lui toute ma vie, tous les jours, tout le temps. *Deale avec*[33] pis c'est toutte, y a pas de solution pour ça, ou du moins pas encore.

8. Les cicatrices de la carrière

Je vous ai dit que j'avais peur de perdre ma job. Je dois vous expliquer pourquoi. L'agence pour laquelle je travaille prend des décisions, mais elle ne prend pas toutes les décisions ; le réseau dont elle fait partie est dirigé à partir de Toronto et de New York. Et je me dis qu'ils ont beau m'aimer à Montréal, qu'ils ont beau être compréhensifs et patients, ça se pourrait que des gens qui ne me connaissent pas, des étrangers pour qui je ne suis qu'un numéro d'employée sur un *payroll* entier, décident que j'ai déjà coûté bien trop cher ou encore que je coûterai trop cher à l'avenir, à cause des assurances collectives. Ça me fait

---

33. Sèxe Illégal.

terriblement peur. J'ai déjà dit plein de fois à quel point j'aimais ma job et mon équipe ; vous imaginez bien le deuil que ça serait pour moi de perdre ça après tout ce qui m'est arrivé.

Évidemment, il y a des lois pour ça au Québec. Mais il y a aussi plein de stratégies pour les contourner, tout le monde sait ça. Parlant de congédier un employé parce qu'il est atteint du cancer, avez-vous suivi l'histoire de la gérante-serveuse qu'un restaurant montréalais a virée quand elle a annoncé son cancer des ovaires ? Ils ont fini par la reprendre parce que ç'a fait trop de bruit sur les réseaux sociaux et que ça mettait la santé de l'entreprise en péril (quelle ironie quand même !) ; le restaurant perdait trop de clients. Mais pour un cas comme celui-là, où l'employée est réintégrée à cause de la pression du public, combien restent dans la rue ? Et y a pas que ça, hein : quel genre de relations cette fille-là a maintenant avec ses patrons ? Tsé, c'est ben beau de ravoir sa job, mais si c'est pour vivre un enfer chaque jour, c'est pas mieux non plus.

Et si par malheur je dois perdre mon poste, est-ce qu'on m'engagera dorénavant ? Je ne suis plus assurable et je risque de nuire à n'importe quel contrat d'assurance collective, alors… qu'est-ce que ça va donner, concrètement ? Quand on perd sa job après un cancer, on répond quoi en entrevue quand on nous demande pourquoi on a cessé de travailler ou pourquoi on a perdu son emploi ? Et si par bonheur le sujet n'est pas abordé en entrevue, il arrive quoi quand vient le moment de signer les papiers d'assurance et qu'il faut déclarer qu'on a souffert d'un cancer ?

Voici une chanson dont le texte m'interpelle énormément (après avoir scanné le code QR, il vous faudra peut-être descendre jusqu'en bas de la photo pour tomber sur la vidéo que je veux vous montrer ; ça dépend de votre téléphone).

Hop la vie, malgré tout
Maintenant que je vous ai dit tout ça, je vais quand même ajouter un peu de lumière au bout du tunnel.

Toutes ces marques que je porte, toutes ces cicatrices, toutes ces blessures… Elles sont profondes, mais elles sont comme des tatouages, au fond ; elles racontent un gros morceau de ma vie et sont des jalons de mon épreuve.

I know who I am now. Je sais d'où je viens, je sais où je vais. Je sais de quoi je suis capable et de quoi je suis incapable.

I step in stride[34].

Marchez la tête haute, les filles. On vaut tous et toutes quelque chose.

Maude

FAQ

COMMENT VA NINA ?!!

Bien. Elle va très bien. En fait elle va aussi bien que j'allais moi-même à l'époque où on a appris que j'avais le cancer… donc ça veut rien dire pantoute. Sa tumeur a continué à grossir après que je vous en ai parlé, mais là on dirait que la croissance de sa lésion a ralenti. Malheureusement par contre, ça non plus ça ne veut absolument rien dire.

On n'a toujours pas eu d'appel qui lui permettrait de se faire opérer plus rapidement grâce à l'annulation d'un autre patient, mais on n'arrête pas d'espérer pour autant. Donc au fond j'ai rien de plus à vous dire qu'avant, c'est plate de même ; on n'en sait toujours pas plus, faut prendre notre mal en patience. :/ Faque on suit le plan : 13 novembre, chirurgie ; trois semaines plus tard, réponse de cancer ou pas cancer grâce aux analyses pathologiques en laboratoire. Mais on a vu ce que ça donnait avec mon propre cas au mois de mai dernier ; il y a parfois des retards. Personnellement, je me donne jusqu'à Noël pour être fixée. Après ça par exemple, si on dépasse mon *deadline* personnel de Noël, là je vais péter une *fuse* et devenir folle. Mais en attendant, je m'en remets au sort et je me dis tous les jours que ça se peut pas, calvaire, ça doit être juste une joke, tsé franchement, ç'a juste pas de crisse d'allure.

---

34. Kid Rock, *Step in Stride, Grits Sandwiches for Breakfast*, 1990.

Des fois il nous arrive, à Chrystian ou à moi, de la regarder se préparer pour la nuit en installant ses toutous selon un ordre bien établi dans son lit; elle remonte les couvertures sur eux jusqu'à la hauteur de leur nez — elle insiste là-dessus et dit toujours qu'il faut bien qu'ils puissent respirer —, et là on se répète «Calvaire, ça se peut pas. Ç'a juste pas de crisse d'allure.»

Récemment, Nina a encore perdu une dent. Mais cette fois, quand Chrystian est entré sur la pointe des pieds dans sa chambre pour remplacer la quenotte par des pièces de monnaie, il a trouvé sous l'oreiller un petit mot que notre fille avait soigneusement écrit à la Fée des dents... Elle avait même collé une étoile sur le petit papier mauve qu'elle avait choisi pour le dessin de fée qu'il y avait dessus. <3

Message pour la Fée des dents

Alors on a décidé que la Fée des dents allait lui répondre; j'ai découpé un cœur dans du carton rose et j'ai sorti ma plus belle écriture de fée (euh...!). Jusque-là ça va, c'est *cute* mais c'est pas complètement hors de l'ordinaire non plus... Sauf que le lendemain, Nina a répondu à la fée. <3 <3 <3

Correspondance avec la Fée des dents
— Nina est *buddy-buddy* avec elle

Qu'est-ce qu'on peut faire pour t'aider quand tu files pas?
Je vais vous répondre par la bande en vous décrivant les cadeaux que j'ai reçus. Et si je l'écris, c'est pas parce que je veux recevoir d'autres cadeaux, mais c'est pour donner des idées à ceux qui liront mon tome 2 (eh oui, vous lisez présentement le tome 2…). C'est une question que presque tout le monde se pose : on fait quoi, au juste, quand quelqu'un a le cancer ? On lui dit quoi ?

J'ai reçu plein de messages touchants de plusieurs *troopers*. Je vous remercie beaucoup pour ça, parce que ça fait toujours un bien énorme quand quelqu'un donne signe de vie. Et ça fait du bien même quand c'est juste un tout petit mot ; pas besoin d'écrire 25 pages comme moi. ;) Ça vaut toujours la peine d'écrire, y compris quand on sait pas quoi dire. Juste « salut », juste « je pense à toi aujourd'hui », juste « je t'aime », ça fait la job en masse. <3

Quand je me suis emmurée pendant un mois dans mon « Silence radio » (N° 79), y a Milène qui a réagi en m'envoyant une de ses tounes préférées. Ouf... J'ai braillé. Pis *full*, à part de tsa. Mais un bon braillage, là ; le genre de braillage qui sort parce qu'on se sent enfin comprise. Et c'est pas tout, hein ; quand Milène a vu que mon silence se prolongeait pendant des semaines, eh bien elle a remis ça et m'en a envoyé une autre ! <3 Crisse, elle a vraiment catché ce qui se passait. Elle a TOUTTE catché. Et surtout elle ne m'a pas oubliée ; *out of blue*, ou plutôt *out of the blues*, sans que j'aie à lui faire signe, elle est venue me tendre la main dans mon silence. Merci Milène.

Y a Darren K. qui a travaillé à modifier des photos de moi (la série prise à Las Vegas avant le début de mes traitements) ; il en a traité plusieurs en négatif, c'était magnifique (donc le blanc devient noir, et inversement). Il m'a envoyé toute une série de photos, certaines en négatif et d'autres en noir et blanc, et j'ai été TRÈS touchée ; me voir entière comme ça, avec seins et cheveux, sur d'aussi belles photos... Le tout à un moment où j'avais désespérément besoin de sentir que j'étais encore et malgré tout une femme *deep down inside... Thank you, man. Thank you. That was so appropriate.*

Y a Éric qui m'a écrit un des plus beaux messages que j'ai reçus de toute ma vie. Après avoir vraiment compris ce que j'avais écrit dans « Limbo » (N° 78) et ce que je n'avais pas écrit dans « Silence Radio » (N° 79), et après avoir visionné les liens que j'avais envoyés, il a réussi à me faire sourire et pleurer tout à la fois : « ... si ta vie ressemble à un jeu vidéo en noir et blanc, traite-la comme un jeu vidéo : 1. Avance tranquillement niveau par niveau ; si ça marche pas du premier coup, recommence le niveau, et sois indulgente envers toi — c'est la première fois que tu joues à ce jeu-là ; 2. Trouve tes super pouvoirs et utilise-les au bon moment, mais pas trop non plus ; ça peut affaiblir ta magie ; 3. Trouve-toi des alliés pour se battre avec toi, c'est certain qu'il y en a, mais ils se cachent, et dans le noir des fois on ne les voit pas... Tu es une personne très importante pour moi et pour beaucoup de monde... ». Un vrai ami qui me connaît pour vrai, vulnérabilités comprises. Merci Éric... Je t'adore.

Y a Janie qui m'a envoyé plusieurs bisous de bonne nuit en photos ! Avec des messages pleins d'amour, d'humour et de délicatesse. :) Merci Janie.

Y a Zoé qui m'a offert par la poste des boucles d'oreilles d'une artiste de Vancouver ; un bijou qui me ressemble vraiment beaucoup. :) Pis les filles, tsé, c'est bien connu : quand on braille, deux choses nous aident beaucoup. La crème glacée pis le magasinage ! J'ai tripé solide à ouvrir ce petit paquet-là tout bien ficelé, et j'ai tripé encore plus de pouvoir les porter quand je suis allée manger avec elle et Sophie. Merci les *chicks*, vous m'avez fait du bien !

Y a Shawna qui a eu un bébé et qui m'a donné l'occasion de me sentir utile en acceptant mes conseils de marraine d'allaitement. Ç'a peut-être pas l'air d'avoir un rapport avec les drames que je vis, mais en fait oui, ç'a un méchant rapport : la féminité pis les seins, ça prend tout son sens avec la maternité et l'allaitement. D'aller revisiter ces moments-là en compagnie d'une amie que j'aime beaucoup, ça m'a requinquée. Merci Shawna et Janelle.

Enfin y a Marie-Eve, des Éditions de Mortagne, qui m'a envoyé des photos qui m'ont touchée droit au cœur pendant son voyage de noces ; je vous en mets une ici. Merci Marie-Eve d'avoir pensé à prendre ces photos-là (surtout au Hogs and Heifers, haha ! C'est trop *hot* !), puis d'avoir ensuite pris le temps de me les envoyer tout de suite sur le coup, même en voyage d'amoureux. J'ai trouvé ça plein de délicatesse.

Photo : Marie-Eve Jeannotte

Marie-Eve au Hogs and Heifers de Las Vegas — voilà une façon merveilleuse et toute simple d'aider un ami qui a le cancer ! :)

Et bien sûr y a tous ceux que je n'ai pas nommés individuellement mais qui sauront se reconnaître. :) Vous êtes magnifiques. Merci d'être encore là.

Est-ce qu'on peut t'envoyer des questions même quand t'es *down*? Ça t'aide ou ça te gosse?

Vous pouvez TOUJOURS m'envoyer vos questions. :) Ça m'aide de les recevoir, ça m'aide d'y répondre; ça m'aide, point.

Et toi, qu'est-ce que t'as fait pour te remonter? T'as appelé SAMCLO pis t'es allée faire de la moto?

Eh non, pas cette fois. Cette fois j'ai « reconnecté avec mes vraies racines » et j'ai fait ce que je n'aurais jamais dû cesser de faire : écouter du vieux Kid Rock au boutte.

J'ai aussi revisité mes motivations profondes pour me rappeler ce qui comptait vraiment pour moi : 1. aimer mon mari et mes enfants ; 2. guérir ; 3. informer le plus grand nombre grâce à mon projet de livre.

… Pis tout ça fonctionne. Je vais tâcher d'attendre moins longtemps avant de m'en rappeler la prochaine fois.

T'as maigri, il me semble?

Oui, j'ai maigri! :) Par contre j'ai pas bien fait ça, pas bien du tout; chuis pas très fière de moi. J'ai maigri parce que j'ai cessé de manger sans même m'en rendre compte. J'ai passé des jours entiers, *des nuits entières* à pleurer, à fixer un point droit devant sans rien voir, à boire du café et à fumer des clopes, recro-quevillée dehors dans ma chaise Adirondack. C'est sûr que c'est pas pire pantoute pour un tour de taille, mais ça demeure à éviter dans la mesure du possible (je n'avais plus cette « mesure du possible » — d'ailleurs je ne mesurais plus rien du tout et je n'entrevoyais plus de possible du tout non plus).

Somebody… anybody… just get me out of all this

Comment tu te sens ? T'as l'air bien, t'es resplendissante !

Exténuée. À bout de forces. Éreintée par la maladie. Triste. Déprimée. Battue. Abattue. Malmenée par la vie. J'ai effectivement l'air pimpante comme d'habitude. Merci St. Tropez, merci L'Oréal, merci Nars et merci MAC.

Pourquoi les patientes sont-elles réticentes à utiliser du Replens de façon continue ?

Même si ça peut aider contre la dyspareunie après une utilisation continue pendant deux à trois mois, les patientes cessent généralement de mettre du Replens parce que c'est un peu dégueulasse. Je vais être graphique ici, attention les cœurs sensibles : ça fait de grosses flaques dans les bobettes, des flaques qui traversent même le pantalon. Il faut mettre des protège-dessous tous les jours, et honnêtement, le *stuff* qui se ramasse dans nos bobettes, euh, c'est pas mal *gross*.

Je ne comprends pas pourquoi tu fais encore de la chimio — t'as pus le cancer, me semble ?

Voilà une question qui est revenue souvent, ce qui me fait réaliser que je n'ai pas été claire dans mes courriels depuis ma double mastectomie. Je vais vous expliquer tout ça en long et en large dans un courriel à part, pour prendre le temps de bien vous faire connaître les limites des traitements contre le cancer plutôt que de botcher ça dans une FAQ. Je vous dis donc « à suivre ».

Pourquoi t'as peur de perdre ta job ?

Parce que je pense que je n'aurais pas droit au chômage (puisque je n'ai pas travaillé depuis longtemps). Donc je pense que je me retrouverais sur le B.S., c'est-à-dire sur l'aide sociale, mais pour ça, faudrait vendre la maison et le char de pépère, et faudrait aussi que Chrystian n'ait aucun revenu.

Retournes-tu travailler bientôt, en fin de compte ?

Non.

On t'a quelques fois entendue dire « *anyway* c'est moins pire que le cancer » à propos de diverses choses ; qu'est-ce qui serait pire que le cancer, Maude ?

Perdre mon mari. Perdre mes enfants ou UN DE MES ENFANTS. *For now, I can't think of anything else.*

« Il me semble que tout le monde parle de cancer partout dans les médias, c'est fatigant et c'est exagéré, on est tannés d'en entendre parler. »

Eh bien si on entend pourtant encore régulièrement tout ce qui suit, c'est signe qu'on n'en parle pas assez, désolée de péter votre bulle :

— HEIN ?! C'est vraiment une personne sur deux qui va pogner ça ?! (Ouep.)

— Ben voyons donc, t'es ben trop jeune pour avoir le cancer, c'est sûrement pas ça, tes masses ; inquiète-toi pas avec ça, ça doit être juste des petits kystes inoffensifs.

— Pourquoi t'as le cancer, au juste ?

— À part devenir chauve, qu'est-ce que la chimio va te faire ? (Réponse : Je vais pleurer de douleur à chaque pénétration vaginale pour le reste de mes jours.)

— Mange le plus possible avant ta chimio parce que tu vas maigrir beaucoup. (Attention par contre, c'est vrai dans certains cas, mais pas dans d'autres.)

— Tu vas vomir comme une débile à cause de la chimio.

— Bourre-toi d'antioxydants. (Au contraire ; c'est nuisible quand on est en chimio.)

— Les hommes ne peuvent pas avoir le cancer du sein. (Oui c'est plus rare, mais ça arrive pareil.)

— Le cancer du sein est causé par les antisudorifques/les fours à micro-ondes/les téléphones cellulaires/les gènes/les prothèses mammaires/les produits chimiques/les problèmes non résolus avec la mère/ le karma/la pollution/le fast-food/l'alcool/le manque d'activité physique/ etc. (Je répète qu'**on ne sait pas** d'où ça vient. Ces affirmations-là, c'est un câlisse de bon signe qu'on n'en a pas encore assez parlé. Pour moi, c'est clair : je trouverai qu'on a assez parlé du cancer le jour où on aura identifié ses causes et qu'on aura des preuves. En attendant, ça tue encore des milliers de personnes qui vivent en campagne, font de l'exercice et mangent bio.)

Bref, les nombreuses idées reçues et les préjugés bien ancrés sur le cancer *ainsi que sur ses traitements et leurs effets* me prouvent qu'on n'en a pas encore assez parlé. *Case closed.*

Jusqu'à maintenant, qu'est-ce qui a été le plus difficile dans toute ton histoire de cancer?

Dans l'ordre:

1. L'attente des résultats (est-ce que j'ai le cancer oui ou non + quel cancer j'ai, est-ce que je suis condamnée ou pas + le manque d'information sur la maladie, sur ses traitements, sur leurs effets secondaires et sur les solutions à ces effets-là);
2. La perte d'identité féminine (dyspareunie irréversible + ne plus savoir me définir comme une femme + commentaires blessants);
3. La durée des traitements (ne pas en voir la fin);
4. La pensée magique des gens et leur incompréhension face à mon état et aux aspects agressif et interminable des traitements (bof t'es correcte maintenant, bravo à toute la famille, vous vous en êtes sortis et vous n'avez plus besoin d'aide + t'as l'air *full* en forme, ça doit pas être si pire que ça finalement);
5. Les effets secondaires de la chimio;
6. Savoir que le cancer est dans ma vie pour toute ma vie... et celle de ma famille.

Et à partir du point 7, des choses beaucoup plus faciles à supporter:

7. Les ajustements familiaux nécessaires en rapport avec les traitements (précautions contre les infections + logistique du quotidien, etc.);
8. L'arrêt de travail et le sentiment de ne rien apporter socialement;
9. L'après-chirurgie (laisser tomber la pôle + me sentir faible ou limitée comme si j'avais 95 ans);
10. Passer autant de temps dans un hôpital (heureusement que j'adore le mien).

Maude, t'es ben plus forte que ça, qu'est-ce qui t'arrive — t'as pas laissé le cancer te détruire, pourquoi tu laisserais des remarques misogynes te jeter à terre de même? T'es une femme forte, *come on, fight back*!

Eh bien peut-être que vous me connaissez mal, alors. Mes faiblesses ne sont peut-être pas les mêmes que les vôtres, je ne sais pas; mais moi en tout cas, je me relève très difficilement de ce genre d'épreuves, et encore plus difficilement dans un contexte comme celui dans lequel je me trouve actuellement et depuis trop longtemps : la perte d'identité féminine. Forcément, tsé.

Coudonc, c'est qui qui t'a blessée de même ?

Sweet. Vous êtes pas mal *cute*. <3 Sauf que je vais m'en tenir à vous décrire ce qui m'a touchée *moi* et ce qui risque de toucher d'autres femmes atteintes d'un cancer féminin plutôt que de vous décrire ce qui s'est dit et d'où c'est venu, parce que dans le fond ça n'apporterait absolument rien à mes textes ni à personne. *Let's just stay focused.* ;)

Pourquoi le courriel Nᵒ 79 était vide, sans texte ni photos ?

En gros : parce que je souffrais. En détail : parce qu'il me semblait que rien de ce que j'aurais pu dire était pertinent, parce que je m'étais complètement refermée sur moi-même, parce que je craignais que vous en ayez assez de lire tout ça, parce que vous ne répondiez plus autant qu'avant et que j'en ai déduit que vous ne lisiez plus autant qu'avant, parce que la personne qui m'a blessée a gardé le silence et n'est pas venue s'excuser — même après avoir appris dans quel état elle m'avait garrochée —, parce que je ne veux plus parler à cette personne-là et parce que je ne veux plus qu'elle me parle, parce que, parce que, parce que.

Parce qu'il y avait du silence de part et d'autre, finalement. Un silence radio, quoi.

Moi, quand j'ai trop mal, je me pousse pis je me cache. Faque c'est drette ça que j'ai fait.

No wine and no fucking whining, comme on dit au Hogs and Heifers.

Section « Que sont-ils devenus ? »

(Un petit clin d'œil à ma gang de Trustar. ;))

Ti-Brin a gagné

Est-ce qu'on se souvient de Ti-Brin ? « Ta mère, elle n'est pas morte du cancer ; elle est morte parce qu'elle ne t'aimait pas » ?[35]

---

35. NdA : dans le tome 1.

Hogs and Heifers has got my back

Eh ben Ti-Brin a gagné. Haut et fort à part ça. C'est pas juste, mais malheureusement c'est souvent comme ça dans la vie ; les agresseurs font fuir leurs victimes en les poussant dans leurs derniers retranchements. Renatan déménage loin des blessures répétées de l'intimidation. Je dirai pas où, mais en tout cas elle change d'école. Et en plein pendant l'année scolaire à part ça. Ouan. Ç'a fait mal à ce point-là, ça presse à ce point-là, pis faut s'éloigner à ce point-là. :(

Moi je la comprends, Renatan. Et je comprends son père encore plus.

Donc oui, l'intimidation a continué, et a même empiré. Et oui, les parents de Ti-Brin ont continué d'être avisés, plusieurs fois, mais de vive voix puisque les petits mots dans l'agenda, ils n'avaient pas l'air de les lire. Leur réponse aux avis verbaux ? « Ah ouin… Ah, bon. » *That's it.*

Donc encore une fois, je me retrouve à me demander ce qu'on souhaite socialement. Les parents de Ti-Brin, ils s'en câlissent pas mal qu'une famille endeuillée et immigrante se voit obligée de déraciner ses enfants **une seconde fois** pour essayer de les protéger contre **un agresseur de 10 ans** qu'ils ont eux-mêmes (pas) élevé. Mais si on essayait de venir leur enlever leur *flat screen tv* à la maison par exemple, ouf, là je sens qu'ils réagiraient.

Mais le papa de Renatan, lui ? Comment il vit ça ? Et le petit frère de Renatan ? Et Renatan elle-même ? Est-ce que sa blessure est déjà permanente ? C'est tous les jours pendant un an (et peut-être même pendant un an et demi, faudrait voir) qu'elle a dû digérer les remarques du tyran à propos de sa maman morte du cancer ; c'est tous les jours qu'elle doit encore subir ses attaques : « Je comprends ta mère de jamais t'avoir aimée », etc. On me dira bien ce qu'on voudra, mais il demeure qu'un petit gars de 10 ans vient de modifier à jamais la vie d'au moins trois personnes en les blessant pour le reste de leurs jours et en les poussant à s'exiler. Est-ce que c'est normal ? Est-ce que c'est ça qu'on veut ?

On est là à se demander si on devrait bannir les crucifix des écoles, tsé… On se fait de grosses histoires avec les droits, libertés et responsabilités de chacun vis-à-vis de la société, et inversement… On capote sur les signes religieux parce qu'on les perçoit comme une menace… Ben moi, ce matin, j'ai une crisse de bonne idée de ce qu'on devrait bannir des écoles. J'ai l'impression qu'on se trouve face à des menaces pas mal plus *heavy* que le crucifix pis le voile, mettons. *La haine, c'est dangereux.* La mienne comme la vôtre, et comme celle de la collectivité ou celle des agresseurs. Point final.

Section « Foulards des Geneviève »
Eh oui, on remet ça ! :)

Quand je filais pas pantoute : le foulard d'espion.
Look « Je veux me cacher et disparaître de la surface de la Terre »

Quand j'ai commencé à reprendre du poil de la bête :
un foulard de rockstar pour me faire un look d'Axel Rose ;)

Quand j'ai entendu parler de la Charte des valeurs québécoises:
un foulard d'actualité pour me demander comment ç'allait finir, c't'affaire-là...?

Section livre

Pis, en fin de compte, est-ce que le lancement va être commandité?
Ouiiii! :))) Imaginez-vous donc que JIM BEAM va fournir une grande
partie du bar; mettons que ça pouvait pas mieux tomber, haha! Et on
a, tenez-vous bien: pas *une* salle pour le lancement, mais *DEUX*! Eh
oui! Je vous explique ça dans la question juste en dessous ici! En tout
cas je suis vraiment très heureuse de voir tout ce monde-là se donner la
main pour concrétiser le projet.

Jim Beam is my homeboy — mon whiskey préféré
va commanditer le lancement!

Comment va se dérouler la soirée du lancement ?

Il y aura un moment réservé aux médias, et ensuite la soirée va commencer pour vrai. :) Ça va se faire au Milan Pole Dance Studio, puisque Krystel, la proprio (qui est par ailleurs très impliquée dans la cause du cancer — je vous en reparlerai dans un autre courriel), a accepté de nous offrir son studio *en toute générosité* ! Merci Krystel ! <3

Là on va prendre un verre tous ensemble, avaler quelques bouchées, signer des livres et se régaler de quelques performances de pôleuses professionnelles *full hot* :D (je vous aurai prévenus, han ; vous allez être *fucking* IM-PRES-SION-NÉS).

Quand il n'y aura plus rien à boire ni à manger (ça pourrait arriver plus vite qu'on pense, ça dépend juste à quel point vous allez être en feu, LOL), alors on descendra une volée de marches pour aller faire le gros party en bas, au Joverse ; c'est un bar/resto qui a ouvert ses portes tout récemment, et ils nous offrent eux aussi *tout à fait gratuitement* leur espace. :) Ce sont eux qui assureront le service de l'alcool et des bouchées. Une fois au Joverse, eh bien ceux qui seront en appétit seront libres de commander aux cuisines ou au bar. C'est pas beau ça, hmmmmm ?! C'est *fucking* parfait, *if you ask me* ! En plus, ça vous donnera l'occasion de découvrir plein de choses : la pôle en général, plus un studio en particulier, plus un nouveau resto. Ah oui, pis mon whiskey Jim Beam aussi, mouahaha ! On aime ça ! :)

Est-ce que ton médecin extraordinaire sera au lancement ?
On veut le voir !

Oui. :) :) :) Pis moi aussi je veux le voir, hahaha ! Je vous avertis : vous allez tous vous battre pour passer cinq minutes avec lui, *BUT HE'S MINE*, lol ! Je vous le prête pour une soirée, mais là, maganez-moi-le pas, han ; j'en n'ai rien qu'un !

Vas-tu être au Salon du livre pour dédicacer des exemplaires ?

Oui, mais pas tout le temps non plus, parce que je ne veux pas me fatiguer. Donc on va prendre les choses une à la fois, et je n'irai que pour de très courtes périodes, seulement deux fois : le vendredi et le samedi soir. Pis après ça, je m'en reviens me cacher dans mon Laval. ;)

Est-ce qu'on a le droit de parler de ton livre, de dévoiler son titre, etc. ?
Oui, pas de trouble ! La seule chose que vous ne pouvez pas faire, c'est partager des textes, des extraits, des photos, que ce soit sur Facebook ou autrement.

As-tu fait ta page couverture ?
Je n'ai pas fait ma page couverture ; *Éric* a fait ma page couverture ! :D PIS 'EST ÉCŒURANTE ! Éric, c'est mon *trooper* et mon ami, mais ça adonne aussi que c'est le propriétaire de Kinos, une boîte de graphisme en cinéma et en édition. Pis y a le tour en tabarnac. Merci Éric, je capote sur le look de mon livre. :) :) :)

Crédit : Éric Robillard, Kinos

Svp ne pas faire suivre… Ça doit rester
entre nous pour le moment !

Comment tu fais pour payer ton agent malgré que tu sois en arrêt de travail ?

Mon agent touche son revenu directement de l'éditeur ; moi je ne veux rien savoir d'avoir à gérer ça. Et sans lui, je n'y serais pas parvenue, j'avais vraiment besoin de quelqu'un qui prendrait tout ça sur ses épaules. Je suis bien trop fatiguée pour m'occuper de toute cette histoire-là, et je ne veux aucun stress pour le moment. Alors moi j'approuve les modifications proposées dans le texte, et puis basta. Après, quand ça sera le temps d'aller à la télé, eh bien je mettrai du rouge à lèvres et une belle perruque pour aller faire des sourires, pis c'est toutte. :)

Je fais tout ça parce que ça me fait du bien et parce que je pense que ça peut aussi faire du bien à ceux et celles qui auront à se taper un cancer. Dans le fond, j'ai fini par écrire, un courriel à la fois, le livre dont Chrystian et moi aurions nous-mêmes eu besoin à l'époque de mon diagnostic, mais qu'on ne trouvait pourtant nulle part.

Section « ... *And much, much more!* »

Pour ceux qui ont aimé le sujet d'aujourd'hui et qui ont envie de réfléchir sur la commercialisation du rose versus le vrai de vrai cancer du sein avec son quotidien qui n'est pas rose pantoute, je propose un lien. Attention, c'est chacun ses opinions, hein ; je ne dis pas que celles-ci sont les miennes. Je dis seulement que de s'arrêter pour réfléchir, c'est pas fou : www.cancerinmythirties.wordpress.com/2012/10/13/national-no-bra-day-and-breast-cancer-awareness-month-or-please-put-that-pink-can-of-soup-down-put-your-bra-back-on

Mon ruban à moi,
dans mon hôpital à moi,
qui me traite pour
mon cancer à moi

Nº 81. Drôle de feeling !

22 octobre 2013

Eille, les *troopers* ! Notre livre est déjà annoncé partout en ligne, un mois avant sa sortie ! Je dois vous dire que c'est assez étrange de voir mon visage sur les sites des librairies… Surtout après avoir passé des années à tout faire pour rester invisible sur le Web ! Moi qui n'ai même jamais voulu de compte Facebook…!

En tout cas, vous aurez compris que la couverture n'est plus top secrète ! ;)
Des petites nouvelles rapides :
* Le livre part chez l'imprimeur demain (*OMG!*)
* Entrevue le 30 octobre dans *La Presse*+
* Entrevue à *Entrée principale* le 20 novembre (SRC)

Je vous donnerai des «vraies» nouvelles vers la semaine prochaine, c'est-à-dire un courriel de cancer. :) D'ici là, faites au moins UNE chose le fun, *all right* ? Promis ? !

Maude

FAQ

Ton livre a combien de pages ?
Pile 400 pages ! C'est énorme, hein ? ! Et comme vous êtes rendus à peu près à la fin du tome 2, ça veut dire que vous en avez lu presque LE DOUBLE !

Vas-tu changer de perruque à chaque entrevue ?
Ben oui, c'est SÛR ! ! ! On va s'amuser ! ;)

Nº 82. *Like a Boss*

4 novembre 2013

Aujourd'hui je vais vous présenter quelqu'un qui a toute mon admiration. Quelqu'un qui est organisé, qui n'oublie jamais un détail, qui fait *full* bien sa job. Quelqu'un qui a beaucoup de pouvoir, beaucoup d'influence dans notre société, mais également dans le monde entier.

Aujourd'hui, je vais vous présenter le cancer.

Ç'a l'air plate comme courriel, han? Et pourtant, je vous jure que c'est intéressant. C'est certain que je suis pas *full* objective, dans le sens que moi, c'est un sujet qui me passionne évidemment ; mais quand même, je suis pas mal certaine qu'après avoir lu ça, vous allez vous dire « Ouan, ben finalement ça valait quand même la peine de le lire » (pas mal certaine, aussi, que vous allez apprendre plein de choses... au cas où vous feriez partie du 50 % des humains qui vont finir par être frappés par le cancer...).

Mais juste avant d'y aller dans le médical/scientifique/organique, on va faire un petit tour de piste et voir, en photos, ce qui se passe dans ma vie de ce temps-là :

J'vas en prendre trois caisses...

On est allés chez Costco pis on s'est rendu compte qu'ils vendent même du Replens! Un peu plus pis j'achetais toute la palette, haha! Aussi, j'ai

Le party des *troopers* s'en vient, attachez vos tuques!

pensé à vous autres quand je suis passée devant la bière… Avec le party de lancement qui s'en vient, mettons que vous avez d'affaire à vous préparer pis à être en forme, lol !

Girls' Night Out

Nina a deux idoles chanteuses : Katy Perry et Florence K. Elle n'a jamais rencontré la première, mais la deuxième, ça oui par contre, et des tas de fois, puisqu'elle fait partie des *troopers*. :) Ça tombait bien récemment, puisque c'était la soirée de lancement du dernier album de Florence, alors on est passées lui faire coucou et on en a profité pour se faire une petite soirée de filles même s'il y avait de l'école le lendemain. On a fini ça en tête à tête *girlie* dans un petit resto vietnamien. On a tripé. :)

Depuis ce soir-là, Nina chante le *single* à tue-tête dans la maison (*You're Breaking My Heart*), armée de sa guitare électrique rose — eh oui… elle a une guitare électrique rose… — : « Ooooh, oooh, oooh, you bwéqu' my HA. » <3

Girls Just Want to Have Fun[36]

Notre vieux lave-vaisselle nous a lâchés, alors j'ai mis une perruque de greluche pour montrer que j'étais vraiment pas capable de faire la vaisselle moi-même et qu'on avait absolument besoin d'une machine pour ça, pis on est allés magasiner pour le remplacer. Pendant que les gars étaient occupés à choisir le meilleur rendement énergétique, le meilleur rapport qualité-prix, les décibels les plus bas, pis plein d'affaires plates de même, Nina et moi, on en a profité pour faire des photos. :)

Trop occupées pour faire la vaiselle…

Trop *queens* pour faire la vaisselle…

Trop *wise* pour faire la vaisselle…

Trop heureuses pour faire la vaisselle…

Bref on a d'autres priorités que de faire la vaisselle !

---

36. Cyndi Lauper, *Girls Just Want to Have Fun*, *She's So Unusual*, 1983.

This one is from Aldo Accessories — the wig, not the babe, lol!

Tant qu'à avoir la couleur, je vais essayer d'avoir l'attitude qui va avec !

Dommage qu'il n'y ait pas autant de choix de couleurs pour les lave-vaisselle que pour les perruques… J'aurais du fun pas à peu près!

Hit Me With Your Best Shot[37]

Mon injection du 15 octobre. Remarquez que dans ma chambre, je tire toujours le rideau pour cacher un maximum de lumière venant du corridor ; ça m'aide à ne pas me réveiller pendant l'injection, et donc à faire moins de crises de panique. Remarquez aussi qu'on a changé de type de foulard ; on est rendus dans le *heavy duty* puisque le temps froid est arrivé à Montréal, malheureusement. :/

En préparation pour mon injection

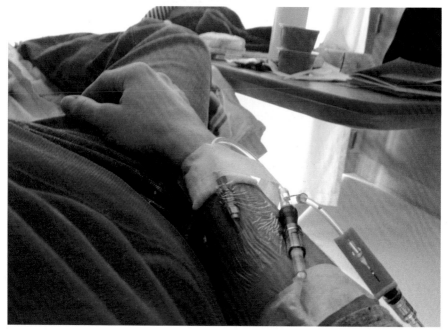

Piquée pis… ben gelée

---

37. Eddie Schwartz, *Hit Me With Your Best Shot*, *Crimes of Passion*, 1981.

Oups, trop *frostée* pour l'injection, j'ai oublié de garder
mon foulard pour faire la photo des Geneviève !

On va prendre celle avec le manteau d'abord! Foulard: le look «'Fait frette»

Des nouvelles pilules

Le 30 octobre, je suis allée voir Speedy (et je vous ai fait des photos de lulus). Est-ce que quelqu'un se souvient de Speedy? C'est mon gastro-entérologue. Le gars du *remake* de *Deep Throat*, tsé là? En tout cas, si vous avez oublié le gars, c'pas grave, moi j'm'en souviens très bien (comment oublier ça? Une caméra dans l'estomac, ça laisse des souvenirs impérissables — et une petite vidéo commémorative de ma trachée, de mon œsophage, de mon cardia, de mes parois stomacales…). Voici un *recap* de mon rendez-vous avec lui : la biopsie est revenue négative de la Pathologie, les images de la caméra sont normales, *tout est normal*. Donc ce sont vraiment mes nerfs autour de l'estomac qui envoient des signaux tout croches à mon cerveau. Speedy, comme presque tout le monde à mon hôpital, est très à jour dans son champ d'activité. Alors il m'a prescrit quelque chose qui agit sur le système nerveux (donc nerfs et cerveau), et qui normalement est utilisé pour traiter la dépression. Mais voici la *twist* qui montre la modernité et la compétence de mon médecin : à 300 mg, Elavil traite les symptômes dépressifs ; mais à 10 mg, il n'a aucun effet de ce type — à une dose aussi faible, il calme les nerfs entourant le système digestif (donc estomac et intestins) pour faire diminuer les signaux de douleur et d'inconfort. Faque on va essayer ça, mais ça prendra minimum un mois avant d'agir. À suivre, donc.

Aimez-vous mon look de manga japonais ?!

En passant, jusqu'ici c'est la seule perruque qui n'a trompé personne

L'épaule à la roue

Cette même semaine-là, mon agent et mon éditeur m'ont donné d'excellentes nouvelles par rapport à la promotion du livre ; il paraît que les médias s'y intéressent, c'est formidable ! :) Est-ce que ça fera vendre plus de livres ? Pas forcément, mais en tout cas on se cachera pas que les médias traditionnels demeurent une excellente façon de rejoindre les gens, alors moi, chuis folle comme d'la marde! Et puis, même si une seule personne achetait mon livre et que ça pouvait l'aider, moi je sentirais déjà que j'ai fait mon petit bout pour l'humanité — je rappelle que ce que je veux, moi, c'est qu'on parle du cancer dans ce qu'il a de concret (pas juste le vomi et la perte de cheveux), et qu'on montre qu'il y a aussi plein de cas où les patients vont bien, que c'est possible de s'en sortir et qu'il y a des moyens de moins souffrir des traitements. *God knows where all this will land...* J'ai aucune idée de ce qui sortira de tout ça, mais en tout cas, au jour de ma mort, je ne pourrai pas regretter de ne pas avoir essayé!

Seul son coiffeur le sait[38]

Parlant de médias, voici les photos de presse qui leur seront envoyées. On envoie deux photos, comme ça les magazines et autres médias auront le choix de prendre celle qui conviendra le mieux à leurs *layouts*. On a pris ces photos-là il y a un petit bout de temps, à la fin du mois

Photos: Laurence Labat

Photos de presse

---

38.   Foote Cone & Belding, publicité pour Miss Clairol, 1956.

de septembre. Au fait, vous vous en doutez bien, mais j'ai fait le choix de ne me présenter qu'en perruque pour chaque apparition publique.

Movember Monday

On est le 4 novembre, c'est le premier lundi du mois, c'est pas vrai que je vais me promener sans moustache à l'étage du cancer, tsé ! J'en profite pour vous rappeler qu'il semble que le cancer de la prostate soit apparenté au cancer du sein. Faque j'ai mon petit rôle à jouer dans le Movember, pis j'le joue à fond à part de tsa, mouahaha ! Vous pensez que c'est une joke ? Eh bien non ! Je me suis bel et bien présentée moustachue à l'hôpital pour recevoir mon injection… Ça vous étonne-tu vraiment, après m'avoir suivie depuis tout ce temps-là, haha ? !

Yes, it's a fake… Glad you ask. But the scarf is real, though ;)

Mon verre est à moitié plein !

L'air de rien comme ça, j'ai déjà fait la moitié de mes injections de T-DM1 ! :) Il m'en reste juste sept, on avance ! :) :) :)

Avant de commencer avec Monsieur-le-Cancer…

… On pourrait rire aux larmes

On se fait-tu plaisir pis on écoute des *Chest-bras* ?! Ça fait tellement longtemps !

Un bon flash de marketing :

Mon préféré, pour le sourire de Chico à la toute fin :

… Et on pourrait aussi verser de vraies larmes

Le texte d'un veuf du cancer du sein, qui rappelle aux gens malades comme aux gens en santé qu'on peut toujours être heureux aujourd'hui et qu'il faut arrêter d'espérer être heureux demain — on a tout ce qu'il faut pour être heureux dès maintenant (scanner le code QR ou chercher « wordpress + lessons + cancer + widower » dans Google).

All right, now let's get to it…

Like a Boss

— Comment ça va, Maude ?

— Bien. Ça va bien. C'est sûr que mes effets secondaires s'alourdissent un peu plus à chaque traitement, mais en gros, ça va.

— Tu dois commencer à être tannée, han ?

— Ah oui, mets-en que je suis tannée.

— Pourquoi tu fais ça, d'abord ? Pourquoi tu continues la chimio ? Il me semblait qu'ils t'avaient tout enlevé avec tes deux premières chimios et ta chirurgie… Si t'as pus de tumeurs, pus de seins même, pourquoi t'es encore sous traitement ? T'avais pas dit que t'étais (presque) guérie, que t'avais (presque) pus de cancer? *Anyway* si t'as pus de seins, c'est impossible que t'aies un autre cancer du sein, *right*?! Comment ça marche, au juste?

Cette conversation-là, je l'ai souvent. On me demande plusieurs fois par semaine pourquoi on continue de me traiter alors que je n'ai plus de tumeurs, et je réalise bien que c'est pas si facile à comprendre. C'est la raison pour laquelle je veux aujourd'hui vous présenter en bonne et due forme la maladie la plus *hot* qui soit. Avec le sida, le cancer est probablement l'affection la plus efficace et la plus « intelligente » qui afflige l'être humain. Il y a longtemps, quelqu'un de pas con (Hippocrate, je crois? Je ne sais plus) avait même évoqué le cancer en le qualifiant « d'empereur de toutes les maladies » pour montrer à quel point c'était vraiment le *king*.

Like a boss, tsé.

Honnêtement, je pense que même les ingénieurs les plus calés n'auraient pas su concevoir un système aussi bien fait, aussi parfait que celui-là. Faque moi, j'ai beaucoup de respect pour cette maladie-là.

Pour vous expliquer pourquoi je suis toujours sous traitement, il me faut commencer par vous présenter le b.a.-ba du cancer. Ceux qui sont pressés ou déjà bien renseignés peuvent sauter tout de suite aux conclusions, haha, pour aller lire immédiatement la dernière partie (titre en magenta).

Commençons par le début : le cancer, c'est quoi?

Premièrement, il faut bien réaliser que le cancer n'est pas un ennemi externe qui vient attaquer l'organisme. Contrairement au sida, son jumeau dans l'efficacité, il ne s'attrape pas, ne se « pogne » pas, ne se transmet pas; en tout cas, c'est l'information dont on dispose pour le moment.

Donc le cancer se développe en nous, on part de là.

Tous les jours, nos cellules naissent et meurent. Tous les jours, un certain nombre de nos propres cellules se transforment; on dit qu'elles

« mutent ». Elles deviennent des cellules pré-cancéreuses, ne font plus leur travail habituel, et perdent la mission pour laquelle elles étaient nées ; à ce moment-là, le système immunitaire les tue parce que non seulement elles ne font plus la job qui leur avait été assignée au départ, mais en plus, elles deviennent nuisibles pour l'organisme. Donc le corps leur donne leur 4 %, allez salut, *ciao*, bye, débarrasse. Ça, ça se passe tous les jours chez un individu normal et en santé. *Ça se passe tous les jours chez vous.*

Mais vient parfois un moment où, chez certains individus et pour une raison encore inconnue, le système immunitaire perd le contrôle de ces cellules mutantes-là. Il les laisse tranquille, il ne les attaque plus, on dirait qu'il dort sur la *switch*. Les cellules rebelles, elles, continuent leur petite affaire, et en arrivent à faire deux choses qui éventuellement leur permettront de former une tumeur :

1. Elles changent de look et régressent carrément en perdant tous les signes extérieurs qui faisaient leur particularité. Les cellules qui portaient sur leur dos une grosse affiche « sein » ou « pancréas » ou « poumon » se débarrassent de leur affiche pour se cacher du système immunitaire ; désormais, elles se promènent sans enseigne pour se donner des airs de bébé inoffensif. Elles deviennent exactement comme les cellules « vierges » du fœtus, en plein comme si elles n'avaient pas encore été assignées à un système précis (système nerveux, système reproducteur, squelette, etc.), et ça leur permet d'avoir la paix. En devenant « non identifiées », elle ne sont plus chassées par les défenses naturelles du corps qui les abrite.

2. Elles se divisent pour se multiplier, et elles en profitent pour s'adapter chaque fois. L'idée est d'envahir l'organisme chez qui elles se trouvent, donc elles se reproduisent de façon exponentielle, comme toutes les autres cellules du corps par ailleurs (1 cellule se divise en 2 = 2 cellules ; ces 2 cellules-là se divisent chacune en 2 = 4 ; ces 4 cellules-là se divisent chacune en 2 = 8 ; 8 = 16 ; 16 = 32, etc.) et finissent par être assez nombreuses pour s'organiser en système. À ce moment-là, on se retrouve avec un amas de cellules cancéreuses qui a sa propre vie, parallèle

à la vie de l'organisme qui l'héberge. Et là, cet amas de cellules cancéreuses se met à donner des ordres tout croches à l'organisme pour pouvoir continuer sa croissance et se transformer en tumeur toute-puissante :

« J'ai besoin de plus de sang, j'ai faim ! Enwèye, construisez-moi des veines pis des capillaires sanguins ; je veux un gros réseau de routes qui m'apportera de façon efficace tout le sang dont j'ai besoin ! Et que ça saute ! »

Mais c'est pas tout. En se reproduisant, ces cellules-là ne se contentent pas toujours de faire des copies d'elles-mêmes, non ; elles en profitent aussi pour engendrer de nouvelles mutations dans leur codage interne, et finissent ainsi par créer une armée de soldats forte par sa diversité. Cette armée-là ne prête pas le flanc en n'ayant que des clones dans son groupe ; ça serait bien trop facile ensuite d'identifier une faiblesse commune à toutes les cellules et de fesser là-dessus…

Donc éventuellement, on se retrouve avec une tumeur *full* efficace qui prend une attitude de *queen* ; une tumeur qui file Napoléon sur les bords. Une tumeur qui a de grands projets, une tumeur qui n'est pas née pour un petit pain, bref, une tumeur qui veut conquérir le monde et qui a tout ce qu'il faut pour y parvenir.

Le cancer est un monde en soi

Bon, un petit jeu de mots ici. Oui, le cancer est effectivement un monde parallèle qui se développe à l'intérieur de soi, « en soi », dans notre corps. Mais ce que je veux dire, c'est que le cancer est comme « un monde en soi », un monde à part ; il devient comme *un organisme parallèle* à l'organisme qu'il squatte. À force d'évoluer, il en arrive à carrément devenir un système complet — un peu comme le système digestif, disons —, qui a sa propre vie. Il devient un système supplémentaire dans le corps de quelqu'un et, comme le système digestif ou le système respiratoire du patient, il fonctionne selon ses propres barèmes et a ses propres impératifs, qu'il impose par ailleurs à l'organisme entier afin d'assurer son bon fonctionnement et sa propre survie. À un certain stade, le corps est donc contraint de lui obéir et de lui fournir tout ce qu'il exige pour son maintien et sa croissance, exactement comme il le ferait pour n'importe quel de ses organes.

C'est un aspect important du cancer. Une clé, à mon avis, pour nous aider à éventuellement l'éradiquer. À ma connaissance, aucune autre maladie ne crée elle-même un système à l'intérieur de l'organisme (mais je me trompe peut-être, tsé sérieux moi je suis meilleure en français qu'en physiologie ou en médecine). Selon ce que je sais, les virus et les bactéries fonctionnent plutôt en parasites, alors que le cancer, lui, semble donner naissance à quelque chose qui ressemble à un nouvel organe dans le corps. Pourquoi? Comment? Ces deux questions-là sont importantes, et tout le monde voudrait bien y répondre.

Le cancer n'est pas UNE maladie (à mon humble avis)
Moi je crois fermement que le cancer, c'est en fait plusieurs maladies. Pas dans le sens que quand on a le cancer on est atteint de plusieurs maladies; plutôt dans le sens que moi, qui ai le cancer du sein HER2+, je ne suis pas atteinte de la même maladie que la patiente atteinte d'un cancer du sein triple négatif assise à côté de moi dans la salle de chimio, même si on a toutes les deux un cancer du sein. Pareil pour le cancer de la thyroïde; je suis persuadée qu'il s'agit d'une maladie tout à fait distincte du cancer du foie, mais que ces deux maladies-là partagent des similitudes.

Chaque cancer évolue à une vitesse différente, selon un schéma différent et répond également à un traitement différent. Je pense qu'éventuellement il faudra regarder un peu de ce côté-là et s'appliquer à bien départager les cancers les uns des autres.

Une tumeur, ça prend combien de temps avant de faire des petits?
Ça dépend du type de cancer auquel on a affaire. Des fois c'est rapide, et des fois c'est lent. Certaines tumeurs ne feront jamais de métastases, et ne grossiront pas outre mesure avec la division cellulaire non plus; elles évolueront selon un rythme bien peinard et ne feront jamais chier personne. Dans certains de ces cas-là, les médecins considèrent même parfois qu'il vaut mieux laisser la personne vivre avec sa tumeur puisqu'elle ne menace pas l'équilibre ou la survie de l'organisme (les risques d'une chirurgie ou les effets dévastateurs d'une chimio sont parfois plus grands que le risque amené par certains types de cancer).

Mais dans d'autres cas, quand le cancer dont on est atteint aime voyager et entretenir des idées de grandeur, on se trouve en danger. La tumeur se met à faire des petits — des métastases —, et ces petits-là, si je ne me trompe pas, peuvent être soit complètement indépendants de la tumeur primaire (donc ils peuvent vivre de façon autonome) ou dépendre d'elle. La recherche est en train de réaliser quelque chose de fabuleusement impressionnant : il semble y avoir un mouvement de va-et-vient continuel entre la tumeur primaire et certaines de ses métastases ; des cellules feraient l'aller-retour de l'une à l'autre ou assureraient constamment une communication entre les différentes tumeurs, et pour le moment on a du mal à bien cerner ce qui se passe ou ce qui se dit exactement lors de ces communications-là. Je répète : le système cancéreux est vachement bien organisé, et on n'a aucune estie d'idée de ce qu'il fait. C'est du vrai James Bond.

Fait intéressant : quand notre cancer développe des métastases, il semble qu'il demeure fidèle à sa nature profonde. Je m'explique : moi j'ai le cancer du sein HER2+ ; si je développe une métastase au sque-lette, disons dans la clavicule, eh bien je n'aurai pas le cancer des os ; ma tumeur à la clavicule sera une tumeur de cancer du sein HER2+ et devra être traitée comme telle. Par contre je pourrais tout à fait abriter deux cancers différents en même temps ; je pourrais, par exemple, être trai-tée pour le cancer du sein HER2+ et développer une tumeur primaire (pas une métastase, là) au cerveau — j'aurais alors un cancer du sein ET un cancer du cerveau, et il faudrait me soigner avec deux plans de traitements différents, un pour chaque type de cancer. Dans ces cas-là, on établit des priorités pour d'abord traiter ce qui est le plus menaçant, parce qu'évidemment on ne veut pas tuer le patient en attaquant son organisme avec deux chimios agressives en même temps, tsé.

Dans mon cas, le cancer est peut-être apparu simultanément dans mes deux seins, ou peut-être qu'il est apparu d'un côté et qu'il s'est ensuite affairé à installer des métastases dans le deuxième sein ; on ne le saura jamais. Mais ce qui semble pas mal certain, par contre, c'est que mes 13 tumeurs (ou ma/mes tumeur/s primaire/s + mes frag-ments cancéreux) communiquaient entre elles même si elles n'étaient pas toutes côte à côte. Mes tumeurs du sein gauche communiquaient probablement avec mes tumeurs du sein droit. *That's fucked up… and very impressive.*

C'est quoi, une « chirurgie conservatrice du sein » ?

C'est une chirurgie au cours de laquelle on tente d'épargner la plus grande partie possible du sein atteint. Ça peut être une tumorectomie, ou ça peut être une mastectomie exactement comme celle que j'ai subie ; mon médecin extraordinaire m'a laissé ma peau et mes muscles, chance que les patientes n'avaient pas à une certaine époque. Dans le temps, en enlevant le sein, on grattait jusqu'à la cage thoracique, et je crois même que certains chirurgiens creusaient encore plus pour enlever des ganglions entre les côtes, genre. Ouch. Ensuite, on a commencé à laisser les muscles et plus de peau quand c'était possible, mais on grattait dessous pour ne laisser que l'épaisseur d'un papier de soie. Aujourd'hui, on a réalisé que ces chirurgies-là, qui étaient particulièrement invasives et difficiles à supporter tant psychologiquement que physiquement pour les patientes, ne sauvaient pas plus de femmes. Le but des chirurgiens oncologues, actuellement, est de réduire de plus en plus l'intervention chirurgicale ; on tente d'en enlever le moins possible, pour éventuellement finir par peut-être ne plus rien enlever du tout (grâce à des chimios qui seront de plus en plus efficaces, notamment le T-DM1).

C'est quoi, le « pré-cancer » ?

Mon médecin extraordinaire, il dit que les cancers *in situ* ne sont pas des cancers, mais plutôt des pré-cancers, étant donné qu'ils ne se propagent pas. D'ailleurs, quand on classifie les cancers par stades, on dit qu'il y a 4 stades mais en fait il y en a 5, puisqu'il existe une catégorie « 0 » pour désigner les pré-cancers, c'est-à-dire les *in situ* (le stade désigne l'étape de développement d'une tumeur, un peu comme l'âge peut indiquer le degré de développement d'un humain, mettons).

Il y a actuellement un courant qui prend de l'ampleur chez les médecins. Plusieurs d'entre eux commencent à penser à changer le nom du diagnostic de « cancer » dans les cas de cancers *in situ*, puisqu'en fait ce ne sont pas des cancers. C'est pas fou du tout. Voici quelques-uns de leurs arguments :

- Pour le patient et pour tout son entourage, entendre le mot « cancer » de la bouche d'un médecin est très difficile, voire dévastateur. Ça vaut pas la peine de faire peur à tout le monde si en fait on parle juste d'un *in situ* — c'est pas mortel ni rien.

C'est évident qu'il faut quand même s'occuper du *in situ* de façon adéquate et sérieuse (généralement par une tumorectomie suivie de radiothérapie), mais ça demeure des traitements locaux parce que l'organisme n'est pas menacé du tout, et c'est d'ailleurs la raison pour laquelle on considère que les *in situ* ne sont justement pas des cancers.

- Les patients porteurs d'un *in situ* sont étiquetés à vie comme des cancéreux. Ça peut avoir des conséquences importantes pour eux, notamment sur le plan professionnel et sur celui des assurances, mais dans d'autres sphères de leur vie aussi. Par ailleurs, ils risquent de vivre avec une certaine angoisse toute leur vie (« Est-ce que mon "cancer" peut revenir et me tuer? », alors qu'en fait, avec les traitements appropriés, il y a très peu de risques qu'il revienne sous la forme d'un cancer invasif qui, lui, peut mettre la vie en danger).

- Les patients porteurs d'un *in situ* bénéficient actuellement du même suivi intense en oncologie que les patients porteurs d'un cancer, et c'est exagéré. Ça coûte cher et ça mobilise ÉNORMÉMENT de temps, d'énergie et de personnel... alors que c'est pas nécessaire d'en faire autant. Si on continuait à bien traiter et à bien suivre les *in situ* mais sans y aller *overboard* non plus, eh bien on pourrait certainement mieux se consacrer aux cas lourds de cancer, puisque ça libérerait des ressources médicales.

Pourquoi est-ce que le cancer est si difficile à traiter?

D'abord parce qu'il a plusieurs visages. Quand on dit « la recherche sur le cancer », on parle en fait DES recherches sur LES cancers, puisque chacun a son fonctionnement et son traitement qui lui est propre. De combien de types de traitement avons-nous besoin, comme société, pour guérir LE cancer en général? La réponse, je ne la connais pas, mais à vue de nez, je dirais: *full*. On a besoin de *full* de traitements pour soigner, genre, les 15 types de cancer du sein + les X types de cancer de la gorge + les X types de cancer du côlon + les X types de cancer de la vessie + les X types de cancer du cerveau + les X types de cancer du poumon + les X types de cancer de la peau, et ainsi de suite.

Vous trouvez ça décourageant? Ben vous avez raison, c'est décourageant en estie, c'est même dramatique. Mais attendez, je vais vous décourager encore plus : il arrive que des chimiothérapies, qu'on utilise pour tenter de guérir des patients du cancer, n'aient parfois aucun effet thérapeutique (mais tous leurs effets dévastateurs sont bel et bien là, par contre... comme les nausées, la perte de cheveux, la dyspareunie, etc.; le patient souffre à cause de sa chimio, mais son cancer ne perd pas de terrain); pire encore, il semble qu'il arrive que des chimiothérapies libèrent des agents mutants qui permettront ensuite aux tumeurs de mieux résister aux assauts des traitements chimiques... :s Ça fout la chienne; après les bactéries résistantes aux antibiotiques, voici les cancers résistants aux chimiothérapies. Quessé qu'on va faire, shit de marde?!

Enfin, le cancer est difficile à traiter parce que, une fois la ou les tumeurs disparues, il demeure complètement *invisible*. Ce qui m'amène à mon titre en magenta :

Pourquoi tu continues tes traitements, viarge?!
Mes tumeurs ont fondu grâce à la chimiothérapie. Quand mon médecin extraordinaire m'a opérée, il n'a trouvé que quelques cicatrices à l'intérieur de mon tissu mammaire; c'étaient les vestiges de mes tumeurs. À l'œil nu, donc, on ne voyait pas de cancer du tout.

Il a suivi la procédure habituelle et a envoyé mes seins le jour même au laboratoire pour qu'ils soient analysés. Là, les pathologistes les ont découpés en lamelles fines de chais pas combien de microns, puis ils ont regardé ces lamelles-là une par une au microscope. Ils ont vu que mon sein gauche ne contenait plus une seule cellule de cancer, et que mon sein droit en contenait moins de 1 %. C'est ce qu'on appelle une réponse extrêmement bonne au traitement chimique (la chimiothérapie). Le «moins de 1 %» représentait à la fois des cellules cancéreuses isolées et des amas de cellules cancéreuses mesurant 0,2 cm. Je précise par contre qu'il me restait aussi du cancer *in situ* dans les deux seins — donc du cancer non invasif, qui ne se propage pas; et comme mon médecin extraordinaire considère ça comme du «pré-cancer», et pas comme du «cancer», pour lui, ça comptait même pas, dans le sens qu'une fois qu'on retire le tissu mammaire, un cancer *in situ*, ou un pré-cancer si vous préférez, ben ça meurt tsu suite, c'est fini, ça s'arrête là ; il ne peut pas y en avoir ailleurs dans le corps, faque on s'en sacre (ou presque).

Par contre, étant donné qu'il restait des cellules de cancer invasif dans ce qu'ils ont analysé, ça veut aussi dire que le traitement systémique (c'est-à-dire « qui traite l'organisme en entier », et pas juste l'endroit où j'avais des tumeurs — donc je parle de chimiothérapie) n'avait pas tout tué ; il avait *presque* tout tué. Dans ces cas-là, on compte généralement sur des traitements locaux (c'est-à-dire « qui traitent l'endroit où il y a des tumeurs » — je parle de radiothérapie) pour finir la job.

Vu qu'après ma chimio on a carrément enlevé « l'habitat naturel » de mes tumeurs, c'est-à-dire qu'on a retiré mes deux seins, on peut penser que je n'ai plus de cancer.

MAIS.

C'est pas de même que ça marche. Si vous avez lu tout ce courriel-ci depuis le début, vous avez compris que le cancer, c'est pas juste des tumeurs ; c'est des cellules d'abord et avant tout. Et si ma chimio n'a pas tué *toutes* les cellules cancéreuses invasives que j'avais dans mes deux seins — il en restait moins de 1 %, *mais il en restait* —, c'est fort probable que j'aie des cellules cancéreuses invasives qui ont survécu ailleurs dans mon corps, que ce soit dans la peau qui recouvrait mes seins et qui recouvre aujourd'hui mes prothèses, ou alors complètement ailleurs, genre dans un genou, une main ou un œil, *whatever*. Donc il y a bel et bien un risque de récidive (dont j'ignore le pourcentage).

Là, on arrive probablement au bout où vous vous demandez pourquoi mes médecins ne me font pas passer des tests pour voir si effectivement il me reste des cellules cancéreuses malgré la chimio et la chirurgie, hein ? Eh ben je vais vous le dire, moi, pourquoi : parce que ces tests-là, ça n'existe pas. Aucun test ne permet de déceler des cellules cancéreuses chez un patient. Ces cellules-là, elles sont si petites qu'on peut seulement les voir au microscope (analyse pathologique). Sauf que pour les voir au microscope, il faut trancher les tissus du corps. Trancher les tissus de TOUT le corps. Premièrement ça prendrait des mois, des années peut-être, à trancher mon corps en carpaccio puis à le regarder, une lamelle à la fois, sous la loupe d'un microscope ; mais surtout, si on tranche mon corps entier en lamelles de genre 50 microns d'épaisseur, ben évidemment, je vais mourir, et on sera pas plus avancés, tsé.

Dans mes analyses sanguines, mes « *tumour markers* » demeurent élevés (4,9 ; le *range* normal est de 0,0 à 3,0), mais mon médecin relax dit que ça ne veut rien dire. Le seul indice « fiable » qu'on a actuellement sur mon cancer est ce fameux « moins de 1 % », alors je dois poursuivre des traitements si je ne veux pas que mon cancer se réorganise et qu'il refasse éventuellement surface. Pour ça, j'ai plusieurs choix :

1. La radiothérapie (j'y reviendrai dans un courriel ultérieur, c'est intéressant ; pour le moment, disons seulement que ce traitement-là est local, et que donc il ne règle pas le problème des cellules cancéreuses qui pourraient se promener dans mon estomac ou mon squelette ; il ne s'attaque qu'à la partie du corps touchée par le cancer — dans mon cas, les deux seins) ;

2. La biothérapie seule (Herceptin), et ça faisait d'ailleurs partie de mon plan de traitement *no matter what*. Actuellement, toutes les patientes HER2+ québécoises reçoivent des injections d'Herceptin pendant quelques mois après leur chimio et leur chirurgie ; ça vient désactiver les cellules cancéreuses, mais sans les tuer par contre. D'ailleurs, si j'avais été « randomisée » dans le groupe témoin au moment où j'ai accepté de participer à l'étude, c'est le traitement que je recevrais présentement ;

3. La chimiothérapie, pour tuer les cellules cancéreuses restantes ;

4. J'aurais pu aussi m'en remettre à mon système immunitaire, à Dieu, au karma, aux gouttes d'argent colloïdal ou aux pouvoirs des cristaux, mais sérieux, j'me sentais pas *safe* pantoute. Je ne juge pas ceux qui le font, mais c'était pas pour moi.

Quand mon médecin extraordinaire m'a proposé de tester une nouvelle chimio, je ne dirais pas que j'ai sauté de joie, mais presque. Voici ce qui s'est passé dans ma tête :

1. Une arme de plus pour avoir le dessus sur la maladie qui a failli me coûter la vie ;

2. Une chance de vivre plus longtemps avec mon mari et mes enfants ;

3. Une relative tranquillité d'esprit — j'aurai vraiment tout fait pour ne pas que ça revienne et je n'aurai pas de regrets si un jour on m'annonce une récidive ;

4. Une chance de faire ma part dans les avancées de la recherche ; on s'entend que donner son corps à la science, quand on est la

seule au Canada à pouvoir le faire, c'est bien plus significatif que de signer un chèque de 1 000 $ pour une fondation quand vient le temps des impôts ;

5. Une chance de sauver ma fille, mon garçon ou leurs conjoints si un jour ils sont atteints.

Faque tsé, sérieux, comment j'aurais pu refuser ça ?

Les risques et les bénéfices d'un protocole de recherche

Bon, c'est évident que même si ça semble alléchant quand on se fait proposer la chance de tester un nouveau médicament, y a plein de risques qui viennent avec ça.

Par contre, au Québec, on est connus pour être plus *game* qu'ailleurs là-dessus. On est peut-être plus progressistes, plus conscients aussi de l'importance de faire son bout pour l'humanité, je ne sais pas.

 L'autre jour, j'ai vu un extrait d'une entrevue donnée par le chirurgien oncologue André Robidoux à propos du livre qu'il vient de publier sur le cancer[39], que je n'ai pas lu encore. (Scannez le code QR pour voir l'entrevue)

À propos des recherches internationales sur les chirurgies conservatrices du sein (voir FAQ), il disait que 30 % des patientes venaient du Québec. TRENTE POUR CENT ! *Man!* C'est un tiers de toutes les patientes de partout dans le monde ; c'est énorme ! On parle d'une recherche avec plein de pays qui participent, là ! Donc l'endroit sur la Terre où il y avait le plus grand nombre de femmes qui avaient choisi de prendre un risque pour sauver leur peau (ou plutôt leurs seins !) et celle des femmes qui passeraient après elles, c'est chez nous !!! J'ai l'impression que ça fait partie de nous, de notre culture. Un beau morceau de robot pour le Québec. :)

Il faut par contre savoir qu'avant d'être testés sur des humains, les nouveaux traitements subissent différents tests (sur les animaux si je ne me trompe pas, eh oui, mais il faut ce qu'il faut si on ne veut pas tuer d'humains, tsé). Donc ça, c'est ce qu'on appelle la « phase préclinique ». Ensuite, après une série d'études bien balisées au terme

---

39. André Robidoux, *Les raisons d'espérer*, Presses de l'Université de Montréal, 2013.

desquelles on juge que le nouveau traitement prometteur est prêt à être administré à l'humain, on commence à le tester sur des patients la plupart du temps «métastatiques» (qui ont des métastases) volontaires et dont le pronostic est sombre. Ça, c'est la phase II. Si on constate que le traitement est efficace pour faire fondre les tumeurs et qu'il est bien toléré chez ces gens-là, on passe alors à une autre phase de la recherche, la phase III, où on compare le nouveau traitement au traitement standard, éventuellement chez des patients dont le diagnostic est moins lourd, des patients dont on est plus assurés de la survie.

C'est mon cas.

Avant d'être testé sur moi, le T-DM1 a d'abord été testé sur des patientes qui allaient mourir ; c'est comme ça qu'on a pu établir les risques qui y étaient associés, et également répertorier ses effets secondaires. La compagnie Roche cherche désespérément un nombre suffisant de patientes pour le tester en phase III (ça prend un échantillonnage assez vaste pour arriver à établir que le médicament est efficace, sinon les résultats de l'étude ne vaudront pas grand-chose ; si on a seulement 10 patientes et que 4 s'en sortent, leur survie pourrait être attribuable à n'importe quel autre facteur et pas au médicament), et sur le peu de patientes qui correspondent aux critères définis pour l'étude, toutes n'acceptent pas nécessairement.

Cette étude-là s'appelle Katherine (www.clinicaltrials.gov/ct2/show/study/NCT01772472#locn), et c'est la toute première chimiothérapie ciblée au monde, la seule à pouvoir s'attaquer aux cellules cancéreuses en ne faisant pas trop de dégâts sur les cellules saines (voilà pourquoi mes cheveux ne tombent pas). Je répète que si ça fonctionne, dans 10 ans, les femmes présentant un cancer HER2+ pourraient ne suivre qu'un traitement de chimio (sans perdre leurs cheveux ni vomir à cœur de jour), probablement suivi d'un traitement de radiothérapie ; on n'aura probablement plus besoin de les opérer du tout. *Let me tell you*, ça vaut la peine en ESTIE de pousser pour que ça marche.

Le plus grand risque associé au T-DM1 est l'hémorragie du système nerveux central. :s Ils ont perdu neuf patientes par hémorragie jusqu'à maintenant (dont six par hémorragie du système nerveux central). Quand je dis «perdues», qu'on se comprenne bien ; je veux dire «mortes».

Mais heureusement, les études n'amènent pas que des risques; elles amènent aussi des bénéfices directs, par exemple garder un plus grand nombre de patients en vie et sans maladie, et également des bénéfices indirects — je pense ici aux nouvelles hypothèses scientifiques et aux découvertes-surprises qui découlent plus tard des conclusions des essais. Pour vous expliquer ça, je vais vous donner l'exemple de l'Herceptin.

Quand on a mis au point la biothérapie, la toute première thérapie systémique qui ciblait les cellules ayant un surplus de protéine HER2 sur leur enveloppe, on tenait pour la première fois un agent capable de se rendre directement aux cellules cancéreuses HER2+ *et à celles-là seulement*; c'était formidable. Mais encore plus formidable: c'est cette découverte-là qui a permis de mettre au point le T-DM1 (puisque la chimio « emtansine » est littéralement cachée dans la molécule de biothérapie « Herceptin »). Maintenant, on s'en va même un *step* plus loin: les Belges ont eu la bonne idée de se servir de l'Herceptin pour essayer de mettre au point un test qui pourrait justement révéler si le corps d'un patient cache des cellules cancéreuses solitaires. :) :) :)

Si ça marche, ça voudrait dire qu'une fille comme moi, qui n'a plus de tumeurs mais qui a probablement un nombre indéterminé de cellules cancéreuses lousses dans son organisme, pourrait se faire injecter de l'Herceptin accompagné d'un marqueur radioactif, et là, elle n'aurait qu'à passer un examen high-tech qui existe déjà (un *PET scan*), et la machine montrerait tout de suite les cellules cancéreuses, puisque l'Herceptin se serait accroché à ces cellules-là et que le marqueur les ferait ressortir en les rendant visibles par la machine. C'est pas beau, ça? Hmmm?!

Éventuellement, j'imagine que ça pourrait aussi servir à dépister des cancers qui sont indécelables parce qu'ils viennent tout juste de se former — on pourrait peut-être dépister des cancers beaucoup plus tôt grâce à ça, et aussi évaluer leur potentiel de développement plus rapidement (pour le moment, la mammographie donne des résultats pas toujours satisfaisants, et la biopsie n'est pas super non plus, puisque les délais sont longs et que chaque prélèvement peut donner de faux résultats; dans la plupart des tumeurs, il y a à la fois des zones de cellules cancéreuses et des zones de cellules qui semblent saines. Donc si on pique dans une zone « saine » de la tumeur, on dit à la madame de rentrer chez elle, que tout est beau, qu'elle n'a qu'à revenir l'an prochain pour sa mammographie de routine. C'est ce qui est arrivé à Olivia Newton-John ; un « faux négatif », alors qu'elle était pourtant atteinte d'un virulent cancer HER2+ qui aurait pu lui coûter la vie).

Donc les recherches sont très importantes pour sauver les gens dans l'immédiat et pour trouver des solutions en général, mais en plus, chaque découverte nous ouvre un univers inexploré de nouvelles possibilités de traitement et de dépistage. Bref, on voit bien qu'il faut continuer de trouver des fonds pour la recherche, c'est capital.

Les effets secondaires du T-DM1

C'est vrai qu'il est plus *soft* que l'AC et le Taxol, mais le T-DM1 entraîne quand même des effets secondaires, et ils sont parfois sérieux (comme l'hémorragie). Voici ce qui est répertorié, et voici en même temps mes symptômes à moi :

1. **Un effet toxique pour le cœur :** le médicament affaiblit beaucoup le muscle cardiaque, en particulier son ventricule gauche. Le cœur a du mal à pomper efficacement le sang, et ça donne le souffle court, des douleurs à la poitrine, une enflure des chevilles et des battements de cœur irréguliers. C'est la raison pour laquelle j'ai souvent à passer des examens qui servent à vérifier l'état de mon cœur.

   Mon quotidien à moi : je présente régulièrement tous ces symptômes-là. J'escalade tous les jours le Kilimandjaro quand je monte deux fois de suite du rez-de-chaussée à l'étage chez moi, c'est pas des farces. J'ai zéro souffle. Mon cœur s'emballe ou « saute » un battement de temps en temps, c'est pas cool comme sensation. Et les douleurs à la poitrine me rappellent fréquemment que c'est du sérieux.

2. **Un effet toxique pour les poumons :** ça peut être une inflammation (pneumonie) ou un épaississement des parois pulmonaires, avec l'apparition de cicatrices internes. On peut avoir de la toux, le souffle court (même au repos), et une fatigue anormale à cause d'une respiration moins efficace (moins d'oxygène).

   Mon quotidien à moi : tout semble bien se passer pour moi de ce côté-là.

3. **Un effet toxique pour le foie**: ça peut être une production anormalement élevée d'enzymes, et ça peut éventuellement donner une jaunisse, de la fatigue, des douleurs abdominales, des problèmes dans le fonctionnement du cerveau, des gonflements de l'abdomen causés par une accumulation de fluides ou des saignements de vaisseaux sanguins anormaux de l'œsophage ou du rectum. Ça peut aussi être la mort quand on a un cas sévère de toxicité au niveau du foie, c'est arrivé (mais dans de rares cas).

   Mon quotidien à moi: à ce chapitre, je remarque une immense différence; mon foie a bien du mal à faire son travail. J'ai du mal à digérer plein de choses, et si je bois la moitié d'un verre de vin rouge, j'ai déjà un petit feeling. Je tolère bien mieux les autres alcools, mais le vin rouge, ouf, maintenant ça me tape la tête après quelques gorgées seulement.

4. **Un effet toxique pour le système nerveux**: comme le Taxol, le T-DM1 brise les terminaisons nerveuses. Ce que ça donne, c'est de la douleur, des engourdissements, des sensations d'aiguilles dans la peau, des «fourmis», des démangeaisons. Tout ça a plutôt tendance à se manifester dans les pieds (ou les jambes) et les mains (ou les bras).

   Mon quotidien à moi: j'y goûte *big time*. Les régions de mon corps où les nerfs semblent être le plus abîmés sont mes pieds/orteils, mes mains/doigts, mes seins et mon estomac. Des fois je capote, c'est pas toujours facile à endurer. Et contrairement à la majorité des autres effets secondaires, celui-là met beaucoup de temps à se résorber, parce que le corps doit carrément réparer les nerfs, reconstruire ce qui a été «grugé» par le traitement. Concrètement, mes pieds sont engourdis et me font mal, et c'est pareil pour les mains; j'ai de la difficulté à attacher ou à détacher des boutons, je n'ai déjà plus la dextérité qu'il faut et ça n'ira qu'en empirant à chacune des injections qu'il me reste à recevoir. J'ai «des aiguilles» dans les seins, et j'ai des brûlements d'estomac très intenses sans pour autant que mon estomac ne présente quelque anomalie ou dysfonction; ce sont simplement les nerfs de cette région-là qui envoient des signaux de douleur à mon cerveau parce qu'ils sont abîmés. :/

5. **Une réponse immunitaire exagérée à l'injection du médicament**: les réactions allergiques peuvent inclure des symptômes grippaux comme de la fièvre et des frissons, ou alors des difficultés respiratoires, des chutes de pression, une accélération du rythme cardiaque, une enflure de la gorge (genre beurre de peanut), de l'urticaire, un taux d'oxygène réduit dans le sang, etc.
   Mon quotidien à moi: je n'ai rien de ça.

6. **Un effet toxique pour les plaquettes sanguines**: c'est ce qui peut ultimement conduire à une hémorragie. Les patients asiatiques sont plus vulnérables que les autres là-dessus; ce sont le plus souvent ceux que l'on voit éprouver des problèmes graves au niveau de la coagulation.
   Mon quotidien à moi: pour le moment ça va, je ne saigne pas outre mesure. De toute façon, ils font le décompte de mes plaquettes chaque fois que j'ai une prise de sang, et si ça devait baisser gravement, ils me feraient une transfusion pour me redonner des plaquettes et me protéger d'une hémorragie (une TRANSFUSION?! *Eeeeeeeeeek!*). *By the way*, il y a aussi un risque de neutropénie (baisse d'un type de globules blancs dans le sang), donc un risque augmenté face aux infections, aux virus, aux bactéries de toutes sortes.

Vient ensuite une liste de 31 effets secondaires qui ont été observés chez les patients métastatiques qui ont testé le médicament avant moi (en phase II). Ça inclut plein d'affaires qui vont du ridicule (genre insomnie) au très grave (genre encéphalopathie découlant d'une dysfonction sévère du foie). Moi, pour le moment, je présente les 18 effets secondaires suivants:

- Diminution du taux des plaquettes sanguines
- Diminution des lymphocytes (un type de globules blancs)
- Neuropathie/paresthésie (atteinte des nerfs comme avec le Taxol).
- Faiblesse du cœur (c'est la fonction d'éjection qui est atteinte; mon cœur n'arrive plus à faire sortir le sang de son ventricule gauche avec autant de force qu'avant)
- Douleurs à la poitrine (cœur)
- Battements cardiaques irréguliers
- Fatigue
- Faiblesse

- Peau sèche et craquelée par endroits, formation de corne sur les mains
- Saignements de nez
- Insomnie
- Constipation
- Manque de salive
- Maux de tête
- Sécheresse des yeux
- Goût altéré
- Dyspareunie — c'est drôle, cet effet-là n'est mentionné nulle part… Comme d'habitude…
- Hallucinations visuelles. Je perçois de temps en temps (disons quelques fois par semaine) du mouvement sur les côtés de mon champ de vision, alors qu'il n'y a pourtant personne qui approche. *I see dead people*[40], haha !

La responsabilité d'accepter les risques et les effets secondaires d'un protocole de recherche

Plein de gens *badtripent* quand ils apprennent que le médicament que je teste pourrait me tuer ou me laisser avec des séquelles importantes. Ils ont raison, c'est *badtripant*.

D'un autre côté, moi j'évalue que ces risques-là valent la chandelle. Voici mon raisonnement :

- Sur 4 200 patients, 9 sont morts d'une hémorragie ; ça représente 0,2 % des patients. C'est peu. Mon équipe soignante me suit de très près, je ne vois pas comment ils pourraient laisser mon taux de plaquettes baisser au point où je risquerais une hémorragie.
- Il y a d'autres risques de toutes sortes, et le plus grave est probablement lié au cœur, mais j'y applique en gros le même principe : mon équipe me suit comme il faut et étudie attentivement les réactions de mon organisme à ce médicament-là.
- Je veux guérir.
- Je veux que mes enfants, ainsi que ceux qu'ils choisiront d'aimer plus tard dans la vie, aient un recours fiable si jamais ils sont atteints d'un cancer (éventuellement un cancer du sein ou de la prostate HER2+).

---

40. M. Night Shyamalan, *Sixth Sense*, 1999.

- Je suis l'une des rares sur la planète à pouvoir tester un médicament de pointe, un médicament que l'on sait efficace. Ça me donne le pouvoir de changer le cours des choses, même que ça me donne un million de fois plus de poids que quand je vais voter pour élire un maire ou un premier ministre ; pour le moment, je suis *la seule au pays* à avoir le pouvoir de faire avancer cette recherche-là. Si je dis non, je considère que je fais reculer tout le monde, y compris moi-même.

En disant oui, je fais avancer la recherche sur le cancer du sein HER2+, mais possiblement des recherches éventuelles sur différentes affections semblables aussi, qu'il s'agisse d'une autre forme de cancer ou carrément d'une autre maladie ; on sait jamais.

En disant oui, je permets à mon hôpital de faire avancer tout son département de Recherche.

En disant oui, j'apporte peut-être de l'espoir à plein de femmes qui, autrement, seraient condamnées à perdre un jour leurs seins et leurs mamelons comme moi.

En disant oui, je dis à toute la race humaine qu'**il y a quelque chose à faire contre l'ennemi invisible**, et que je suis prête à faire ce quelque chose-là pour que chacun puisse éventuellement sauver sa peau et celle de ses enfants.

… Tout le monde se plaint tout le temps que la recherche sur le cancer — sur ses causes, sa prévention et ses traitements — n'avance pas assez vite. Sérieux, ceux qui se demandent pourquoi j'ai dit oui : à ma place, auriez-vous vraiment dit non ? Si je dis non, **quand est-ce qu'on va savoir comment sauver des vies, sacrament ?!** Vous avez 25 ans ? Vous avez 45 ans ? Eh bien je vous le dis : l'année prochaine, vous serez peut-être mort d'un cancer. Ça se peut. Pis *it's about time that we wake up*. Il faut qu'on trouve des solutions, et pour ça, ça prend des volontaires.

Comment sont financées les recherches sur le cancer ?
Ça dépend beaucoup du type de recherche.

Évidemment que la très riche industrie pharmaceutique en finance beaucoup, et évidemment qu'elle ne finance que des projets qui feront voir le jour à de nouveaux médicaments qu'elle pourra vendre. Ça exclut malheureusement toutes les recherches sur la chirurgie et la radiothérapie, et probablement aussi toutes celles qui se penchent sur les causes ou la prévention du cancer. C'est malheureux, mais c'est prévisible ; on prendrait exactement ces mêmes décisions-là si on était PDG d'une méga compagnie pharmaceutique.

Donc les recherches pas payantes, celles qui s'attardent aux causes de la maladie et à sa prévention, elles sont financées par des fondations, par des intérêts privés ou par les fonds publics. *By the way*, ce sont ces recherches-là qui sont à mon avis les plus importantes à long terme, parce qu'elles nous donneront un jour la clé qui nous permettra de contrôler la maladie comme on a réussi à le faire avec le choléra ou le scorbut dès qu'on a enfin su d'où ça venait.

Pourquoi est-ce que tant de patients font des récidives, des «rechutes»? Qu'est-ce qui fait que ça peut revenir, alors qu'une grippe ne revient pas?

- Premièrement, un virus comme celui de la grippe est reconnu par le système immunitaire. Quand il revient, l'organisme est prêt à se battre.
- Deuxièmement, comme je l'ai dit précédemment, avec le cancer, absolument aucun examen ne nous permet d'évaluer la réussite d'un traitement étant donné que la maladie est systémique et qu'elle se cache dans tout le corps (je répète par contre que ce n'est pas le cas de tous les cancers ; certains cancers vont rester bien sages et ne jamais dépasser les frontières de leur territoire).
- Troisièmement — et là attention, c'est juste mon raisonnement et pas du tout une information médicale —, si le cancer est en nous, eh bien tant qu'on ne connaîtra pas ses causes, j'imagine qu'on aura beau traiter les patients à tour de bras, si la cause demeure présente dans leur organisme, il me semble qu'on risque pas mal plus de voir réapparaître un nouveau cancer. Mais tsé, peut-être pas non plus, je ne suis pas médecin.

Quand est-ce qu'on « guérit » du cancer?

On guérit du cancer quand on a été traité (et que, donc, il ne reste plus de tumeurs) ET qu'on a passé plusieurs années sans voir la maladie réapparaître (et que, donc, il ne reste probablement plus de cellules cancéreuses).

… Bref, on voit bien que le cancer est effectivement *l'empereur de toutes les maladies*. Heureusement qu'elles ne sont pas toutes comme lui, parce que des êtres vivants, il n'en resterait plus beaucoup sur la planète.

Faque salut, là. Pis prenez bien soin de vos seins, de vos testicules ou de votre prostate d'ici là ; tâtez-vous en masse. Ou ben faites-vous tâter, pis je vous rappelle que ç'a pas toujours besoin d'être par un médecin, han… ;)

Maude

N° 83. J'ai le dossier en main !

8 novembre 2013

So you and I really did make a book! Is it just me, or is this FUCKIN' SURREAL?!

OMG! OMFG! I'm holding the book in my hands!

Moi qui n'ai jamais voulu publier, j'avoue que ça donne un p'tit feeling quand même…!

Maude

Nº 84. Une très grande pensée pour ma toute petite Nina…

13 novembre 2013

Ah, crotte.

Nina se fait opérer cet après-midi, à 15 h 30. Je suis dans tous mes états, et Chrystian aussi, mais en même temps, si on reste bien objectifs, y a presque rien là; c'est une chirurgie mineure, qui ne nécessite que peu de temps et surtout pas d'anesthésie générale. Ils vont geler localement et enlever seulement la tumeur. Si jamais, après les analyses pathologiques, ils voient que c'est cancéreux, alors là ils vont la réopérer pour enlever les tissus avoisinants.

Donc pour le moment y a rien là. Objectivement.

Mais crisse qu'on n'est pas objectifs. :s

Faque pensez à nous autres cet après-midi, *all right*? On a besoin de tout votre amour… mais ça reste juste des petits Band-Aid qu'on met sur un gros bobo — on capote pareil, tsé.

Maude

FAQ

Qu'est-ce qu'ils vont faire si la tumeur de Nina est cancéreuse?
Évidemment, il faut attendre les résultats de la Pathologie pour savoir exactement à quel type de tumeur on a affaire. Mais théoriquement, elle n'aurait pas de chimio; elle aurait seulement une deuxième chirurgie pour retirer les tissus «sains» qui pourraient être contaminés, puis ensuite elle aurait de la radiothérapie, pour brûler toutes les cellules dans un rayon de je sais pas quelle taille autour de l'endroit où se situe actuellement sa tumeur.

Mais tout ça, c'est juste théorique, hein. On se souvient du courriel N° 81, *right*? Le cancer n'est généralement pas une maladie locale (quoique ça dépende des cancers); il aime bien s'attaquer à l'organisme entier, et c'est en plein ça qui me fait badtriper pour ma petite chérie.

Comment se sent Nina?
Elle est tellement *tough*, celle-là. <3

Non seulement elle n'a pas peur (quand elle se fait vacciner, elle regarde habituellement l'aiguille percer sa peau et elle ne bronche même pas), mais surtout, elle dit qu'elle a hâte qu'ils enlèvent sa tumeur parce qu'elle trouve ça laid! Ben coudonc, tant mieux! Elle va vivre la journée d'aujourd'hui mille fois mieux que nous! Les enfants sont souvent pleins de ressources... C'est fou comme on a tendance à les croire fragiles, alors qu'en fait, non, pas du tout. :) En tout cas, souvent moins que nous!

Au cas où elle aurait quand même une petite angoisse le moment venu, on a prévu le coup. Pour qu'elle puisse se concentrer sur autre chose et vivre tout ça plus sereinement, on apporte avec nous une tablette (électronique) et une paire d'écouteurs super isolants. Comme ça, elle pourra écouter un film qu'elle aime ou encore sa toune préférée :

Quelles seront les suites de sa chirurgie d'aujourd'hui?
Pas d'activité physique (ni de cours d'éducation physique) pour quelques semaines, un inconfort évident (des douleurs quand elle restera assise longtemps, puisque c'est sur la fesse). C'est pas mal tout.

Quel cancer ça serait, si c'en était un?
Un cancer de la peau, mais j'ai pas plus de détails que ça, et je refuse de faire des recherches pour deux raisons :
1. Google est pas mal l'outil idéal pour se crinquer et voir approcher la mort même juste en tapant « mal de tête », faque je me tiens bien loin de ça.
2. Je **refuse** qu'elle ait le cancer. Présentez-moi ça comme vous voudrez, mais c'est NON. **Pas question.**

Bon, faque on se croise les doigts pour Nina, OK?

Nᵒ 85. Ma fille va super bien

14 novembre 2013

La chirurgie de Nina

Ouf.

Je vous le dis *right off the bat* : j'ai braillé (en cachette de ma fille, évidemment). Mais je pense que vous vous y attendiez, hein ?!

Voici comment ça s'est passé :

On est arrivés à l'hôpital pédiatrique tous les trois (Rémi était à l'école), et on s'est assis genre, quoi, deux secondes ? Nina était fébrile, un genre d'excitation nerveuse, mais elle n'avait pas peur. Elle s'est installée avec un jeu sur une tablette.

Avant

Ç'a pas pris cinq secondes qu'une infirmière venait nous chercher pour appliquer une crème anesthésiante à Nina, histoire de prévenir la douleur de l'injection le plus possible.

Et là, on a attendu environ 30 minutes, le temps que la crème fasse effet.

Vraiment juste avant

Ensuite elles sont venues nous chercher (quatre filles en tout, docs et infirmières confondues), et Chrystian et moi avons eu le droit de rester auprès de Nina pendant la piqûre qui allait geler le site entourant sa tumeur (sur la fesse). Nina voulait savoir avec quoi ils enlèveraient sa lésion (« Avec des ciseaux ? » qu'elle m'a demandé… *Cute!*) ; j'ai donc demandé à l'infirmière d'informer ma fille, ce qu'elle a fait. Elle lui a même montré l'outil en question (ça ressemble un peu à un emporte-pièce pour découper des biscuits dans la pâte). J'en profite pour souligner que l'équipe était super. Petite parenthèse : la médecin qui a procédé à l'exérèse cachait ses cheveux sous un voile, et je me suis dit que si la Charte avait été en vigueur, elle aurait peut-être choisi de démissionner pour aller travailler au privé… *Anyway* je l'ai trouvée vraiment cool, et j'ai pensé : « Je suis bien contente qu'on tombe sur elle… alors qu'on aurait très bien pu tomber sur quelqu'un de moins gentil, sans voile. » Tout ça pour dire que j'étais heureuse de me trouver face à cette femme-là. Fin de la réflexion sociale.

Nina a été prise de panique au moment où on lui a demandé de rester bien sagement couchée sur le ventre pour l'anesthésie (locale). Je lui ai proposé de rester avec elle et de lui caresser le dos (ce qu'elle adore) pendant l'injection — elle a accepté. Malheureusement, l'injection qu'elle devait recevoir est douloureuse, puisque la doc allait injecter une bonne quantité de liquide dans son muscle (donc ça brûle)…

Donc Nina, effrayée, a réussi à « prendre sur elle » au bout de deux ou trois minutes, et la doc a pu injecter… Mais là Nina s'est mise à hurler de douleur. Aaaaaaaaaaastie que j'étais pas ben. :(Pis j'étais là, à lui caresser bêtement le dos, alors qu'au fond elle ne pouvait même plus sentir la tendresse de sa maman ; tout ce qu'elle sentait, c'était de la peur et de la douleur. Re- :(

Ensuite, on nous a donné le choix de rester pendant l'intervention ou de sortir. Chrystian et moi, on était d'accord : on a choisi de sortir. Nous croyons tous les deux que les enfants montrent, en général, beaucoup plus de courage quand leurs parents sont absents, et qu'en conséquence, ils souffrent moins parce qu'ils sont moins « dans le drame ». Par ailleurs, les équipes pédiatriques savent souvent bien mieux que les parents comment gérer l'anxiété de leurs petits patients.

C'est donc le cœur en miettes qu'on est tous les deux sortis de la salle… avec les pleurs et les cris de Nina en *soundtrack*. :(

Pis on a attendu.

Attendu.

Attendu.

Le pire, c'est que ça n'a même pas été long — ç'a juste SEMBLÉ vachement long. C'était peut-être 30 ou 45 minutes en tout.

Je suis sortie fumer, et là j'ai eu tout un choc — c'est quand je me suis arrêtée au petit casse-croûte pour commander un café que ça m'a frappée de plein fouet : je me trouvais pile poil au même endroit qu'il y a quatre ans, avec encore une fois une menace sur la vie de mon enfant (Rémi a failli mourir du H1N1 en 2009, et c'est à cet hôpital-là qu'ils lui avaient sauvé la vie… après de grands moments d'incertitude et une hospitalisation au cours de laquelle on entendait systématiquement

« On n'en sait vraiment rien » quand on demandait si notre fils allait vivre ou non).

Là j'ai commencé à vraiment filer croche, j'étais pas bien du tout, j'étouffais, j'étais inquiète, j'étais *down*. J'ai pleuré, j'ai angoissé, je me suis demandé comment la vie pouvait m'envoyer tout ça en si peu d'années : Rémi qui a failli mourir deux fois (à sa naissance en 2003, puis à nouveau en 2009) ; mon cancer en 2012 ; et finalement le *cancer scare* de ma fille en 2013.

Pour me changer les idées, je suis allée aux toilettes prendre une photo de foulard. Crisse, à voir ma tête d'enterrement, je pense que j'aurais pu me pendre avec, cette fois-ci. :(

Pendant

Par contre on n'entendait plus Nina pleurer, c'était bon signe.

Finalement l'équipe est venue nous trouver pour nous dire que tout était terminé et que Nina avait été super ; elle a jasé avec une infirmière pendant toute l'intervention, elles se sont raconté des petites histoires pis toutte pis toutte. <3
Quand on est rentrés dans la salle, on est tombés sur une Nina toute blême, mais extrêmement fière d'elle et toute souriante d'avoir passé l'épreuve, parce qu'elle était bien consciente que tsé, se faire arracher un morceau de fesse, c'pas rien quand même.

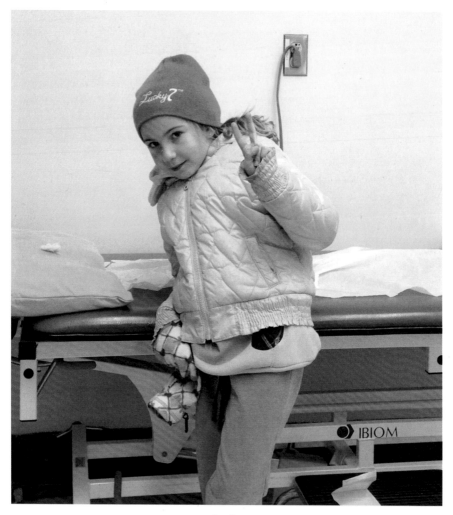

Après

Ensuite on a discuté avec la médecin (*fuck*, c'est vraiment bizarre, hein, « la médecin » ? ! Mais Antidote dit que c'est d'même, faque coudonc, c'est d'même), et elle a refusé avec beaucoup de délicatesse d'embarquer dans les questions de Chrystian, qui lui demandait ce qui allait se passer si la tumeur qu'elle venait de retirer était cancéreuse ; elle répétait : « Tant qu'on n'a pas les résultats de pathologie, on va y aller avec l'idée que ce n'est pas cancéreux. » Elle a raison, et d'ailleurs répétons encore une fois (vous comprendrez que j'ai besoin de me le répéter en masse pour que ça me rentre bien dans la tête) que les statistiques sont vraiment de notre bord — **y a bien plus de chances que ça soit bénin que malin** —, mais entre nous, c'est crissement plus facile à dire qu'à faire quand il s'agit de ta fille qui vient d'avoir 7 ans cette semaine. :s

La doc nous a dit qu'on aurait les résultats d'ici deux ou trois semaines (donc d'ici le 4 décembre).

Faque c'est ça. Tout va bien, pis on attend les résultats, encore une fois (on commence à avoir pas mal d'expérience là-dedans, nous autres, l'attente de résultats… ;))

Entre-temps, Nina continue d'aller à l'école, tout est « normal », si ce n'est qu'elle ne peut pas faire d'activité pendant quatre semaines (pas d'édu, pas de corde à danser, pas de course, etc.). Pas de bain ni de douche pendant deux semaines pour ne pas mouiller le pansement, donc elle doit se laver à la débarbouillette. Elle a parfois un peu de douleur, mais rien de terrible ; la consigne qu'on a reçue est de lui donner du Tylenol quand elle en a besoin. Elle va tellement bien qu'elle faisait même des jokes en attendant le souper ce soir, comme vous pouvez le voir sur les photos prises dans notre grand bordel quotidien, *sorry*.

Je l'ai dit il y a quelques semaines, pis je le répète ce soir : **je suis prête à attendre jusqu'à Noël** pour obtenir les résultats. Je vais être bien sage jusque-là.

Mais après ça par exemple, *every man for himself*. Tassez-vous si j'ai pas de nouvelles le 24 décembre, parce que ça va exploser de partout, je le vois d'ici : j'aurai juste pas la force de passer le jour de l'An dans le noir comme ça. Pas pour ma petite Nina.

Aujourd'hui, elle est *top shape*

You are the sunshine of my life[41]...
T'as même les lunettes de Stevie, *my cherie amour*[42] ! ;)

41. Stevie Wonder, *You Are the Sunshine of my Life*, *Talking Book*, 1972.

42. Stevie Wonder, *My Cherie Amour*, *My Cherie Amour*, 1969.

D'autres bonnes nouvelles…
Que Nina aille bien et que sa chirurgie se soit bien déroulée, c'est formidable. :) Mais j'ai en plus le bonheur d'avoir d'autres belles affaires qui m'arrivent :

Premièrement, JE RENTRE DANS MES JEEEEEEEAAAAAAAANS !
OK, j'ai pas fait ça comme il faut du tout, j'ai maigri par manque d'appétit. C'est pas santé pantoute, mais dans les circonstances — la madame des assurances qui me fait peur (j'en parle dans quelques paragraphes) + la santé de ma fille + le gros *down* récemment —, je ne vois pas comment j'aurais pu faire tout comme il faut, avoir les quatre groupes dans mon assiette trois fois par jour, éviter le stress, etc. *Anyway*, le résultat, c'est que JE RENTRE DANS MES JEANS ! Je suis présentement à +4 livres par rapport à l'automne 2012, c'est-à-dire par rapport à avant la chimio (et avant le Decadron, qui m'a fait prendre tellement de poids en si peu de temps). Je ne me conte pas d'histoires, je sais bien que je risque de reprendre du poids quand mon appétit reviendra à la normale, et je sais aussi que le Tamoxifène a toutes les chances de m'enrober encore davantage. Mais en tout cas, aujourd'hui, en ce moment même, à la minute où j'écris ces lignes, je porte mes jeans !

Deuxièmement, je m'en vas à' tsivi !
Je suis *bookée* à *Denis Lévesque* lundi. Il paraît qu'il a eu un gros coup de cœur pour mon livre ! :) Faque on va jaser ensemble de tout ça !

… Pis des nouvelles poches
Cette semaine, je perds deux choses qui me tiennent à cœur :
1. De la motricité fine. Pas mal frustrant d'avoir du mal à attraper la petite pellicule d'alu pour ouvrir un petit pot de yogourt. Épeurant, aussi.
2. Des cils. Ça ne paraît pas beaucoup encore, mais *soupir* la chute a bel et bien recommencé. :(

Cette semaine, je me fais chier avec la madame des assurances.
La madame me harcèle depuis quelques jours et on joue au *phone tag*. Elle veut que je la rappelle, et je le fais ; je le fais même deux fois par

jour des fois, mais ça ne répond jamais. Et quand elle me rappelle, je suis genre dans la douche, ou dehors à fumer une clope, ou au Jean Coutu pour aller acheter mes pilules multicolores, ou à l'école pour aller chercher Rémi, ou à l'hôpital évidemment. Alors elle me laisse des messages sur un ton qui sonne inquisiteur et qui semble plein de reproches sous-entendus, c'est hyper stressant et ça me laisse dans tous mes états. J'aime pas ça. Cette fois, j'ai perdu l'appétit pour de bon, et le sommeil aussi ; elle me stresse terriblement. Je lui ai même dit ce qui se passait pour Nina et ce que ça faisait ressurgir comme émotions, mais j'ai l'impression qu'elle s'en fout complètement, elle continue à me mettre la grosse pression et à me traiter avec ce que je perçois comme de l'ironie et de la condescendance. Je vous raconterai dans le détail nos conversations par répondeurs interposés une autre fois — là je suis fatiguée, je veux juste aller me coucher —, mais vous allez voir, c'est quelque chose.

Bon, ben… bonne nuit. Je m'en vais rêver à des résultats qui reviennent négatifs du labo de la Pathologie pédiatrique…

Maude

N° 86. Star d'un soir ;)

18 novembre 2013

Salut les *troopers* !

On a une adresse spéciale sur notre liste d'envoi ce soir : celle de monsieur Denis Lévesque !

L'entrevue s'est super bien passée, il a été extrêmement généreux et accueillant. :) C'est quelqu'un de vraiment très bien, j'ai passé une belle soirée, et toute la famille a été accueillie avec beaucoup d'ouverture. :)

Merci à monsieur Lévesque et à toute son équipe !

Maude

OMG! I'm on television!

FAQ

Étais-tu nerveuse ?
Pas du tout ; l'ambiance était très relax, tout coulait de source, et monsieur Lévesque m'a laissé beaucoup de place pour bien développer mes réponses, c'était carrément GÉ-NIAL !

Comment les enfants ont trouvé l'expérience ?
Ils ont adoré ça ! Ils sont restés en régie pendant l'entrevue, et ont été très impressionnés par tous les boutons… D'ailleurs, j'espère qu'ils se sont bien comportés et qu'ils n'ont pas donné trop de fil à retordre à l'équipe… *frantically crossing fingers*

N° 87. *Pull and Pray*

25 novembre 2013

Oh, boy.

Ma chimio a été annulée aujourd'hui. Pis pour une raison qui me fait peur.

Coït interrompu

La semaine passée, j'ai écrit à Ces femmes qui aiment trop pour la tenir au courant de l'évolution de mes effets secondaires. Je fais ça de temps en temps ; je lui envoie un courriel, comme ça je m'assure qu'on n'oublie rien le matin même de la chimio et qu'elle a tout ça par écrit sous la forme d'une belle liste propre-propre-propre.

Donc je lui ai dit que de nouveaux effets secondaires étaient apparus récemment :

- Perte de motricité fine (j'ai du mal à mettre des boucles d'oreilles, genre ; je les échappe et/ou je ne sens plus le papillon entre mes doigts)
- Perte de cils
- Douleurs aux os des mains
- Sensibilité exacerbée de la peau

J'en ai aussi profité pour souligner que j'avais des hallucinations visuelles deux-trois fois par semaine depuis trois bons mois ; ça, j'en avais parlé à une résidente il y a un mois et demi, mais j'oubliais toujours d'en parler à Ces femmes qui aiment trop et à mon médecin relax.

Faque ce matin, j'arrive à l'hôpital avec mon iPod pis ma dope légale, toute prête à me faire injecter, et je vais voir mon infirmière de recherche après avoir fait un p'tit croche chez ma ninja des prises de sang. Comme d'habitude, on discute de mes effets secondaires, et là j'ajoute que ma voix a changé depuis deux semaines, que j'ai l'impression qu'elle a moins de puissance, que ça fait comme si on avait déplacé mon diaphragme vers les épaules et que je n'arrivais plus à pousser l'air avec assez de force pour qu'on m'entende à l'étage quand je me trouve au rez-de-chaussée. Comme d'habitude également, Ces femmes qui aiment trop note ma tension artérielle, ma saturation d'oxygène, ma température et mon poids.

Pis là Chrys et moi on s'assoit dans une salle d'examen en attendant la résidente qui remplace Dr Relax cette semaine, vu qu'il est *off*. On est super bien tombés, on a adoré cette fille-là. Perspicace, à l'écoute, pas compliquée, consciencieuse, intelligente et calme (pis *full* belle, *just sayin'*). Elle me pose des questions, m'examine et s'enquiert des effets secondaires que j'ai mentionnés plus tôt à Ces femmes qui aiment trop. Je dis : « À propos de ma voix, j'aimerais bien passer une radiographie des poumons, qu'est-ce que t'en penses ? », ce à quoi elle répond : « Oui, bonne idée, mais j'aimerais te faire un petit examen neurologique vite fait avant. » On s'installe pour les « Suis mon doigt du regard » et autres « Combien de doigts vois-tu ? », quand finalement elle fait le test du petit coup sur le genou, celui qui fait rebondir le pied vers le haut quand on est assis et qu'on a les jambes qui pendouillent dans le vide.

Donc elle prend son stéthoscope et s'en sert pour donner un petit coup sur mon genou.

Il ne se passe rien.

Elle essaie l'autre genou.

Rien.

Elle a recommencé comme ça une bonne vingtaine de fois. *Fuck all.*

Elle a tout essayé — frapper avec différents objets, frapper plus haut sur le genou, plus bas sur le genou, me demander de m'asseoir plus loin, plus profondément sur la table d'examen —, mais rien n'y faisait. J'ai proposé d'enlever mon pantalon pour faire le test à même la peau ; « Oui, faisons ça », qu'elle a dit.

Poc. Rien. Poc-poc. Rien.

Une cinquantaine de fois en tout. *Sweet fuck all.*

Pour nous rassurer, elle nous a expliqué que certaines personnes ne réagissaient tout simplement pas à ce test-là. Chrystian lui a répondu qu'avant, mes jambes rebondissaient quand on donnait le petit coup sec sur mes genoux.

Elle a dit : «Attendez, je reviens», puis elle est sortie.

On a attendu une demi-heure, probablement plus :

— Ouais, ça r'garde mal, me semble. Les doigts + les orteils + les genoux + les nerfs autour de l'estomac + la voix (qui sait si c'est pas aussi neurologique ? Là j'avoue que je suis complètement *clueless*, mais tsé pourquoi pas ?)…

— Ouais, je pense bien qu'on va se ramasser avec un suivi en Neurologie pis un autre surnom à trouver pour un nouveau doc de plus.

— D'un coup que c'est grave ?

— Je sais pas, han ? Penses-tu qu'ils vont arrêter ton T-DM1 ?

— Je sais pas… Pis s'ils l'arrêtent, tu penses-tu qu'ils vont me donner les injections d'Herceptin qu'il me restait à recevoir ou qu'ils vont juste me dire « *You're good to go* » ?

— Je sais pas.

— …

— …

— *soupir*

— *soupir*

— Crisse, a revient pas… Me semble que ça commence à faire pas mal longtemps, là…

— Ben je pense que c'est pas mal clair que t'auras pas de chimio aujourd'hui.

— Oh, *man*. Ça me fait *freaker*. Quand ils arrêtent la chimio c'est mauvais signe, tsé… D'habitude, c'est parce que c'est grave. C'tu grave, tu penses ?

Quand elle est revenue, elle nous a dit :

« Bon, on va avoir besoin d'un scan cérébral, alors on va annuler la chimio pour aujourd'hui. Premièrement, ça va nous donner une semaine pour voir si les symptômes diminuent ; deuxièmement, ça va nous donner le temps d'obtenir les résultats du scan. Sauf qu'on n'arrive pas à trouver une plage horaire pour un scan avant janvier, alors je vais vous donner deux choix. Soit vous allez à l'Urgence — ça peut représenter 24 heures d'attente —, soit vous allez dans une clinique privée. Dans les deux cas, on va demander un scan pour le cerveau ET un pour les poumons. »

On a choisi la deuxième option (faque la madame des assurances qui m'empêche de dormir depuis quelque temps, eh bien je vais lui coûter encore plus cher, haha).

Qu'est-ce qu'ils cherchent dans mon cerveau ? Des stigmates d'AVC. :s

Est-ce que c'est réversible ? *Er, I don't think so.*

Qu'est-ce qu'ils pourraient trouver d'autre ? Des métastases. Mais ça, c'est peu probable. Mon avis est que le T-DM1 a magané mon système nerveux en masse (je rappelle que j'ai subi une gastroscopie à cause de ça cet été), et qu'en plus, ça vient s'ajouter aux dommages causés par le Taxol (c'est-à-dire par ma deuxième *batch* de chimio, qui s'est terminée fin mars mais dont je n'avais peut-être pas eu le temps de me remettre tout à fait quand j'ai commencé le T-DM1 au début de juillet).

Faque voilà. C'est mon petit cerveau et toutes ses ramifications qui ne vont pas bien. C'est, euh, comment on dit déjà…? ÉPEURANT ?!!

On est sortis de l'hôpital vers 13 h 30 pour partir à la chasse d'un rendez-vous urgent pour deux scans. Pas facile, pas facile. C'est ultra *booké* partout. Mais au bout de quelques recherches et de conversations désagréables avec des fonctionnaires du domaine privé, on a fini par tomber sur une fille super compréhensive dans une petite clinique de notre grande banlieue, et elle a remué tout l'édifice pour qu'on puisse m'étudier le cerveau jeudi matin dès 9 h. Les résultats préliminaires seront immédiatement acheminés à mon médecin relax (qui n'est pas là ; donc c'est soit le *board* qui va regarder ça, soit une équipe de résidents chapeautée par un oncologue, soit ma petite gang de recherche qui s'occupe du protocole dont je fais partie — j'ai aucune idée de comment ça marche, peut-être même que ce papier-là va juste bretter sagement dans le *tray* d'un fax en attendant que mon doc revienne, fouille-moé). Idéalement, le rapport final sera transmis à mon hôpital avant 9 h 45 lundi, au moment où j'entrerai en *shakant* dans la salle d'examen de mon médecin relax et que je croiserai les doigts très fort pour qu'il me dise : « Bon, ben gèle-toi la face tsu suite, ma belle ; ton infirmière *full* professionnelle t'attend dans une demi-heure pour te donner ton *fix.* »

En attendant, par exemple, on n'a pas d'autre solution que la technique du *pull and pray* ; on se retire (en mettant ma chimio *on hold*), pis on espère fort-fort qu'on s'est pas retirés trop tard. On espère ben gros que ça vire pas en avortement.

J'ai peur.

Maude

N° 88. *Today Might Just Be the BEST DAY EVER*

27 novembre 2013

On vient tout juste d'obtenir les résultats de la Pathologie : la tumeur de Nina était bénigne, donc MA FILLE N'A PAS LE CANCER.

En plein au moment où on se disait qu'on n'était pus capables d'endurer toute c'te marde-là, la vie vient nous faire le plus beau cadeau du monde juste avant Noël…
tears of joy
LOTS AND LOTS of them

Maude

N° 89. *Rage Against the Machine*[43]

ALERTE AU PAS-PROPRE, je vous préviens : c'est un courriel vulgaire.

---

43. Ce courriel-ci a été envoyé le 6 décembre 2013, mais il a été déplacé pour éviter que le livre ne se termine sur une note amère.

Avant de dire quoi que ce soit sur ma rage contre la grosse machine qui marche au *cash*, on va dédier une toune à la madame des assurances qui m'empêche de dormir et de manger depuis quelque temps.

C'est super bon même si ça date un peu (2006), c'est de Buckcherry et ça s'appelle *Crazy Bitch*, pis moi je trouve que la toune fitte au boutte, dans le sens qu'il y est question d'une crisse de folle dont on ne peut pas se passer. Effectivement, je ne peux malheureusement pas me passer de ma « Préposée au service aux assurés en invalidité de longue durée », c'est-à-dire ma madame des assurances, parce que sinon je vais perdre ma maison et mon auto, et que je vais me ramasser à faire la queue dans une banque alimentaire. Attention, j'ai pas dit « la queue » gratuitement. C'est que le clip de Buckcherry est particulièrement pertinent : la fille qui ne fait que du travail de bureau mais qui au fond rêve d'une grosse matraque pour jouer à la police, moi je trouve que c'est un rôle parfait pour ma madame des assurances. Checkez ça :

« *When I dream, I'm doing you all night, Scratches all down my back to keep me right on*[44] » ; je suis certaine qu'elle badtriperait solide si je lui disais ça quand elle m'appelle, mouahaha ! Mais ça serait pas loin de la vérité pareil ; c'est rendu que je pense juste à elle, j'en rêve carrément, et comme elle me grafigne tout le temps pour me garder sur le qui-vive, eh bien des fois j'en arrive à avoir envie de la brasser toute la nuit, de lui faire la passe bien comme il faut et de la laisser toute molle avec les jambes qui *shakent*.

Tant qu'à y être, on va lui donner son surnom tout de suite. Pour rester dans le thème et pour ratisser large, on va l'appeler Miss Ass ; d'abord, ça fait un bon diminutif pour « assurances », et ensuite, ça décrit assez bien l'attitude qu'elle a avec moi. Qu'elle l'ait *tight* ou

44. Josh Todd et Keith Nelson, *Crazy Bitch*, 15, 2006.

qu'elle l'ait large, « ass », ça lui va à merveille. Pis à part de ça, pour jouer à la police, t'es peut-être pas obligée de porter des p'tits kits de policière cochonne achetés au *sex-shop* pis d'être full pétard non plus, han ; le look matricule 728, ça marche très bien aussi. Faque imaginez-vous Miss Ass avec le look que vous voudrez ; *free for all, anything goes* ; tout le monde a droit à son petit fantasme aujourd'hui.

Bon.

Les compagnies d'assurances, vous le savez, je le sais : elles sont là pour faire du fric, pas pour nous en donner quand elles nous en doivent.

Ce que vous ne savez peut-être pas, c'est que plusieurs compagnies d'assurances semblent agir comme si elles jugeaient que le cancer, c'est pas si pire que ça. Attention par contre : quand vient le temps de vous vendre une assurance-vie, là c'est clair qu'elles trouvent que le cancer que vous avez eu il y a 25 ans, c'est trrrrrrrrès, trrrrrrrrès grave. Même que c'est en général une bonne raison pour refuser de vous assurer ; mais s'il est question d'assurer votre salaire parce que vous êtes présentement en arrêt de travail à cause d'un cancer, alors là, c'est différent. Dans ces cas-là, le cancer, c'est pas la même chose, han. Ç'a l'air bien moins grave, voire pas grave du tout. Et d'ailleurs, pourquoi vous cesseriez de travailler si vous recevez une trentaine d'injections de chimio ? Du vomi, un cerveau capoute, des problèmes cardiaques, hépatiques ou pulmonaires, *whatever* ; aucun de ces détails-là ne saurait justifier la paresse d'un cancéreux. Après tout, le travail, c'est la santé. Tout le monde sait ça.

Les premiers appels

Quand on est en arrêt de travail pour une « invalidité de longue durée » comme moi, on doit se soumettre à une série d'appels de notre assurance salaire (et parfois des autres assurances aussi, genre REEE, carte de crédit, hypothèque, etc.). On nous assigne une « Préposée au service aux assurés en invalidité de longue durée » qu'il nous faut appeler à des dates précises pour répondre à plein de questions. Leur discours est pas mal spécial, vous vous en doutez ; d'ailleurs, je vous en ai déjà parlé, Miss Ass semblait avoir du mal à saisir pourquoi, malgré mes traitements de chimiothérapie, j'étais encore en arrêt de travail, à part bien entendu pour récupérer de la chirurgie. Donc on doit justifier pourquoi on reste à la maison («Au fond madame Schiltz, qu'est-ce qui vous empêche de travailler?» «Ben j'ai le CANCER…?!» [Me semble que c'est pas pire comme raison de s'absenter, non?!] «Oui, ça je sais, mais concrètement, là? En quoi est-ce que ça vous empêche de travailler?»), mais bon, pas le choix, c'est comme ça. Il y a aussi toutes les insinuations qui m'ont semblé fallacieuses, comme la fois où on aurait dit qu'elle me reprochait à mots couverts de ne pas toujours répondre à ses appels et qu'elle me demandait pourquoi je n'étais pas chez moi quand elle téléphonait (crisse, chus dehors pis je fume, je l'ai pas entendu, l'estie d'appel. *That's right, Miss Ass*: j'ai le cancer PIS JE FUME PAREIL. Note ça bien comme il faut dans ton petit dossier, là han!).

Tout ça donne lieu à de belles conversations creuses:

— Vous savez, madame Schiltz, la première personne que vous devez avertir si vous constatez un changement dans votre état de santé, c'est votre médecin, c'est très important…

— [Dans ma tête: Han?! Pour vrai?! C'est fou, j'aurais jamais pensé à m'adresser à lui si mon état se détériore!]

— … Mais tout de suite après, téléphonez-nous pour discuter de votre état de santé.

— [Dans ma tête: Ah fiou! Enfin! Quelqu'un à qui parler de mes problèmes de constipation! Enfin! Quelqu'un qui va pouvoir comprendre mes problèmes neurologiques, m'aider avec compassion, me guérir en toute compétence juste par un appel téléphonique et, qui sait, va peut-être même pouvoir me dire qu'au fond j'ai jamais eu le cancer, que c'était pas la peine de faire mon testament ni de m'enlever les deux seins, pis que je peux retourner travailler l'âme en paix dès cet après-midi… Que tout ça n'était qu'un mauvais rêve et que le cadran va sonner dans deux minutes, exactement comme dans le cliché des nouvelles maladroitement rédigées par les préadolescents dans leurs cours de français…]

Là où ça s'est corsé
Miss Ass a commencé à manifester son mécontentement après ma double mastectomie; ma chimio ne devrait pas m'empêcher de me concentrer sur mon travail, surtout qu'il s'agit, dans mon cas, d'un

travail sédentaire. Elle a écrit à mon médecin en spécifiant que je pourrais travailler de la maison pour ménager ma santé.

Mon médecin lui a répondu que non, que tant que je serais en traitement, je ne serais pas en mesure de fournir un travail efficace et adéquat. Évidemment que c'est pas ça qu'elle voulait entendre… Enfin, j'imagine.

Ici je fais une pause dans l'histoire pour vous rappeler ce qu'on entend souvent au sujet des assurances : il paraît que les compagnies font des enquêtes sur les gens en arrêt de travail. Selon ce qui circule, elles commenceraient par des trucs simples, genre vérifier les comptes Facebook pour voir si, à tout hasard, un gars de la construction qui a mal au dos ne serait pas en train de profiter de son congé de maladie pour se construire un cabanon tout neuf. On dit même que quand les compagnies d'assurances ont des doutes sérieux et qu'elles considèrent que ça vaut la peine d'investir un peu parce qu'elles ont une chance de récupérer leur argent en mettant fin aux prestations d'un assuré ou en se faisant carrément rembourser les prestations versées à un assuré fautif, elles engageraient des détectives privés pour faire suivre illégalement leurs clients. Dans les scénarios les plus paranos, on dit qu'elles peuvent aller jusqu'à *hacker* des cellulaires pour mettre ces gens-là sous écoute, vérifier leur boîte courriel, etc. (« *Get the video, fuck you so good, get the video, fuck you so good, crazy bitch, crazy bitch…*[45] »)

Je le sais que c'est *freak* et que ça sonne « y a de la conspiration partout », et je ne sais pas si ces scénarios-là sont exagérés. Effectivement, ce genre de document-là (vidéo, rapports de surveillance privée, etc.), c'est inadmissible comme preuve devant la Cour parce que c'est complètement illégal, mais il semble que les compagnies d'assurances s'en serviraient pour orienter l'opinion que l'expert qu'elles paient (par exemple, un psychiatre dans les cas de fatigue chronique ou de dépression) se fera sur l'état de santé et les capacités de l'assuré dont on examine le cas.

---

45. Josh Todd et Keith Nelson, *Crazy Bitch*, 15, 2006.

On revient à mon histoire. Un jour où j'étais allée me faire « *spraytanner* », mon cell a sonné pendant que je séchais. Donc je suis flambant nue avec un magazine dans les mains au milieu d'une grande pièce, jambes et bras bien écartés pour pas *scrapper* mon *spraytan* qui est en train de sécher (faut sécher pendant 10 minutes avant de remettre ses vêtements). Et là ça sonne (je le sais que j'ai l'air d'être en train de vous raconter un film de Peter Sellers, mais ça s'est passé comme ça pour vrai. Sérieux, des histoires ridicules de même, ça s'invente juste pas). « Merde », que je me dis. Je m'approche de mon sac à main. Pas pour répondre — je le sais que si je colle le téléphone sur ma joue ou mon oreille, il va rester étampé dans mon bronzage —, mais juste pour voir qui c'est. Toujours nue, jambes et bras bien loin du corps, j'essaie de glisser juste mon index et mon pouce dans la pochette de mon sac pour attraper mon cell sans que ma peau ne touche à rien d'autre, toujours dans le but de ne pas maganer mon bronzage.

Évidemment que je n'y arrive pas. Au lieu de ça, boutte d'la marde, mon pouce glisse sur l'écran pis ça répond sans que je l'aie voulu. *Fuck.* Comme il est trop tard pour renverser la situation, et que de toute façon j'ai même pas reconnu le numéro affiché, eh bien j'approche précautionneusement le téléphone de mon oreille en prenant bien garde de ne pas le coller sur moi. Toute cette opération a dû me prendre une bonne grosse minute. Et là, jambes et bras écartés, je risque un « Allo ? »…

— Bonjour madame Schiltz, c'est Miss Ass. Comment allez-vous aujourd'hui ? Êtes-vous en forme ?

— Euh, ben… Ça va… Mais là, euh…

— Est-ce qu'on peut prendre le temps de discuter de votre dossier, madame Schiltz ?

— Euh… Honnêtement, c'est pas un très bon moment, là… Est-ce que je pourrais vous rappeler ?

Et là PAF, Miss Ass saute une coche et lève le ton :

— AAAH NOOON ?! Ah boooon ! Comme ça, « c'est pas un bon moment », heeeeeein ?!!

— Euh, non, c'est pas un bon moment pour moi. Mais alors là, vraiment pas. [Flambant nue, dans un endroit qui n'est pas chez moi, les jambes écartées et le *spraytan* qui sèche, le *cell phone* à 5 pouces de l'oreille — c'est effectivement pas ce que j'appelle «un bon moment pour discuter de mon dossier», tsé.]

— AAAH BOOON!!! Comme ça, vous ne pouvez pas me parler?!! Je vous dérange?!!

— Ben… C'est-à-dire que le moment est juste mal choisi… J'aimerais mieux vous rappeler, ça serait vraiment plus facile pour moi.

Calvaire! Je suis à poil, je sèche, pis je le sais que t'as l'intention de me garder au moins une heure au bout de la ligne (parce que c'est toujours ça qu'elle fait), pis tsé, j'ai pas envie de rester tout-nue ici pendant une heure, je veux m'en aller chez nous. Faque sérieux, j'vas te rappeler OK?!

Donc je l'ai rappelée (et je vous fais grâce du *phone tag* et des messages qui se terminent toujours sur un «EN VOUS REMERCIANT BIEN À L'AVANCE DE VOTRE COLLABORATION ET DE VOTRE COMPRÉHENSION, MADAME SCHILTZ. Comme vous savez, vous vous devez de collaborer avec nous» bien appuyé), et elle m'a posé plein de questions pendant une heure et demie:

— Quel est le fonctionnement exact de l'ingrédient actif de votre chimiothérapie, madame Schiltz?

— Ben là, je pense que vous devriez poser ces questions-là à mon médecin.

— Non, madame Schiltz, c'est à vous que je veux parler.

— OK, mais quand même, pour les trucs plus techniques, l'expert, c'est mon doc; pas moi.

— Oh, comme c'est déplorable, madame Schiltz… Je vois que votre médecin ne prend pas la peine de vous informer sur votre traitement, c'est regrettable… C'est vraiment dommage de voir que vous ne pouvez pas compter sur votre médecin pour prendre le temps de vous expliquer tout ce que vous devriez savoir à propos de votre propre santé…

— C'est pas ça, voyons donc! C'est juste que je ne suis pas experte et que lui pourrait vous informer mieux que moi.

[…] [Je coupe des bouts parce que c'est interminable]

— Décrivez-moi une journée typique, madame Schiltz.

— Eh bien c'est assez tranquille mon affaire, je ne sors pas beaucoup. Je suis pas mal toujours en *sweatpants*, et les jours où je ne me rends pas à l'hôpital, je brette toute la journée, je suis bien peinarde après avoir préparé les enfants pour l'école…

— Avez-vous un hobby?

— Un hobby?! Haha! Non! Avant je faisais de la pôle et du yoga, si vous appelez ça un hobby, mais je n'en ai pas refait depuis mon opération.

— Donc vous ne faites *rien*?

— Ben là, je dirais pas ça non plus! Je fais un peu de ménage, je gosse sur le Web, je lis, mais surtout, j'écris beaucoup à mes amis, je leur donne de mes nouvelles par courriel.

— Quel genre de ménage vous faites, exactement?

— Ben là, du ménage! Vous savez? Laver un plancher de temps en temps, partir une brassée de lavage...? Mais moi j'ai de la chance, mon mari en fait énormément dans la maison. D'ailleurs c'est lui qui cuisine.

— Est-ce que c'est vous qui passez l'aspirateur ou c'est lui?

[...]

— Parlons un peu de votre emploi à l'agence, maintenant. Quand vous faites deux ou trois heures supplémentaires dans une semaine, comment ça fonctionne? Est-ce que ça vous est versé sur votre paie ou est-ce que vous raccourcissez votre journée de travail le lendemain?

— Ben, c'est pas vraiment comme ça que ça fonctionne quand on travaille dans une agence de pub; on fait notre job, un point c'est tout. On ne compte pas nos heures comme ça; on travaille jusqu'à ce que la job soit faite.

— Oui, mais si vous faites des heures supplémentaires?

— Eh bien au bout de l'année, je pense que ça revient pas mal au même; des fois on en donne, des fois on en prend. Et si on travaille très fort pendant un bout de temps, par exemple en période de préparation d'un *pitch* à un client, après on est récompensés de toute façon; nos patrons nous gâtent beaucoup, on travaille en équipe et l'ambiance est très bonne.

— Vos patrons vous gâtent comment, au juste?

— Ben je sais pas, ils vont nous emmener luncher ou nous offrir un super beau 5 à 7, genre.

— Ben là FRANCHEMENT madame Schiltz!

— Quoi? Qu'est-ce que j'ai dit de pas correct?!

— Vous savez comme moi que personne n'a envie de passer du temps avec ses collègues après 17 h! Quand ma journée de travail est finie, moi, tout ce que je veux, c'est rentrer chez moi, et surtout pas rester avec mes collègues! Un 5 à 7, c'est pas un cadeau à offrir à ses employés, ça!

— Ben là je sais pas, j'aime ça, moi! Je les aime, mes collègues! Peut-être que vous n'aimez pas votre job ou votre équipe autant que moi j'aime ma job et mon équipe, mais en tout cas, je peux vous dire que nous, à l'agence, on est contents de passer du temps ensemble, on a du fun quand on va prendre un verre toute la gang, ça nous fait pas chier du tout.

And so on, des questions toutes plus *awkward* les unes que les autres, jusqu'à ce que le chat sorte enfin du sac:

— Bon, alors madame Schiltz, je vois que vous ne me laissez pas le choix. Je vous ai laissé plusieurs chances, je vous ai donné plusieurs occasions de vous montrer de bonne foi, je vous ai posé plein de questions ouvertes; mais vous persistez à ne pas en venir au fait, alors je vais devoir être plus précise et vous affronter directement.

— HEIN?! Mais JE SUIS de bonne foi!

— AH OUIIIIIIIIII?!!!! ET ÇA VOUS DIT RIEN, ÇA: « SHIT, J'AI LE CANCER »?! (en hurlant presque)

Là, elle était crissement fière de sa *shot*, ma Miss Ass! *Oh boy!* Un ton qui sonnait mi-hystérique, mi-« j'ai gagné à la 6/49 », mais en tout cas, un ton qui sonnait pleinement « Aaaaaaaaah-HA!!! J'TE POGNE, LÀ HAN?!!!!! » Même que je la soupçonne d'avoir mouillé un peu sa culotte, ou en tout cas pas loin, parce qu'elle avait l'air d'avoir un gros *thrill* — rien qui se rapproche de ses 5 à 7 de bureau.

Ce qui s'est passé, j'imagine, c'est qu'à force de me « googler » de temps en temps, elle a fini par tomber sur… une magnifique photo noir et blanc d'une fille les boules à l'air, avec un gros titre en rouge: *Ah shit, j'ai pogné le cancer*. Faque la tite madame, elle a pogné les nerfs pis elle a appelé la fille qui a pogné le cancer.

Donc j'ai répondu, bien fièrement:

— Ben certain que ça me dit quelque chose! C'est le titre de mon livre! :)

— JUSTEMENT ! Parlons-en, de votre livre ! PARLONS-EN ! Vous avez travaillé !

— Je n'ai pas travaillé.

— FRANCHEMENT, MADAME SCHILTZ ! VOUS AVEZ TRAVAILLÉ ! VOUS AVEZ ÉCRIT UN LIVRE !!!

— Je n'ai pas travaillé. Et d'ailleurs, je n'ai pas écrit un livre non plus. J'ai écrit des courriels à mes amis, et c'est ça qu'on a publié. C'est ma correspondance personnelle, rien de plus que ça, et rien de moins. Des courriels.

— Vous avez travaillé.

— J'ai écrit des courriels.

— C'est du travail. Faire un livre, c'est du travail. Et vous ne l'avez pas déclaré quand je vous ai demandé si vous aviez travaillé.

— Mes courriels, c'était pas du travail. J'ai tenu mes proches au courant de mon état, et ç'a été pour moi une façon d'obtenir un soutien titanesque de la part de ceux qui m'aiment et qui me veulent du bien. Et en passant, là… *just for the record*… je vous ai bien dit que j'écrivais beaucoup à mes amis ; je ne vous l'ai pas caché.

— Combien d'heures avez-vous mis à écrire cet ouvrage-là, madame Schiltz ? Avez-vous écrit tous les jours du lundi au vendredi ?

— Je l'sais-tu, moi, combien d'heures ?! [Comptez-vous le temps que ça vous prend pour écrire un courriel à votre belle-sœur, vous ? Le temps que vous passez sur Facebook ?] J'ai écrit chaque fois que j'en sentais le besoin, j'ai écrit quand mes amis m'écrivaient, j'ai écrit quand je m'en sentais capable. J'ai écrit de nuit, j'ai écrit de jour, j'ai écrit le lundi, j'ai écrit le samedi ; j'ai écrit à coups de 15 minutes et j'ai écrit à coups de 2 heures, je le sais pas ! J'ai écrit n'importe quand ! Et d'ailleurs, j'ai pris un agent dès le début, justement parce que je ne voulais pas dealer avec l'édition d'un livre. Il a fait un travail formidable pour moi, il s'est occupé de tout, et aujourd'hui on a un livre magnifique entre les mains. Vous devriez le lire, je suis certaine que vous allez l'adorer !

J'étais épuisée après cette conversation-là. Tsé, une heure et demie d'interrogatoire par quelqu'un qui espère te coincer et qui te parle sur un ton menaçant, pfff, ça lessive sa femme.

Après, j'ai cessé de dormir.

Puis, j'ai cessé de manger.

Ç'a débuté le 12 novembre, et ça commence à peine à aller mieux, presque un mois plus tard ; j'ai retrouvé l'appétit, mais pas le sommeil. Je travaille là-dessus (lire : je me bourre de somnifères).

Des fois je me demande ce qu'elle cherche : prolonger mon arrêt de travail par une dépression ou un choc nerveux qui découle de son propre harcèlement alors que je suis déjà tellement maganée par la chimio ?! *What the fuck ?* Tu veux-tu que je retourne travailler ou pas ? Parce que moi, *OUI* je veux retourner travailler, pis je préférerais que tu me laisses prendre du mieux — je veux avancer, pas reculer, pis là ça s'en va pas du bon bord. Sérieux, si je continue à me faire taper s'a tête de même, crisse ej'tofferai pas longtemps pis je donne pas cher de ma peau tantôt.

Faque fais-nous donc une faveur pis lâche-moé.

Fais tes enquêtes de ton bord pis arrête de m'écœurer ; tu viendras chez nous avec ta grosse matraque pour me passer tes menottes de *sex-shop* quand t'auras des preuves que je suis une fraudeuse professionnelle, *all right* ? Pis commence donc par le lire, mon livre, viarge ! Tu sais même pas c'est quoi, c'te livre-là, t'as pas l'air de comprendre pantoute ce que c'est. En attendant *FUCK OFF, out of my life*, laisse-moi donc guérir comme du monde !

Après notre conversation, Miss Ass a téléphoné à mon patron. Et probablement à d'autres personnes aussi, je ne sais pas. J'imagine qu'elle se trouvait *full* perspicace d'avoir découvert que je lançais un livre et qu'elle s'attendait à surprendre mon boss avec sa grosse révélation d'une info top secrète ? Euh… c'est parce que mon livre, je ne veux pas le cacher ! *Hellooooooo ?!* Si j'ai choisi de publier tout ça, c'est justement POUR QU'ON EN PARLE ET POUR QUE TOUT LE MONDE LISE CE QUE J'AI À DIRE !

Là, vous vous dites peut-être « Ouin mais c'est pas de sa faute, tsé… C'est sa job, elle est bien obligée de la faire et d'agir comme ça ; elle suit simplement les directives qu'elle reçoit "d'en haut"… »

Eh bien moi, je ne vois pas les choses de cette façon. Perso, j'ai choisi de ne pas fabriquer des bombes nucléaires pour payer mon épicerie et pour gagner ma vie en général. Je veux ben croire que c'est sa job, mais en même temps, sa job, elle l'a quand même choisie. Pis dans la vie, on a (presque) toujours le choix... *Hey Miss Ass*, y a rien qui t'empêche d'aller licher des enveloppes dans une compagnie de publipostage pour un salaire pas ben-ben moindre, ni de respirer en cochonne au bout d'une ligne 1-976 pour empocher plus de *cash* si c'est le téléphone qui te branche dans la vie... *Be my guest, tight-ass sweetie, and start talking dirty to someone else than me.*

Qui fait cette job-là dans la vie? *I mean*, qui accepte, en échange de 30 000 $ ou 40 000 $ par année mettons, de faire peur aux cancéreux en les hantant avec la peur de se voir couper les vivres quand ils sont déjà inquiets pour leur petite famille et pour leur vie? Qui dort sur ses deux oreilles en passant 40 heures par semaine à faire des horreurs pareilles quand il pourrait faire du télémarketing avec un boni mensuel pour récompenser ses ventes? Qui se dit que ça vaut le coup d'essayer de couper le maigre revenu de cancer de la petite *redneck* de Laval atteinte d'une maladie mortelle pour toucher une prime de 50 $ à la fin de son mois?

J'espère que Miss Ass va se payer un beau voyage à Cuba avec tout l'argent de tous les cancéreux qu'elle aura coupés, et j'espère aussi qu'elle profitera de sa semaine «tout inclus» pour décrocher un peu et faire tomber le stress que lui causent les menaces dont ces gens-là semblent être l'objet (eh oui! ces gens-là se sentent menacés au point où ma première Miss Ass cachait son nom de famille quand elle me donnait ses coordonnées: «Vous comprenez, madame, on doit protéger notre intimité; je vais vous donner seulement mon initiale»; je mettrais ma main au feu que ma Miss Ass actuelle se présente sous un faux nom quand elle m'appelle).

C'est pas une vie misérable, ça?! Entre avoir une job de même ou avoir le cancer, je sais pas, han...? Moi, après une journée à réviser des pubs, eh bien j'ai pas peur que les clients de l'agence connaissent mon nom pis j'ai pas à dealer avec l'horrible impression que mon employeur fait des profits sur le dos du petit monde grâce à mes techniques pour coincer les gens malades dans un coin. Et pour finir, j'ajouterai que si j'ai l'occasion d'aller faire tchin-tchin avec mes collègues, eh bien j'y vais, parce qu'au lieu de me révulser, les gens avec qui je travaille me motivent et me rendent heureuse.

It's a dirty job, but someone's gotta do it… Donc je reviens à ma question : qui choisit délibérément, comme façon de gagner sa vie, de passer 40 heures par semaine à faire trembler des gens qui ont le cancer ? Qui, estie ? !

Eh ben ça tombe bien, on va pouvoir répondre à cette question-là parce qu'il y a justement un poste de Miss Ass à combler en ce moment dans la très agréable et probablement ô combien dynamique équipe de travail de Miss Ass ; il est affiché sur le Web.

Dans l'annonce, les objectifs sont clairement annoncés (je résume mais je ne cite pas) : on dit que l'employé choisi participera aux profits de la compagnie d'assurances en facilitant le retour en poste des assurés en congé de maladie.

Ici, j'ai une petite réserve quant à l'utilisation de l'expression « faciliter le retour en poste », mouahaha ! Miss Ass est loin d'atteindre ses objectifs dans mon cas, puisque comme je le disais plus haut, elle me propulse dans un état d'anxiété qui risque plutôt de m'empêcher de fournir un bon rendement au travail s'il perdure — me semble que ça prend pas une maîtrise en psycho pour allumer là-dessus : un humain anxieux qui dort pas pis qui mange pas, même si y a pas le cancer, euh, dans mon livre à moi, ça donne pas un employé *full* productif.

Poursuivons notre captivante analyse. Dans la description de tâche, on trouve plein de choses qui font lever le poil sur les bras, comme par exemple d'exécuter une gestion susceptible d'abréger les congés des assurés, y compris de ceux considérés comme des cas lourds, en se basant sur les objectifs de la compagnie d'assurances (encore une fois, je résume mais je ne cite pas — vive les dictionnaires de synonymes, haha !).

Donc voilà, on a notre réponse : les « Miss Ass » et leurs collègues qui n'aiment pas les 5 à 7 savent très bien, au moment d'accepter un emploi de « Préposé au service aux assurés en invalidité de longue durée » dans cette compagnie-là (wow, j'adore ce titre professionnel ! — « Qu'est-ce que tu fais dans la vie, *babe*, pour être belle de même ? » »

— « Je suis Préposée au service aux assurés en invalidité de longue durée » — « Han ! C'est donc ben sexy ! Tu viens-tu fourrer chez nous ?! Ça m'excite au boutte ! Tu mets-tu un p'tit kit de police pour appeler les cancéreux le mardi après-midi ? » — « Ben oui ! Pis tu veux-tu voir ma matraque en plastique ? A vibre pis toutte ! »), donc ces gens-là savent très bien qu'on attend d'eux qu'ils retournent les malades au travail, y compris les malades qui sont crissement malades, le tout dans le but d'atteindre l'objectif de profits XYZ fixé par le boss. En clair, la job d'un Préposé au service aux assurés en invalidité de longue durée, ç'a l'air d'être d'engraisser une compagnie d'assurances sur le dos des assurés, y compris ceux qui ont le sida pis le cancer.

Je vous rappelle les paroles de Buckcherry, qu'on peut lire en scannant le code ici…

Faque évidemment que Miss Ass, 'est pas *full* contente que je publie mon histoire… Elle a l'air de penser que de donner des nouvelles à mes amis par courriel quand je m'en sens capable, c'est exactement comme réviser les communications des clients de l'agence du lundi au vendredi de 8 h 30 à 17 h.

Moi, ce que je pense, c'est que quand je me réveille à 3 h 30 du matin, pus capable de dormir, pis que je pogne mon *laptop* pour vous envoyer, en robe de chambre, des courriels écrits tout croche avec plein de sacres dedans, j'ai pas vraiment le feeling d'être en train de réviser la portion légale d'une pub journaux de chars après m'être tapé l'heure de pointe debout dans le bus et le métro pendant une heure, pis de remettre ça le soir pour revenir chez nous en courant pour aller chercher les enfants à l'école, faire le souper, faire faire les dictées, donner les bains, etc. Les soirs où j'ai pas de 5 à 7 avec ma gang de bureau, je veux dire, là ! LOL ! Et *by the way*, je considère aussi que sans le soutien de mes *troopers* — qui m'est justement venu surtout grâce à ces courriels-là —, ma santé mentale ne serait probablement pas la même.

Tout ça pour dire que Miss Ass, elle a pas l'air de savoir sur qui elle est tombée. *She picked the wrong fucking chick to mess with.*

Moi, j'ai un message à passer. Pis y a pas personne qui va m'en empêcher. M'en câlisse que tu sois pas contente, Miss Ass. M'en câlisse de toé pis de ta tête d'enterrement aux 5 à 7 de bureau.

J'vas-tu vraiment laisser des cancéreux souffrir pour rien en retenant ma publication et toutes les infos qui pourraient leur être utiles jusqu'à ce que je retourne au travail ? *No fucking way.* Les patients ont besoin d'aide tout de suite, maintenant, pis je le sais très bien, parce que moi, cette aide-là, j'aurais voulu l'obtenir quand j'en avais besoin. Faque *no way* que je vais me taire. *Killing in the name of*[46], c'est exactement comme laisser des gens souffrir au nom du *cash* et se cacher der- rière ses « responsabilités professionnelles » et les « objectifs de l'employeur »… *Killing in the name of — Now you do what they told ya, now you're under control*[47].

Sorry, moi j'embarquerai pas dans tes histoires, Miss Ass ; *I won't kill in the name of.*

Anyway, mon livre, moi je pense qu'il pourrait éventuellement aider des patients à retourner même plus vite au travail, dans le sens que s'ils sont moins maganés par le cancer, par exemple en faisant du sport après leurs injections de chimio, ou encore en ne sombrant pas dans la dépression parce qu'ils savent un peu plus à quoi s'attendre et que mon histoire à moi leur donne peut-être juste assez d'espoir pour tenir bon, eh ben les compagnies d'assurances finiront par en bénéfi- cier, y compris la Miss Ass Company. Et *by the way*, mes prestations d'assurance-invalidité, sérieux, là… 60 % de mes 13 mois de salaire, quand on met ça dans la balance avec les milliards que ces compa- gnies-là engrangent sur le dos du petit peuple, là… Câlisse, me semble que c'est pas la fin du monde.

Faque je ne vais pas me taire.

---

46. Rage Against the Machine, *Killing in the Name, Rage Against the Machine*, 1992.

47. Ibid.

If you think my hair is big, Miss Ass, wait 'til you feel my foot in your butt.

Fuck you, I won't do what you tell me. Fuck you, I won't do what you tell me. Fuck you, I won't do what you tell me, motherfucker[48].

Maude

---

48. Rage Against the Machine, *Killing in the Name*, *Rage Against the Machine*, 1992.

FAQ

C'est quoi son nom, à cette madame-là ?
Mouahaha ! Voulez-vous son adresse aussi ? ;) Ça me tente en estie…
mais je vais faire ma belle fille et l'aider à « protéger son intimité » !

T'as pas envie de lui régler son compte à la télé ?
Évidemment que oui, mais je ne cède pas au fantasme et je garde le
focus ; je reviens toujours à « j'ai un message à passer » ; le cancer, c'est
ben plus important que Miss Ass.

C'est-tu vrai que t'as changé de numéro de cellulaire à cause de Miss Ass ?
Oui. Et je jubile en l'imaginant dans son cubicule beige, avec son tail-
leur beige pis son téléphone beige :

— *Fi-dou-da. Le numéro que vous avez composé n'est pas en service.
Veuillez composer de nouveau.*

— Ben voyons… ? Attends, là… Cinq… un… quatre…

— *Fi-dou-da. Le numéro que vous avez composé n'est pas en service.
Veuillez composer de nouveau.*

Et là, qui sait, peut-être qu'elle se permet une petite folie et qu'elle
sacre en beige tout en chiant des arcs-en-ciel dans un camaïeu de
beiges ?

— Merdouille ! La garce ! Elle ne m'aura pas comme ça, je vais lui
montrer de quel bois beige je me chauffe, à cette petite effrontée !

… Quand on y pense, c'est presque un service que je lui rends ; vu
qu'elle refuse d'avoir du plaisir aux 5 à 7 du bureau, eh bien je mets un
peu de piquant dans sa vie et je lui permets de lâcher toute la rage qu'elle
accumule sous les néons dans son petit cubicule drabe à faire sa *dirty job*.
Comme ça au moins, elle aura enfin quelque chose à raconter au brunch
de Noël chez la belle-famille cette année (et qui sait, peut-être que je la
pousserai à bout et qu'elle prendra finalement un verre de mimosa de
trop su'l bord du sapin ?! WOOOOU-HOOOOUUUU ! Par ici les folies !)

Parlant de folies… J'ai un *trooper* qui m'a donné une bonne idée…
On pourrait postuler pour la job de Miss Ass qui est offerte actuellement, on pourrait aller occuper le cubicule beige à côté du sien,
mouahaha ! Pour bien faire ressortir la personnalité d'épaisse et/ou

de crosseuse sans cœur que Miss Ass semble se plaire à m'attribuer et qui me serait certainement très utile dans un poste de Préposée au service aux assurés en invalidité de longue durée, voici ce que ça pourrait donner…

« Bonjour,

Je désire poser ma candidature comme Préposée au service aux assurés en invalidité de longue durée. Plusieurs de mes réalisations personnelles me font penser que je suis la personne qu'il vous faut. En effet, dans mes temps libres, je vais dans les cours d'écoles primaires pour acquérir de l'expérience et je dérobe l'argent de poche des enfants de première et de deuxième année (je ne m'attaque jamais aux plus vieux parce qu'ils sont plus forts que moi). Mon plus beau coup reste la fois où j'ai volé un camion de Centraide ; j'ai fait un très gros profit en revendant la marchandise sur LesPAC.

J'adorerais appeler des gens malades pour les interroger, les traiter comme des fraudeurs et les propulser dans un état anxieux qui prolongera la durée de leur arrêt de travail en les plongeant dans la dépression. Un employé qui craint pour sa vie, qui cesse de manger et de dormir, ça me motive énormément ! Et je pense qu'il faut y voir une très belle opportunité pour votre entreprise !

J'ai très envie de contribuer à la profitabilité de votre assurance invalidité de longue durée en forçant le retour en poste des employés qui ont le sida ou une maladie dégénérative.

Au plaisir de discuter de mes perspectives d'emploi chez vous,
Miss Ass »

« Bonjour !

Je vœux apliqué : pour une job Supposée de service inbalabilitées !

Jai pas grand talent mais je suis très bone, pour équeurée le monde comme par example les madame aux guouvernemant quant que jétait sur le BS. J'ai bin de l'expériens la dent..

Mon chom, dis que je suis anale-fabète mais s'est faux. Je suis just anale. J'ai jamais été fabète de toute ma vie (je suit pas une fille de meme ces bin trop dégueue). J'ai eue mon diplaume de cégep sur la fesse mais je lépareil comme dent vos pré recquit. Ma fesse ma juste emant faite réusir mon cégep alors je pourai être anale ché vous ! La même chose !

Pk que ca marcherais pas à la Surranse ? si sa la marchée avec le BS !!
Merci !

Miss Ass »

« Je désire postuler pour l'emploi de Préposée au service aux assurés en invalidité de longue durée actuellement offert à la Miss Ass
Company.

Je n'ai pas vraiment le talent, la colonne, ni l'intelligence qu'il faut
pour intimider par téléphone des gens qui font pitié, mais j'aimerais
beaucoup apprendre ; j'ai vu sur votre site que vous offrez une formation pour les préposés et ça m'intéresse énormément.

Avec le temps et les efforts que je suis prête à fournir, je vous promets
que je réussirai à couper les prestations des malades, y compris de
ceux qui sont paralysés à la suite d'un accident ou qui vont mourir du
cancer. Je suis certaine qu'avec le temps, je m'habituerai et je réussirai
à les percevoir exactement tels qu'ils sont, c'est-à-dire comme des gens
malhonnêtes qui ont eux-mêmes altéré leur santé et mis leur vie en
danger simplement dans le but de rester à la maison en paresseux.

Apprendre tout ça ne sera sûrement pas facile pour moi, mais je me
dis que je le fais pour le bien commun. Il est grand temps que tous les
profiteurs retournent au travail et arrêtent de se plaindre. Je suis prête
à me dévouer pour la cause parce que nous allons tous y gagner en
bout de ligne, surtout vous et vos actionnaires.

Merci,
Miss Ass »

« À qui de droit,
J'aimerais postuler comme Préposé au service aux assurés en
invalidité de longue durée.

Je suis présentement collecteur pour la mafia de Montréal, mais avec
tout ce qui se passe en ce moment à la commission Charbonneau, j'ai
décidé de chercher un emploi avant de perdre le mien.

Si vous cherchez quelqu'un d'efficace avec l'argent, je suis votre
homme.

Mes passe-temps sont le dessin au fusain et le *scrapbooking*, alors je
pourrai décorer vos bureaux beiges en plus de mon travail si vous voulez.

Monsieur Ass »

« Bonjour,

Je soumets ma candidature comme Préposée au service aux assurés en invalidité de longue durée. Je suis excellente pour crosser les bénéficiaires dans les CHSLD, alors je crois que je serais très performante dans un poste de Préposée au service aux assurés chez vous. Lors de mon dernier emploi comme préposée dans un centre pour personnes âgées, j'ai acquis beaucoup d'expérience auprès des patients qui souffraient d'Alzheimer. Avec ma matraque en plastique, je leur faisais croire que j'étais policière et qu'ils devaient me donner tout leur argent. Ça fonctionnait très bien, mais malheureusement mon employeur n'avait pas assez de vision pour apprécier tout le potentiel que ça pouvait représenter pour lui (j'aurais été d'accord pour partager les profits), alors j'ai perdu mon emploi. Tant pis pour eux, c'est un autre employeur qui aura la chance de bénéficier de mon talent!

J'ai tout ce qu'il faut pour faire augmenter vos chiffres de façon très rapide, et vous pourrez compter sur mon doigté (je l'ai beaucoup pratiqué avec les gens âgés, à la fin ils ne sentaient presque plus rien) et ma discrétion irréprochable. Vous ne serez pas déçus.

Miss Ass »

Ayoye, je me retiens à deux mains pour pas envoyer mes lettres… Ça serait tellement drôle… Pis ça ferait même pas mal à personne… :)

N° 90. *Inno alla vita*[49]

29 novembre 2013

Plein de *feel-good news*! Un genre de pré-Noël!

Sisterhood

On vient de me trouver une jumelle de traitement! *Yes sir!* Une deuxième patiente a été identifiée comme testeuse potentielle à l'Hôpital des Saints, et non seulement elle a accepté l'offre quand on lui a

---

49. Milan Pole Dance Studio, *Inno alla vita*, 14 mars 2013.

proposé d'entrer dans le protocole, mais en plus, comme moi, elle a été randomisée du «bon bord», c'est-à-dire qu'elle teste bel et bien la nouvelle chimio au lieu de faire partie du groupe témoin! :D Il y en a peut-être d'autres qui se sont ajoutées au Québec, au Canada ou en Amérique du Nord, mais je n'ai pas les chiffres… encore. ;) Parce que vous le savez, hein: je vais me renseigner. :) Je vous reviendrai éventuellement avec des stats pour savoir où en est la recherche sur le T-DM1, qui permettra peut-être un jour de guérir les cancers du sein HER2+ sans passer par la case «chirurgie + perte de cheveux». *Stay tuned!*

Ma petite Nina qui n'a pas le cancer

Ben oui, je le sais que vous le savez déjà! Tsé j'ai beau avoir des problèmes au cerveau, je me rappelle quand même vous avoir écrit ça, haha! C'est juste que *I LOVE TO HEAR IT OVER AND OVER*, faque je l'écris, pis après ça je le relis à voix haute 20 fois de suite. ;)

Nipple Star

Une autre crisse de bonne nouvelle: j'ai enfin obtenu un rendez-vous dans un hôpital de Toronto pour aller faire reconstruire mes mamelons! C'est un peu comme si j'avais gratté trois icônes en forme de tsivi sur un billet de La Poule et que je m'en allais *spinner* une grosse roue sur laquelle personne ne perd jamais: j'ai rendez-vous avec la MEILLEURE faiseuse de mamelons AU PAYS! :) :) :)

Ma première consultation est le 14 février — câlisse que ça tombe ben, je vois pas meilleure date que la Saint-Valentin pour aller jaser de mamelons, haha! Pour la chirurgie, je devrai attendre que ma chimio soit terminée. Par contre, comme c'est une intervention jugée mineure, je ne crois pas que le temps de récupération sera bien long après l'opération.

When We Party, We Party Hearty[50]

Câlisse de belle soirée. :)

C'est important pour moi de vous remercier d'être venus au lancement du livre, parce que vous m'avez fait vraiment plaisir. :) Et je tiens à remercier une coche de plus ceux qui sont venus de loin — tsé,

---

50. LTD, *We Party Hearty, Something to Love*, 1977.

s'acheter un billet de train ou d'avion juste pour venir ME voir…
Ouf… Ça me rend toute chose… <3

Au début de la soirée, j'ai eu très peur que personne ne vienne. :s
L'heure avançait et mes amis n'arrivaient pas, je capotais! Finalement
vous avez été très nombreux à vous déplacer! J'ai pas les chiffres exacts,
mais ça tournait autour de 200 personnes! :D

Vous pouvez pas savoir le feeling que j'ai eu à voir mes chums
de pôle à l'œuvre…. *Mon* sport, pratiqué *pour moi*, par *mes* profs et
mes amis. Comment les remercier? Je ne sais pas, honnêtement! À
part leur dire que j'ai été profondément touchée. <3 Éloïse, Isabelle,
Michael, Nadia et Prana: hommes et femmes sont venus me dire leur
admiration pour vous. Vous avez soufflé tout le monde avec votre art.
Si vous me permettez, je vais fournir ici les liens de vos numéros, parce
que presque tout le monde me les a demandés:

La pôle est l'expression parfaite de la vie — équilibre, vertige,
danger, force, fragilité, rythme, enchaînements, étourdissement,
souplesse, tension, relâchement —, et je crois qu'elle offre aussi l'une
des meilleures images que la cause du cancer puisse trouver; elle est
émouvante, *empowering*, motivante; une fois qu'on sait comment
se tenir la tête en bas à 15 pieds du sol avec seulement nos genoux
serrés sur un poteau pour toute forme d'accroche, eh bien on se sent
capable de tout.

En mars 2013, accompagnée du cancer qui me rongeait les deux
seins et des cernes qui me dévoraient la moitié du visage (j'étais pâle
et cernée dans mon lit comme bien des patients en chimiothérapie),
j'ai eu l'impression que toute la communauté de la pôle, partout dans
le monde, se donnait la main pour faire avancer la cause du cancer et
qu'elle se battait aussi pour et avec moi; en mars 2013, j'ai vu *Inno alla
vita*, l'hymne à la vie.

Inno alla vita, c'est un spectacle-bénéfice qui a été organisé à Milan dans le but d'amasser des fonds pour la lutte au cancer, plus particulièrement pour la recherche. Le Milan Pole Dance Studio (ils possèdent deux studios là-bas) avait invité des pros à donner sur la scène une partie d'eux-mêmes en échange du sentiment de participer à quelque chose de collectif, quelque chose de bien plus grand que nous : la survie, la santé et le bien-être de l'espèce humaine.

Évidemment, moi j'étais dans mon lit, alors je n'ai pas pu me rendre à Milan pour assister à la soirée. J'en ai par contre suivi chaque minute grâce à la magie du Web, puisque l'événement était diffusé en direct et en *streaming*.

C'était magnifique, mais pas seulement. C'était émouvant et éclairant, ça faisait réaliser plein de choses.

Chaque artiste-athlète a présenté un numéro sur le thème d'un des aspects du cancer : diagnostic, vie, mort… L'art a parfois cette façon de porter la réflexion plus loin tout en accompagnant ceux qui souffrent… Vous aurez compris que j'avais beaucoup pleuré à l'époque. J'en étais à mes derniers traitements de chimio — ou plutôt, aux traitements que je croyais être mes derniers —, et ça m'avait donné une force intérieure immense à la veille de ma double mastectomie totale et de mon abandon forcé de la pôle ; **j'avais eu l'impression d'être soutenue, d'être comprise, d'être accompagnée** par une communauté internationale dont je ne connaissais pourtant que deux des membres impliqués : Krystel Arbia, propriétaire du MPDS et organisatrice de l'événement, et Marion Crampe, pôleuse française connue partout et par tous, idole de centaines d'adeptes de la pôle, hommes et femmes confondus, partout dans le monde.

Aujourd'hui, je sais que ça n'était pas qu'une impression. La communauté de la pôle en est une tissée de solidarité ; partout sur la planète, pôleurs et pôleuses se croisent, se reconnaissent, s'épaulent et avancent ensemble. J'espère de tout cœur que ça demeurera ainsi, en particulier chez nous, où cette communauté-là est toute nouvelle et qu'elle cherche encore à établir ses propres bases et valeurs. **Mais ce que je souhaite par-dessus tout, c'est de voir cette solidarité, celle qui s'acharne à répondre au cancer, s'étendre au reste du monde pour qu'enfin on en arrive à trouver des réponses à l'énigme et ainsi garder plus d'êtres en santé et vivants.** Je veux que le monde s'ouvre au cancer pour qu'on puisse le plus vite possible passer à autre chose. Pour moi, c'est clair : une partie de la solution passe par l'information, et l'autre partie, par le financement de la recherche.

Marion et Krystel : un merci très ému… <3

Pour ceux qui veulent voir la beauté du corps et de l'idéologie tout à la fois, voici des codes QR qui vous mèneront à l'événement qui m'a permis de tenir bon au printemps dernier, juste avant ma double mastectomie totale : un aperçu d'*Inno alla vita* (j'adore cette vidéo, le montage est magnifique), et l'intégrale du show.

FAQ

What's with your brain ?!

On craint une atteinte neurologique un petit peu trop *heavy*. C'est très épeurant, parce qu'en neurologie, il y a toujours une grosse part de mystère. Avec le scan que j'ai passé jeudi, on pourra voir si j'ai des cicatrices d'accidents vasculaires cérébraux, oui ; mais ça ne nous dira pas précisément l'ampleur des dommages. Je vais découvrir ça petit à petit, chaque fois que j'essaierai d'effectuer une tâche X et que je n'y parviendrai pas, par exemple faire un calcul ou exécuter un mouvement qui demande de la précision (selon la région du cerveau où ont lieu des AVC, ce sont différentes fonctions qui sont atteintes ; ça peut être les émotions, la parole, le mouvement, *whatever*). Pour le moment, ce qu'on sait avec certitude par rapport à mes nerfs et à mon cerveau, c'est que :

- J'ai des hallucinations ;
- Je ne sens presque plus le bout de mes doigts ;
- J'ai les orteils engourdis et je sens parfois de drôles de choses (par exemple : j'ai toujours l'impression d'avoir un gros motton de chaussette sous mon pied gauche quand je porte des chaussures, alors que c'est jamais le cas. C'est sûr que c'est pas grave, mais ça gosse en estie de marcher de même tout le temps) ;

- J'ai perdu le réflexe des genoux (le test avec le petit marteau en caoutchouc);
- J'ai des problèmes avec les nerfs qui entourent mon estomac.

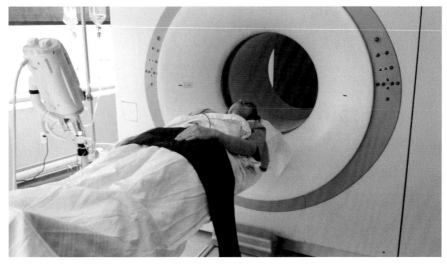

Scan cerveau et poumons. La bande noire est en Velcro® et sert à attacher les bras le long du corps; on doit rester complètement immobile, et une voix préenregistrée nous indique quand respirer. Malheureusement il y a une injection (d'iode) en bolus, alors il a fallu m'installer un cathéter et… me droguer, pour éviter que je pète la machine pendant une crise de panique. Les techniciennes ont eu beaucoup de patience avec moi, et elles m'ont laissé mon iPod jusqu'à la toute dernière minute… Merci. <3

Est-ce que c'est le T-DM1 qui a causé tes problèmes cérébraux/ neurologiques?

Pas forcément. Ça pourrait très bien être le Taxol, qui est bien connu pour tomber sur les nerfs (j'adore mon jeu de mots, lol). Peut-être aussi que ça pourrait être le AC, j'en sais rien. Ça pourrait par ailleurs être autre chose complètement, j'imagine. Comme je n'ai pas vu mon médecin relax, je ne sais pas, je n'ai pas de détails. À suivre, donc…

Est-ce que ça te fait peur?

Terriblement. Tsé, le cerveau, c'est important; j'ai surtout peur de perdre des capacités cognitives. Mais des capacités physiques aussi, ça me ferait capoter.

Oui, j'ai vraiment, vrrrrrraiment la chienne.

Quand on sait rien, toutte va ben… J'étais complètement insouciante
avant le rendez-vous où on allait m'annoncer que je n'étais
pas assez en santé pour recevoir ma chimio.

Complètement paniquée avant le test ultime :
est-ce que mon cerveau est OK ou pas OK ? Tsé, s'ils ont tué Opie
(*Sons of Anarchy*), vraiment n'importe quoi pourrait arriver…

Comment c'était, au Salon du livre ?

Oh mon Dieu. Ooooh. Mooooon. Dieeeeu.

J'y ai fait la plus belle rencontre qu'on puisse imaginer ; je ne pense pas que rien va venir battre ça dans toutes les rencontres que je ferai à l'occasion de la publication de mes courriels.

Un couple est arrivé les yeux dans l'eau. Ils avaient la cinquantaine. Ils m'ont dit : « On est venus exprès, on voulait vous voir. » L'homme a filé à la caisse sans dire un mot (il fallait payer le livre avant que j'aie le droit de le dédicacer), et sa femme est restée avec moi en cherchant manifestement à me parler mais en n'y arrivant pas.

Le gars est revenu. Comme ils ne semblaient pas en mesure de parler sur le coup, j'ai délicatement tenté une hypothèse :

— Vous connaissez quelqu'un qui est malade ?

Ils n'ont pas été capables de faire autre chose que de hocher la tête pour faire « oui ».

Je sais plus trop d'où ça m'est venu, mais c'était de leur fille qu'il s'agissait, et il fallait qu'elle soit plus jeune que moi, vu leur âge à eux. Donc j'ai dit :

— Oh non, dites-moi pas que c'est votre fille ?! Comment elle s'appelle ?

Ils ont murmuré son nom, ont pleuré les larmes qu'ils n'arrivaient plus à retenir, et entre deux respirations saccadées, ils m'ont fait comprendre que :

- Leur fille a reçu son diagnostic trois jours avant son mariage (et elle s'est mariée quand même, vive la vie qui a le dessus sur le cancer :))
- Son cancer est avancé
- Ils ne savent rien, ils paniquent raide
- Elle ne sait rien, elle panique raide
- Ils veulent savoir comment l'aider mais sont complètement désemparés
- Elle avait reçu sa première injection d'AC la semaine précédente
- Ses cheveux n'avaient pas encore commencé à tomber
- Ils avaient fait pas mal de route pour venir au Salon

Là j'ai pas pu faire autrement : je me suis levée de ma chaise pis j'ai serré la maman dans mes bras. On a pleuré toutes les deux, on est même restées collées quelques minutes comme si on se connaissait. Tsé, moi aussi je suis une maman, et moi aussi je craignais un cancer pour ma fille... Faque mettons qu'on connectait pas mal fort, *right* ?

À un moment ils sont devenus plus calmes, et ça nous a fait beaucoup de bien de se rencontrer. :) Je leur ai présenté le livre comme il faut (« Lisez-le avant elle juste au cas, commencez par le *black book* », etc.) et j'ai eu le bon flash de leur dire : « Là, c'est Noël qui s'en vient. Profitez-en donc pour lui donner une carte-cadeau de Sephora ou de La Senza ; premièrement, elle pourra faire son shopping sur le Web quand elle filera pas, et deuxièmement, vous allez voir, tout ce qui fait du bien à la féminité va lui faire du bien. »

Je leur ai demandé si elle avait des enfants : non. Shit de marde… elle vient de se marier et elle va être ménopausée… En tout cas, elle verra ça dans l'temps comme dans l'temps ; c'est pas toutes les patientes qui ne peuvent plus avoir d'enfants après.

Ce que je souhaite à cette fille-là, c'est de savoir utiliser l'amour de ses parents comme ressource inépuisable de force. Ce que j'ai vu ce soir-là dans leurs yeux, ce que j'ai senti dans mes bras qui entouraient sa maman, ce que j'ai perçu dans les murmures d'un couple de parents qui voudraient prendre la souffrance de leur enfant dans leur corps à eux, *man*, c'était *FUCKING PRICELESS*. Elle est bien entourée, oui, très bien même ; mais maintenant, il faut qu'elle sache se servir de tout cet amour-là, pis elle va être en business.

Ces parents-là, j'en traîne un petit morceau avec moi chaque jour depuis. Je suis certaine que vous comprenez pourquoi.

Je reviens à ce que je vous ai dit le soir du lancement : mon objectif était d'aider au moins une personne. Juste une personne, et j'allais être heureuse, j'allais sentir que j'avais fait mon p'tit boutte.

Ben j'ai réussi. :) *And I feel FUCKING GREAT about it.*

Maude

Note à mes lecteurs « papier »

Ça va sonner drôle un peu, mais j'ai besoin de le dire alors je le dis : merci de m'avoir lue. :) Vous contribuez à mon rétablissement parce que vous me permettez d'informer et d'aider des gens. Grâce à vous, je me sens utile.

Et pendant que vous, vous lisez mon livre, mes *troopers*, eux, lisent déjà de nouveaux courriels ! J'ignore si le tome 3 de mon histoire atteindra un jour les tablettes des librairies — ça coûte cher de faire un livre au Québec, et aucun éditeur ne s'y risque s'il craint que ça ne soit pas rentable —, mais en tout cas, il existe bel et bien dans ma boîte de courriels et dans celle de mes amis. Que je sois publiée ou non ne changera rien pour moi ; je continuerai à leur écrire. Entre aujourd'hui et le retour à ma vie d'avant, il me reste encore toute une série d'étapes à traverser pour redevenir « normale », y compris une reconstruction mamelonnaire avec tatouage à Toronto et à New Orleans ; j'ai encore besoin de mes *troopers* pour me rendre au fil d'arrivée en un morceau.

Je vous invite donc à venir me voir sur Facebook ; c'est là que vous trouverez de mes nouvelles, ainsi que la suite de mes courriels si jamais on ne réussissait pas à les mettre sur papier ! À bientôt, han ! :)

www.facebook.com/pages/Maude-Schiltz-Ah-shit-jai-pogne-le-cancer/663938533657630

Le *black book*
de la Cancer Chick

Quoi offrir à un proche
qui se bat contre le cancer?

Voilà une question qu'on m'a beaucoup posée. Évidemment, les malades du cancer n'ont pas tous les mêmes envies ou les mêmes besoins, mais voici ce que j'ai à proposer:

Un service d'entretien ménager
En particulier pour ceux qui ont des enfants, mais même sans ça… Gardez en tête que votre ami, votre collègue ou votre sœur qui a le cancer va passer plusieurs mois à la maison, fort probablement sans avoir l'énergie de faire du ménage. Premièrement, c'est ultra déprimant de passer toutes ses journées dans un gros bordel, mais en plus, ça augmente encore le feeling d'improductivité du malade. Ben oui, on est mal faits comme ça; même quand on a le cancer et que le ménage ne devrait pas être une priorité, on finit par se dire «Faudrait que je passe l'aspirateur et que je lave les planchers»… et on se sent poches de ne pas le faire. Donc c'est un super cadeau à offrir, ça va faire bien du chemin. Certaines compagnies offrent des services à la demi-journée; même pas besoin de vous engager à payer quelqu'un qui viendra plus qu'une fois.

Des plats maison congelés ou un service de traiteur
Pas seulement parce que le malade n'a pas l'énergie ou l'envie de cuisiner des plats équilibrés, mais parce qu'il a peut-être aussi des nausées. Et aussi parce que la pizza et les hot dogs en livraison, côté «quatre groupes» ça performe pas fort-fort, tsé. ;) Pour aider sa santé au max, le malade doit bien s'alimenter, pis *chances are* qu'il a du mal à s'occuper de ça lui-même.

Des petits bonheurs futiles

Genre des cartes-cadeaux pour le magasinage en ligne, parce que tsé, on n'est pas sorteux pis il faut bien se divertir un peu de temps en temps vu que les journées sont interminables quand on est pris à la maison. Évidemment on peut penser aux librairies virtuelles, mais ça se peut que le malade ne soit même pas assez en forme pour lire ; c'est un facteur à considérer. Des idées : pour les cancéreuses en général, Sephora, comme ça elles pourront renouer avec la coquette en elles ; pour les cancéreuses du sein qui devront subir des changements majeurs à cause d'une chirurgie mammaire, Victoria's Secret ou La Senza. *Anyway*, peu importe ce que vous choisirez, l'important est qu'on puisse l'utiliser dans son lit à partir d'un *laptop*.

Des séances de *spraytan*

Ben oui, je le sais que c'est un drôle de cadeau à offrir. Mais je vous le garantis : qu'on soit un homme ou une femme, avoir le teint vert, ça finit par faire mal au moral quand on se regarde dans le miroir. Et il arrive même qu'on se sente pas trop mal certains matins, mais qu'à force de se voir aussi cerné et blême, on finisse par se sentir plus magané qu'on l'est en réalité. Donc c'est pas si fou que ça comme idée de cadeau. Le hic, par contre, c'est qu'il faut trouver quelqu'un de bien, sinon on se ramasse avec un teint orange (tsé, changer du vert pour du orange, c'est pas nécessairement mieux pour le moral, lol). Je vous redonne le numéro de ma spraytanneuse préférée ; elle, elle crée un beau teint à tous les coups. Renée : 514 969-1850.

Les musts de la chirurgie : ma liste d'épicerie

Avant votre chirurgie, assurez-vous d'avoir à l'avance tout ce qu'il vous faudra pour votre hospitalisation et votre retour à la maison. Voici ce qui m'a aidée :

Pour le séjour à l'hôpital

- Des hauts très amples et boutonnés ou zippés sur le devant ; ça vous facilitera grandement la tâche au moment de vous habiller. C'est essentiel pour le jour où vous quitterez l'hôpital au terme de votre hospitalisation (pensez-y ; vous ne quitterez pas l'hôpital en jaquette bleue !), et je vous garantis que vous trouverez ça utile pendant plusieurs semaines à la maison aussi.
- Des lingettes démaquillantes pour réussir à se laver en-dessous des bras sans mouiller les pansements. Pas fou, han ?! :)
- Un iPod. Ma voisine de chambre a vomi cinq fois. Juste pour enterrer ce bruit-là, un iPod, ça vaut crissement la peine. Prenez aussi des revues ou un livre ; ça, c'est une évidence. Mais ça ne couvre pas les bruits de vomi.
- Des bouchons d'oreilles en silicone et un masque pour les yeux. Les nuits ne sont pas si calmes que ça dans un hôpital… Par ailleurs, vous voudrez certainement faire des siestes en plein jour.
- Des petites bouteilles d'eau, d'eau de coco ou de jus d'aloès (c'est un peu laxatif, ça aide après une anesthésie générale). Comme ça, vous n'aurez pas à attendre qu'on vienne vous porter de l'eau si vous êtes immobilisée. L'intubation lors de l'anesthésie rend la bouche très sèche pendant plusieurs jours, et c'est encore pire si vous avez été traitée au Taxol avant, puisque ça affecte la production de salive. N'amenez que des petits formats, parce

que la grosse bouteille de 1,5 litre sera trop lourde pour vous, surtout si vous avez subi un curetage des ganglions.

- Des bonbons et de la gomme, ça aide aussi contre la bouche sèche. Choisissez-les sans sucre si vous avez pris du poids pendant une chimiothérapie néoadjuvante.
- Du petit change pour la machine à *pretzels* de l'hôpital en cas de fringale ; ça distrait de prendre une petite marche. :)
- Des dépliants de livraison. Si votre hôpital n'a pas la même idée du concept de gastronomie que mon hôpital à moi, vous voudrez peut-être commander du libanais ou de l'indien après le souper. ;)
- Un rouge à lèvres flash, du blush et du cache-cernes. Être moche, c'est déjà plate et déprimant. Mais être moche dans un lit d'hôpital, pfff, c'est l'boutte d'la marde.

Pour la convalescence à la maison

- Une ceinture de cuir tressé pour y épingler les poires Jackson-Pratt qui penderont au bout de vos drains, c'est l'ultime outil pour limiter la douleur. Ça fait ben moins mal de même que de les accrocher à une chemise comme ils font à l'hôpital, promis.
- Un espace aménagé exprès autour de votre lit. Deux priorités ici : 1. avoir tout ce qu'il faut à portée de main, y compris vos médicaments, de l'eau, des coussins, etc. ; 2. avoir suffisamment de place pour se lever facilement et sans avoir à trébucher sur des objets inutiles.
- Quelqu'un pour vous aider. Vous ne pourrez pas forcer, soulever des objets, etc. Remarquez, si vous ne vous faites opérer que d'un seul sein, vous n'aurez besoin de personne parce que vous pourrez toujours vous servir du bras opposé. Mais sinon, eh bien il faut vous attendre à ne pouvoir exécuter que très peu de mouvements pendant quelque temps. :/
- Du Cicaplast™ (LaRoche-Posay™) ou du Dermatix™ (Hanson Medical™), que vous utiliserez dès que vos plaies seront prêtes à recevoir un traitement topique ; à la longue, ça atténue les cicatrices.
- Une connexion Internet qui a de l'allure, parce que oui, les journées seront longues. Très longues.

- Des antidouleurs puissants pour le retrait des drains, qui a lieu au bureau du chirurgien esthétique dans la semaine qui suit la chirurgie. Vous pourriez éventuellement vouloir aussi de l'Ativan ; consultez vos médecins à l'avance là-dessus, parce que le jour même, il sera trop tard. Et prévoyez quelqu'un qui vous conduira — vous ne serez pas en état de prendre le volant.
- Une deuxième dose d'antidouleurs puissants pour le retrait des points, parce que ça non plus c'est vraiment pas un beau moment. ;)

À faire AVANT
votre chirurgie du sein

Bookez une séance de photos sexy

Je sais bien que vous n'êtes pas dans le *mood* pour ça du tout. Mais quand même, ça serait pas fou de garder un souvenir de votre look d'avant. Moi j'avais fait quelques séances de photos au cours des huit dernières années; au départ, ces photos-là étaient pour mon mari. Mais aujourd'hui je les regarde et ce que je vois, c'est un coffre au trésor. Quand on a perdu ses cheveux et ses seins, quand on a gagné ou perdu plusieurs livres… on se dit que des photos comme celles-là, ça vaut son pesant d'or. Et en passant, vous n'avez pas besoin de partager votre vie avec quelqu'un pour faire ça, hein. Vous pouvez très bien vous les offrir vous-même. ;) Et ça ne s'adresse pas qu'aux femmes non plus, *think outside the box…* ;)

Voici les coordonnées d'Amélie Cousineau et de Michel Paquet, deux photographes montréalais sympathiques et pas gênants pour deux sous qui m'ont photographiée plusieurs fois; je les ai adorés tous les deux, autant pour leur respect du sujet que pour la qualité de leur travail.

www.ameliecousineau.com

www.michelpaquetphotographe.com

Parlez franchement à vos proches

Voulez-vous recevoir de la visite à l'hôpital, ou préférez-vous être tranquille? C'est le genre de choses qu'il faut dire, ça! Aussi, si des traitements de corticostéroïdes (Decadron) vous ont laissé quelques kilos en cadeau, eh bien je vous conseille de demander clairement à vos proches de ne pas vous envoyer de sucreries à l'hôpital, dans le but de faciliter le contrôle de votre poids. Pareil pour les fleurs; est-ce que vous aimez ça ou pas? Faut le dire!

Préparez Chéri(e)

Ici, c'est délicat, mais il faut quand même en parler : votre vie sexuelle sera complètement chamboulée par votre chirurgie. D'abord et bien évidemment parce que vos seins auront changé ou carrément disparu, mais également parce qu'en raison de la douleur, vous n'arriverez plus à faire l'amour comme avant. Faudra revoir le choix des positions préférées et expliquer comme il faut à la personne qui partage votre lit ce qui vous fait mal versus ce qui ne vous fait pas mal.

Mettez la table pour la meilleure cicatrisation possible

Ça implique d'abord de cesser de fumer au moins un à deux mois avant la chirurgie, mais ça veut aussi dire de repérer un dermatologue qui pourra traiter vos cicatrices au laser après l'intervention, si bien sûr c'est quelque chose qui vous intéresse. C'est pas fou non plus de préparer votre peau le plus longtemps d'avance possible en l'hydratant au maximum pour lui assurer toute la souplesse dont elle est capable ; perso, je vous conseille l'huile d'amandes douces.

L'étiquette des perruques

Quand on croise quelqu'un qui porte une perruque, qu'est-ce qui se fait pas? Pis qu'est-ce qui se dit pas?

Les gens me posent beaucoup de questions sur les perruques et je réponds à toutes, mais il reste encore des questions qu'on ne m'a jamais posées, et j'ai envie de les aborder parce que je pense qu'il y a plein de choses qui pourraient ne pas venir d'emblée à l'esprit des gens qui ne portent pas de perruques.

Alors je vais essayer de vous brosser (mouahaha) un portrait complet en ce qui concerne les prothèses capillaires en général, et si vous avez des questions supplémentaires, ben *go*, envoyez-les-moi. :)

Les questions épineuses

Est-ce qu'on peut demander à quelqu'un s'il porte une perruque ou si ce sont ses vrais cheveux?

À moi, oui. ;) Je m'en fous complètement, je n'ai aucun orgueil là-dessus.

Sinon, je pense que la règle générale, c'est:

- On peut le demander si les cheveux sont d'une couleur super *fake* (la fille qui a les cheveux rose bébé avec un dégradé fuchsia vers les pointes, y a ben des chances qu'elle l'assume en masse (et qu'elle se fasse poser la question 30 fois par jour *anyway*).
- On ne peut rien demander si les cheveux sont d'une couleur naturelle, parce que j'ai l'impression que la personne essaie justement de créer un effet naturel, et donc de cacher le fait qu'elle porte une perruque. Elle essaie peut-être aussi de cacher qu'elle est malade, ça arrive souvent parce que le cancer est ultra tabou dans certains milieux et pour certaines personnes.

C'est quoi «le plus big *no-no*» avec quelqu'un qui porte une perruque?
Lui frotter le dos par-dessus les cheveux. *Eeeeesh*, ça se mêle toutte pis après y a plus rien à faire, c'est très, mais trrrrès difficile à démêler, et en démêlant on casse plein de cheveux pis on se ramasse avec une perruque pleine de *flyaways*. :/ Ou pire: il faut carrément couper tous les nœuds. :(Moi ça m'est arrivé de me faire frotter les cheveux sur le dos; c'est pas la fin du monde, on s'entend, sauf que chaque fois, ce sont des heures qu'il faut passer à démêler tout ça. Avec les mains engourdies à cause de la chimio, et donc pleines de pouces. Pas facile, pas facile. En général, ça se termine par une perruque à la poubelle. :(

Est-ce qu'on peut demander à quelqu'un d'essayer ou d'emprunter sa perruque?
Hum… Honnêtement, c'est pas top. La personne risque d'être gênée de vous dire non, mais elle sera probablement préoccupée par:
- Des questions d'hygiène, surtout si c'est un patient en chimio. Et si vous lavez vous-même la perruque avant de la lui rendre, eh bien la perruque risque d'être complètement capoute parce que vous n'avez probablement aucune expérience dans le soin des faux cheveux (voir plus loin si vous voulez en apprendre là-dessus).
- L'état dans lequel vous lui remettrez sa perruque. L'air de rien, c'est vraiment fragile; premièrement, faut brosser le moins possible parce que ça devient tout grichou dans le temps de le dire, et deuxièmement, quand on veut démêler ça, faut pas le faire n'importe comment (voir le mode d'emploi plus loin) sinon c'est foutu, la perruque est juste bonne pour la poubelle. Troisièmement, vous avez beau vous dire «Ben non, je vais faire super attention, sa perruque sera pas mêlée du tout», eh bien vous êtes dans le champ: oui, vous allez bel et bien mêler sa perruque, ma main au feu que vous allez la mêler. Ça n'a rien à voir avec des vrais cheveux, *je vous le jure.*
- La façon dont vous l'entreposerez à la maison et dont vous la transporterez, même si c'est juste pour la lui ramener après l'avoir utilisée (encore là: précisions plus loin).
- Et si c'est juste pour l'essayer, ben faut quand même que la personne la retire de sa tête à elle pour que vous puissiez la mettre sur votre tête à vous; voir la question qui suit…

Est-ce qu'on peut demander à un patient de retirer sa perruque pour voir ses cheveux en dessous ?

Shit, non. Ça, c'est super poche. La personne qui porte une perruque a pris le temps de bien la placer, et en l'enlevant, ça *scrappe* toutte. En plus, ça va lui prendre un grand miroir pour la remettre, pis on n'en a pas toujours à portée de main. Et si la personne a un peu de cheveux, eh bien elle a l'air d'un petit chien tout cotonné quand elle retire sa perruque. :(Ensuite, c'est quand même un peu intimidant comme demande, parce qu'à ce moment-là tout le monde tourne la tête dans notre direction. On se sent un peu comme un animal de cirque avec tout le monde qui nous regarde pour ne pas manquer le grand dévoilement, et si en plus on est chauve, eh bien on sait qu'on a une grosse marque dans le front à cause de l'élastique à l'intérieur de la perruque.

Faque : non.

Est-ce qu'on peut toucher à la perruque de quelqu'un lorsqu'elle est sur sa tête ?

Ça dépend.

Si la personne n'est pas très *open* à propos du fait qu'elle porte une perruque, alors là, clairement, non. Vous risquez de la vexer.

Et si la personne n'a aucune gêne par rapport à ça, alors là, ça dépend aussi.

Vous pouvez toucher (délicatement, hein) la longueur des cheveux (donc disons à partir de la mâchoire), mais **pas le dessus de la tête**, parce que vous risquez d'exposer le fond de la perruque si elle n'est pas très dense (merde), ou encore de déplacer ou de faire tomber la perruque si jamais elle ne tient pas super bien et/ou que la personne est chauve et qu'elle ne peut donc pas la faire tenir par des bobépines (merde, merde, merde). Gros malaise.

Je pense aussi que c'est bien de demander en général ; il y a plein de gens qui préfèrent ne pas être touchés du tout, perruque ou pas perruque.

Est-ce qu'on peut offrir une perruque en cadeau ?

Hum, perso je ne m'y risquerais pas. D'abord, il y a l'histoire des goûts qui ne se discutent pas… Et ensuite, il y a toutes les susceptibilités que ça peut déclencher… Non, moi je dirais qu'il vaut mieux offrir autre chose.

Comment bien se servir d'une perruque

Choisir une perruque

Peu importe ce que vous choisirez, gardez à l'esprit que ça ne sera jamais comme avant. Beaucoup de patientes cherchent à recréer le look qu'elles avaient avec leurs cheveux — couleur, coupe, texture des cheveux —, et c'est à mon avis une erreur, parce que ça ne marche jamais et ç'a presque toujours l'air encore plus *fake*. Moi je crois qu'il vaut mieux en profiter pour tester quelque chose de nouveau. En ce sens, garder l'esprit ouvert est un gage de succès ; au magasin, vous réaliserez peut-être que la perruque que vous ne vouliez pas essayer est celle qui vous va le mieux, finalement…

Placer correctement une perruque sur sa tête quand on est chauve

Si vous avez des sourcils, utilisez-les comme repère ; on dit que la perruque doit être posée « à 4 doigts » des sourcils. Voici comment ça marche : vous collez ensemble les doigts d'une main et vous posez ces doigts-là sur votre front, avec le petit doigt à la ligne du sourcil. Normalement, la « racine » des cheveux de votre perruque devrait tomber pile à l'endroit où se trouve votre index. C'est pas une règle absolue, mais ça marche pour presque tout le monde.

Une fois que ça c'est établi, moi je vous conseille de faire tanguer un peu votre perruque de gauche à droite ; des fois, la séparation qui devait se trouver au milieu est en fin de compte plus jolie sur le côté ! Faut pas hésiter à tout essayer, vous allez avoir de belles surprises comme ça. :) Le seul *downside* ici, c'est que le filet intérieur de la perruque ne suivra plus aussi parfaitement votre tête. Vous pourriez avoir, par exemple, une partie du filet sur une oreille, et éventuellement ça deviendra douloureux après quelques heures. La solution ? Eh bien vous refaites tanguer la perruque par l'autre bord dans quelques heures, et vous voici maintenant avec une séparation à droite plutôt qu'à gauche. :)

En théorie, on ne devrait jamais porter le filet par-dessus l'oreille. Mais il arrive qu'on n'ait pas le choix : c'est mon cas avec plusieurs de mes perruques, parce que ma tête est bien trop petite pour les filets, même s'ils sont ajustables. C'est sûr que l'idéal est de faire passer le filet derrière l'oreille — c'est plus naturel et tellement plus confortable — mais parfois c'est juste pas possible parce que ça fait pocher la perruque sur le dessus de la tête.

L'idéal est bien sûr de se faire faire une perruque sur mesure, mais entre nous, là... on parle pas du même genre d'investissement. Donc si vous pouvez vous l'offrir, *go*, mais sinon, eh bien il faut vous organiser avec les moyens du bord !

Laver une perruque

On la plonge dans un lavabo rempli d'eau à laquelle on a ajouté du shampoing, et on fait crissement attention de ne pas laisser les cheveux s'emmêler. Même chose pour l'opération du rinçage ; attention, attention, attention.

Sécher une perruque

Si elle est en cheveux naturels, pas de trouble, on fait comme on veut. Si elle est synthétique, il faut la laisser sécher à l'air sur une tête en *styrofoam*. Certaines perruques supportent la chaleur jusqu'à un certain point, mais un séchage complet, *eeesh*, je ne m'y risquerais pas.

Brosser une perruque

Il faut à tout prix éviter d'utiliser une brosse parce que ça casse plein-plein-plein de cheveux. Après, la perruque devient soit griche-griche, soit plus clairsemée, soit les deux dans le pire des cas. Donc on utilise un gros peigne à dents très espacées, ça vaut mieux ; mais le *best* du *best*, c'est de commencer avec les doigts pour faire la plus grosse partie de la job, et ensuite, on peigne.

Démêler une perruque en l'abîmant le moins possible

Comme avec de vrais cheveux, il vaut toujours mieux y aller mèche par mèche et commencer par les pointes pour tranquillement peigner de plus en plus de longueur sur la même couette ; ça évite de créer de nouveaux nœuds et ça évite qu'on tire comme une malade sur les cheveux pour faire descendre le même nœud tout au long de la même couette.

Ensuite, moi je dis qu'il faut gosser dedans le moins possible. Donc on peigne **seulement quand c'est indispensable**, mais surtout **seulement là où c'est indispensable**. Les cheveux qui se mêlent le plus, ce sont ceux qui se trouvent dans le dos, sous la masse de tous les cheveux — ils se mêlent beaucoup parce qu'ils frottent sur le tissu du chandail que la personne porte. Donc on peut peigner les cheveux du dessous et laisser les autres tranquilles jusqu'à la prochaine fois si la perruque n'est pas entièrement mêlée.

Quand plus rien ne va et qu'une perruque semble être complètement indémêlable, il ne reste qu'une chose à tenter pour la sauver à mon avis : crêper les cheveux pour lui donner un look de rockeuse qui n'a pas dormi de la nuit. Attention, par contre : c'est un point de non-retour, vous ne pourrez plus rien faire d'autre avec ensuite. Donc si y a seulement un ou deux petits nœuds indémêlables, coupez-les ; quand on crêpe, c'est qu'on est sûre de sa *shot* et qu'on tente une ultime solution avant la poubelle.

La pensée du jour : ne brossez jamais une perruque sur une tête de *styrofoam*, sinon, Hydro-Québec va venir vous chercher pour vous vendre aux États-Unis, haha ! Vous allez donner des chocs électriques à tout le monde pendant une bonne semaine. Et bonne chance pour neutraliser la charge électrique de votre perruque ensuite, hein ! ;)

Utiliser un fer plat, un fer à friser, des rouleaux chauffants…

De plus en plus de perruques synthétiques tolèrent la chaleur et l'utilisation d'appareils chauffants. Mais il faut bien vérifier les indications du fabricant d'une part, et respecter les températures maximales d'autre part. Parce que bien des perruques synthétiques ne supportent aucune chaleur. Aucune.

Coiffer une perruque synthétique

On peut changer l'emplacement de la séparation de certaines perruques (ça dépend du fond de la perruque ; des fois c'est pas vraiment possible) ou encore placer la frange sur le côté, etc. Pour que ça tienne, ça prend de la chaleur (douce) qui va venir ramollir (à peine) les faux cheveux pour qu'ils prennent un pli différent. L'idéal, c'est de l'eau (pas trop) chaude que l'on fait couler seulement sur les cheveux qu'on veut placer autrement, après avoir pris soin de les faire tenir en (nouvelle) place par une ou des bobépines, et on laisse sécher à l'air.

Sinon, on met carrément la perruque, on la place comme on voudrait qu'elle soit, et on dirige l'air (pas trop) chaud du séchoir sur la « racine » des cheveux. On attend que ça soit bien refroidi avant de l'enlever, sinon tout est à refaire ; les cheveux reprendront leur ancienne place.

Si on a une coiffure particulièrement compliquée à réaliser (chignon ? tresses ?) ou un grrrrros démêlage à faire, on peut toujours l'installer sur une tête en *styrofoam* et piquer des aiguilles dedans pour la maintenir en place. Mais, pffff, on reste pris avec le même problème d'électricité statique…

Fixer solidement une perruque

Premièrement, ça implique d'avoir encore des cheveux (et ça, c'est un gros luxe dans le contexte du cancer !). Deuxièmement, il faut bien choisir la couleur de ses bobépines, sinon elles vont paraître et ça risque de perdre un peu de son charme ! Enfin, et c'est là le plus important, il faut cacher les pinces *sous* la perruque plutôt que de se contenter de les installer seulement sur son contour ; pour ça, vous placez votre perruque à votre goût, vous soulevez la masse de cheveux à plusieurs endroits différents (un endroit à la fois, hein !), et vous fixez les pinces entre le filet et les cheveux de la perruque, en l'accrochant bien dans vos cheveux à vous et dans le filet tout à la fois (la bobépine va traverser le filet, et c'est exactement ça qu'on veut. D'ailleurs, si vous portez un bonnet de nylon, vous pouvez percer le bonnet avec la pince, ça va super bien tenir). En faisant ça, vous aurez une perruque suffisamment solide pour aller spinner sur une pôle la tête à l'envers :) … sauf qu'il faudra vous assurer, en l'enlevant, d'y aller très délicatement pour ne pas arracher vos vrais cheveux en tirant sur les pinces ; ils sont fragiles (si vous êtes en chimio) !

Couper une perruque

On fait ça en une seule étape facile, c'est-à-dire en composant le numéro d'un bon coiffeur. ;) Mais si vous êtes *crafty* et que vous vous sentez l'âme d'une Martha Stewart, eh ben *go*. La seule chose, c'est : assurez-vous de procéder à la coupe pendant que la perruque est sur votre tête (et non sur une tête en *styrofoam*), parce que sinon, woupelaye, 'est donc ben courte cette frange-là tout d'un coup, quessé qu'y é t'arrive ?! Pis me semble qu'est un peu croche aussi, non ?! Tu trouves pas, Chéri ?!

Teindre une perruque
Faut d'abord s'assurer qu'on peut le faire — certaines matières synthétiques ne le permettent pas. Après, je vous conseille d'utiliser des tutoriels, y en a plein sur YouTube (notamment d'Epic Cosplay). Vous pourrez vous amuser avec du colorant alimentaire et des crayons Sharpie. Perso je ne suis pas rendue à me risquer… Peut-être un jour !

Utiliser de la craie (*hair chalk*) sur une perruque
Ben oui, pas de trouble, on peut mettre de la craie sur une perruque, à condition par contre d'être consciente que ça veut dire qu'il va falloir se taper un lavage ultra délicat demain par exemple… Ah shit, vous aviez pas pensé à ça, hein ?

Ranger une perruque
Le premier souci est d'éviter qu'elle s'emmêle, donc faut l'installer dans un coin pas trop passant. Ensuite, faut s'assurer qu'elle ne prenne pas de faux plis ; si on la laisse toutte écrapoue dans son sac Ziploc, eh bien la frange va garder un pli vertical en plein milieu, exactement là où la perruque était pliée. C'pas chic, tsé. Donc si on prévoit porter la perruque bientôt, on la range sur un support surélevé (souvent une tête en *styrofoam*, mais ça peut être autre chose aussi). Mais si on veut la garder rangée longtemps sans la porter, alors là, attention. D'abord il faut qu'elle soit bien démêlée, et ensuite il faut qu'elle soit bien bourrée de papier de soie en mottons pour imiter un peu une forme de tête. Une fois que ça c'est réglé, si elle est très longue, je conseille de retenir les longueurs avec un élastique pas serré du tout (pour éviter de faire une marque sur les cheveux). Après, on l'emprisonne dans le filet super lousse qu'on a eu en l'achetant — comme ça rien ne va bouger.

Quand tout ça est fait, on glisse délicatement la perruque dans un sac Ziploc au format adapté (d'ailleurs, la majorité des perruques que j'ai achetées étaient vendues dans un Ziploc), puis on la dépose à plat, idéalement dans un bac plat Rubbermaid, pour s'assurer que rien ne vienne l'effouérer.

Transporter une perruque

On suit les mêmes directives que pour l'entreposage (voir le paragraphe précédent), et faut pas trop s'inquiéter de l'écraser dans notre valise ; une fois bien rangées dans leur filet et leur Ziploc, les perruques sont quand même capables d'en prendre pas mal, c'est assez surprenant de voir ça (j'ai écrasé quelques-unes des miennes dans les sacoches de la moto de Chrystian, et pfff, rien n'y paraît.)

Si on est mal pris et qu'on n'a pas de sac et/ou de filet sous la main, eh bien on retourne la perruque à l'envers (dehors-dedans) pour mettre les cheveux à l'intérieur du filet élastique qui va normalement directement sur la tête ; comme ça au moins, les cheveux sont un peu protégés. Si vous portez habituellement un bonnet de nylon sous votre perruque, servez-vous-en pour l'y glisser, c'est encore mieux que de la virer à l'envers.

Se faire rembourser une partie du coût d'une perruque

Si vous avez une assurance, alors vous devez fournir la facture, accompagnée d'une prescription de votre oncologue — ça prend quelqu'un pour prouver que vous perdez vos cheveux en raison de vos traitements.

Si vous n'avez pas d'assurance, je crois que vous pouvez aussi vous faire rembourser une partie des frais, probablement par la RAMQ, mais là je m'avance un peu car en fait je n'y connais rien. Mais renseignez-vous ; ça vaut la peine, surtout si la perruque que vous avez choisie est en vrais cheveux (donc chère).

Les remboursements sont en pourcentage, donc en fonction du montant déboursé.

Gérer le combo « temps froid + perruque »

S'il fait froid et que vous souhaitez porter une tuque, ah là là, attention. Il vous faudra soit garder votre tuque sur la tête jusqu'à votre retour à la maison, soit tenter de l'enlever avec mille précautions pour ne pas que la perruque vienne avec ou qu'elle soit à moitié enlevée. Perso, je vous conseille d'utiliser plutôt un gros foulard à capuchon ; c'est cute, c'est assez lousse pour ne pas déplacer la perruque, pis ça fait la job côté chaleur. Toujours le même piège, par contre : l'électricité statique !

Perruques :
mes deux armes secrètes

Faut vraiment que je veuille aider mes *cancer sisters* pour révéler ma meilleure adresse… mais je vais le faire, parce qu'encore une fois : j'aurais tellement voulu que quelqu'un écrive tout ça avant que *moi* je sois malade, merde !

All right, so le meilleur spot que j'ai trouvé jusqu'à maintenant pour acheter des perruques depuis la parution du tome 1, c'est ici : www.aliexpress.com

C'est un genre de eBay chinois, c'est *full* pas cher (genre 10 $-15 $ la perruque), mais il faut d'abord s'ouvrir un compte. Il faut aussi être bien patient pour la livraison, évidemment (jusqu'à deux mois…), mais on est récompensé par des produits d'une qualité surprenante (ma perruque la plus naturelle de toutes vient de là et m'a coûté seulement 5 $, *shipping* inclus).

Voilà.

Ma deuxième arme secrète, c'est le duo Ardène + Dollar Max Dépôt ; deux endroits où l'on trouve des montagnes d'accessoires à cheveux pour des *peanuts*.

Quand on commence à porter des perruques, on hésite à vraiment jouer dedans et on n'est pas *game* d'essayer des choses. Eh bien c'est une erreur, parce que c'est justement bien plus facile de faire tenir une perruque quand on y ajoute une passe (serre-tête), ou quand on utilise des barrettes pour retenir les mèches qui nous bloquent la vue. Alors *go*, mesdames : foncez, essayez des choses. À une piasse la boucle coordonnée, c'est pas ça qui va vous ruiner ! ;)

Et tant qu'à vous rendre là-bas, profitez-en aussi pour acheter des paquets de bobépines de toutes les couleurs. En utilisant des pinces de la même teinte que vos faux cheveux, vous pourrez camoufler les

fixations dans la perruque, sous les cheveux ; on n'y verra que du feu. ;)
Ardène et Dollar Max Dépôt sont, selon mon expérience personnelle,
les deux magasins qui offrent le plus de couleurs de bobépines. Moi j'ai
27 perruques, et croyez-le ou non, j'ai trouvé là-bas des bobépines de
la couleur exacte de CHACUNE de mes perruques ; toutes les sortes
de rose, toutes les sortes de bleu, toutes les sortes de brun, toutes les
sortes de vert… Si ÇA ça vous jette pas à terre, *man*, je sais pas ce que
ça prend pour vous impressionner !

Qui fait quoi ?

Pour s'occuper d'un patient qui a le cancer, ça prend plein de gens qui travaillent fort-fort-fort. Je vous présente ici ceux dont il est question dans mes courriels, ça vous évitera de vous mélanger dans leurs surnoms ; mais gardez en tête qu'ils sont bien plus nombreux que ça, et qu'ils ne travaillent pas tous à l'hôpital !

Barbie : psychologue (« soutien » psychologique)

Breast Man : chirurgien esthétique (reconstruction mammaire)

Capitaine Atome : radio-oncologue (radiothérapie)

Ces femmes qui aiment trop : infirmière pivot en recherche (suivi général)

Cúchulainn : technicien en échographie du cœur

Dr Skin : dermatologue (traitement des cicatrices)

Dr Touchette, gynécologue : gynécologue spécialisé en oncologie (suivi gynécologique)

Fantoche : anesthésiste (chirurgie)

Infirmière *full* professionnelle : injections de chimiothérapie

Infirmière pivot adorable : suivi général avant que j'entre dans le protocole de recherche

Ken : travailleur social (« soutien » psychologique)

Médecin extraordinaire : chirurgien oncologue (mastectomie)

Médecin relax : oncologue (chimiothérapie)

Miss Ass : préposée au service aux assurés en invalidité de longue durée (assurance salaire)

Mister Big Stuff : résident en oncologie (chimiothérapie)

Mon party de Noël : infirmière en recherche (coordination du protocole de recherche)

Ninja des prises de sang : infirmière en phlébotomie (prises de sang)

Nipple Star : chirurgienne esthétique (reconstruction mamelonnaire)

Scotty : dermatologue (traitement des cicatrices)

Speedy : gastro-entérologue (suivi gastrique)

Achevé d'imprimer
sur les presses de
Imprimerie H.L.N.
Imprimé au Canada - Printed in Canada